エリア・スタディーズ 72

ケベックを知るための56章

【第2版】

日本ケベック学会（編）

明石書店

はじめに

本書は、日本ケベック学会（L'Association japonaise des études québécoises, ＡＪＥＱ）の設立15周年を記念して出版するものです。

２００８年10月、ＡＪＥＱは小畑精和氏と竹中豊氏を代表発起人として設立されました。設立を記念する第1回大会が明治大学リバティタワーにて開催され、創設メンバーたちが「ケベックのおもしろさ——４つの視点から」と題する設立記念シンポジウムで「地域研究」（竹中豊）、「フランス語社会」（矢頭典枝）、「ダンス芸術」（安田敬）、「文化」（小畑精和）の視点からケベック研究の意義について語りました。司会を務めた立花英裕氏は「設立シンポジウムを終えてみると、日本ケベック学会が一つの拠点となって、今後、ケベック、そしてフランコフォニーの研究が飛躍的な展開を見せるだろうという確信が頭をもたげてきた」とＡＪＥＱ機関誌『ケベック研究』の創刊号に記しました。設立大会には１００名以上の参加者が集い、1年目で60名以上がＡＪＥＱに入会した状況をみると、２００８年の時点ですでに「学会」という組織を中心にケベックを学際的に研究する下地ができていたといえます。それまでは、日本カナダ学会（The Japanese Association for Canadian Studies, ＪＡＣＳ、１９７９年設立）や日本カナダ文学会（The Canadian Literary Society of Japan, １９８２年設立）に所属してケベックについて研究していた人もいれば、フランス文学などフランス研究を出発点としてケベック研究に行きついた人もいました。また、研究者ではありませんが、ケベックに関わる仕事をしていた人も産声を上げたばかりのＡＪＥＱに入会してくれました。

ＡＪＥＱの初代会長は小畑精和氏が務め、二代目は小倉和子氏、三代目は立花英裕氏と続き、２０２１年、丹羽卓氏が四代目会長に就任しました。２０２３年現在、ＡＪＥＱの会員数は１１０名を超え、一国ではなく一地域の学会としては十分な規模の活発な組織に育ち、多岐にわたる研究分野で活躍する若手の会員も増えています。残念ながら、小畑氏は２０１３年に、立花氏は２０２１年に逝去されましたが、ＡＪＥＱの発展と本書の刊行を天国で喜んでくれているにちがいありません。

本書は、ＡＪＥＱ設立を記念して２００９年に出版された『ケベックを知るための54章』を発展的に継承するものです。初版は、明石書店のエリア・スタディーズで初めて一国内の特定地域を取り上げた書でした。今回の第2版では、ＡＪＥＱの会員を中心として執筆者は総勢45名にのぼり、初版には名を連ねなかった若い会員も執筆陣に加わって、ほとんどの章を新たに書き下ろしています。

本書の第一の特徴は、初版を踏襲する形で、ケベックという「英語の海」に囲まれたユニークなフランス語文化圏を、地理、歴史、多文化社会、政治と経済、言語と教育、文学、芸術文化、人々の暮らし、という面から総合的に描いている点です。ＡＪＥＱは世代交代の時期にありますが、歴史のセクションに関しては、日本のケベック研究の草分け的な存在である小林順子氏と竹中豊氏に依頼し、初版の両氏の章を若干改訂した原稿を掲載することにしました。

第二の特徴は、初版ではほとんど紹介されなかったケベック州外のフランス語圏についても、地理、対外関係、文学の面で章とコラムを掲載している点です。地理のセクションではニューブランズウィック州などカナダ東部の大西洋沿岸諸州、オンタリオ州のフランコフォン（フランス語話者）、南北アメリカに存在するフランスの海外県、ハイチなどのカリブ海の島々が紹介されています。また、対外関係では、ケベックとカナダ国内の他のフランス語圏とのつながり、そして、ケベックと海外のフランコフォニーとの関係がわかりやすく解説されています。また、文学のセクションでは、ニューブランズウィック州とハイチ出身の作家とその作品が紹介されています。

第三の特徴は、初版にはなかったコラムを23項目も設けている点です。先述のケベック以外のフランス語圏についての項目の多くはコラムとして掲載されています。また、ケベックで生まれ育った人、ケベックに永住している人、ケベック滞在が長かった人たちにも執筆を依頼し、アイスホッケーにまつわる話、独特なビール、ケベックの四季折々の生活などをコラムで紹介してもらっています。

なお、本書では、読者の混乱を避けるため、できるだけ用語の統一を図りました。まず、ケベックを理解するにあたって言語は非常に重要です。本書には、フランコフォン、アングロフォン、アロフォンという語が多く出てきます。ケベック、ひいてはカナダにおいて、フランコフォンは「フランス語を普段の生活で話す人々」、アングロフォンは「英語を普段の生活で話す人々」、アロフォンは「フランス語と英語以外の言語を普段の生活で話す人々」という意味合いで用いられており、そうした現地の慣例にならっています。ただし、統計に基づく厳密な説明が求められる場合には、たとえば「フランス語話者」などの表記も取り入れています。

また、フランス語のみを州の公用語とするケベックを研究する立場として、フランス語に対する現地の思いを尊重したい一方、日本語に訳しにくい用語を中心に、日本では英語の発音に沿ったカタカナ表記が定着しているという現実もあります。そこで、たとえばコミュニティやアイデンティティのように日本語として定着している用語は、そのまま英語風のカタカナ表記を採用しています。地名も同様です。ケベック最大の都市であるモントリオールは、フランス語ではモンレアルと発音され、セントローレンス川もフランス語ではサンローラン川と呼ばれますが、いずれも日本では英語の発音に沿ったカタカナ表記がすでに定着しています。カナダの地名という意味では、フランス語だけでなく英語も現地語であることもまぎれもない事実です。そこで、これらはあえて併記せずに、日本の慣用にしたがっています。また、ケベックは州名であるだけでなく、州都である都市の名称でもあり、その区別も苦慮するところです。フランス語では、州名には定冠詞が付される一方、都市名は無冠詞で用いられるため、同名でも区別が可能です。しかし、日本語では何らかのかたちで明確に区別する必要があります。そこで、やはり英語での区別にならって、州都はケベックシティと表記しています。

56章と23コラムから成る本書は、学術的な内容を多く含んでいますが、ケベックに興味を持つ一般の人々を主な読者層に想定しているため、一気に読み切れるように短く、そして理解しやすく書かれています。読者の理解を助けるため、頻出する固有名詞については巻頭に日仏英対照表を用意しました。そして、より深くケベックのことを知りたい読者は、巻末の文献ガイドを活用してください。本書が広くケベック理解につながるよう、執筆者一同、願っています。

最後に、過密スケジュールのなか、構想の段階から校了まで編集作業に尽力してくださった明石書店の長島遥さんに心から御礼申し上げます。

２０２３年12月

編集委員代表　矢頭典枝
大石太郎

ケベックを知るための56章【第2版】

目次

I　地理

CONTENTS

Ⅱ　歴　史

Ⅲ　多文化社会

Ⅳ　政治・経済・対外関係

V　言語と教育

Ⅵ 文学

Ⅶ　芸術文化

Ⅷ 社会と人々の暮らし

● ケベックの位置 ●

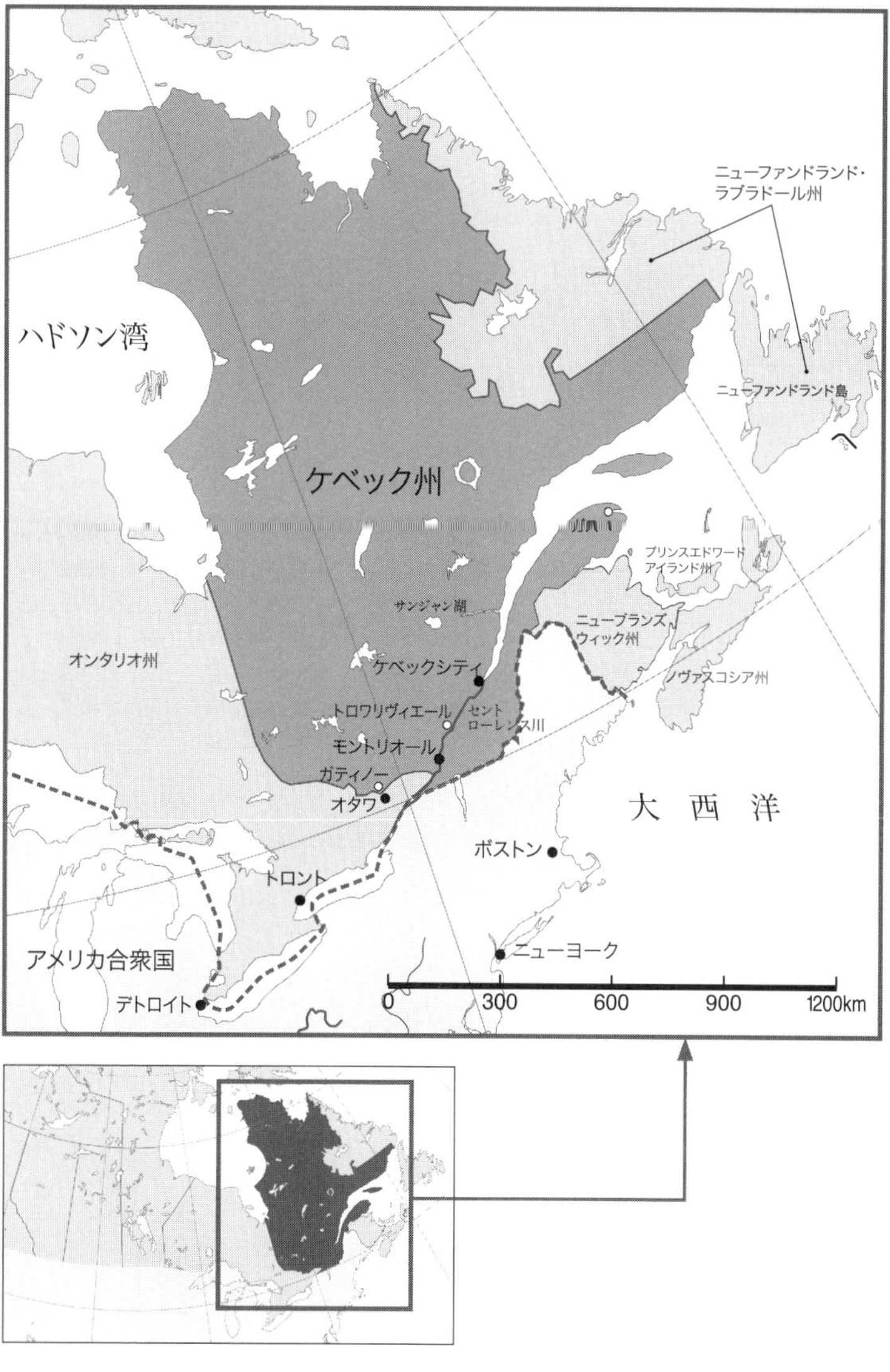
ニューファンドランド・
ラブラドール州
ハドソン湾
ニューファンドランド島
ケベック州
プリンスエドワード
アイランド州
サンジャン湖
ニューブランズ
ウィック州
オンタリオ州
ケベックシティ
ノヴァスコシア州
トロワリヴィエール
セント
ローレンス川
モントリオール
ガティノー
オタワ
大　西　洋
ボストン
トロント
アメリカ合衆国
ニューヨーク
デトロイト
0
300
600
900
1200km

● ケベック州の基礎データ ●

州　都	ケベック（Québec）
州最大都市	モントリオール（Montréal）
面　積	154 万 2056 km²（カナダ全土の 15.4 %）
月平均最高・最低気温（モントリオール）	7 月（26.3 ℃、16.1 ℃）、1 月（−5.3 ℃、−14.0 ℃）
公用語	フランス語（1974 年「（ケベック州）公用語法」）
人　口	850 万 1833 人（カナダ全人口の 23.0 %／ 2021 年）
フランス語母語人口	654 万 735 人（ケベック州人口の 77.8 %／ 2021 年）※
州　旗	青地にユリの花と白十字架（1948 年 1 月 21 日施行）
州の標語	Je me souviens（「私は忘れない」／ 1939 年制定）
平均寿命	女性 84.3 歳　男性 80.8 歳（2018〜2020 年）
州のナショナル・デー	6 月 24 日（La Fête nationale du Québec）
州　鳥	シロフクロウ
州　花	アイリス
州内総生産	約 3813 億米ドル（2021 年）
通　貨	カナダドル（1 ドル　約 108 円　2023 年 8 月 1 日）
日本との時差	−13 時間（夏時間＝ 3 月第 2 日曜〜11 月第 1 土曜） −14 時間（冬時間）
在モントリオール日本国総領事館	1, Place Ville Marie, Suite 3333 Montréal (Québec) H3B 3N2 Canada 電話　+1(514)866-3429
ケベック州政府在日事務所	〒 105-6032　東京都港区虎ノ門 4-3-1 城山 JT トラストタワー 32 階 電話　03-5733-4001

※　言語に関する統計の分母となる人口は州人口とは別に集計されているので、数値が一致しない。

● ケベックの州旗（左）と紋章（右）●

●主な用語の日仏英対照表●

日本語	フランス語（略称）	英語（略称）
セントローレンス川	Fleuve du Saint-Laurent	Saint Lawrence River
オタワ（ウタウエ）川	Rivière-des-Outaouais	Ottawa River
ローランティッド（ローレンシャン）地方	Laurentide	Laurentian
エストリー（イースタン・タウンシップス）地方	Estrie / Cantons-de-l'Est	Eastern Townships
カナダ国勢調査	Recensement du Canada	Census of Canada
センサス都市圏	Région métropolitaine de recensement (RMR)	Census Metropolitan Area (CMA)
ケベック州統計局	Institut statistique du Québec (ISQ)	
英領北アメリカ法（BNA 法）	Acte de l'Amérique du Nord britanique (AANB)	British North America Act (BNA Act)
（カナダ）1867 年憲法	Loi constitutionnelle, 1867	Constitution Act, 1867
（カナダ）1982 年憲法	Loi constitutionnelle, 1982	Constitution Act, 1982
ケベック自由党	Parti Libéral du Québec (PLQ)	
ケベック党	Parti Québécois (PQ)	
ケベック未来連合	Coalition Avenir Québec (CAQ)	
ケベック連帯	Québec solidaire (QS)	
ケベック連合	Bloc Québécois (BQ)	
フランコフォニー国際組織	Organisation Internationale de la Francophonie (OIF)	
ケベック州フランス語局	Office québécois de la langue française (OQLF)	
セジェップ	Collège d'enseignement général et professionnel (CÉGEP)	
保育園	Centres de la petite enfance (CPE)	
カナダ国立映画庁	Office national du film du Canada (ONF)	National Film Board of Canada（NFB)

大文字と小文字の区別は各組織のウェブサイトやウェブ百科事典Encyclopédie canadienneを参考にした。なお、組織については現存するもののみ掲載した。

I

地　理

I

地理

1

北アメリカの異彩を育んできた大地

★ケベックの自然環境★

ケベックは、1867年7月1日に成立した連邦国家カナダの一州である。ケベック州の面積は約154万平方キロメートルにおよび、世界第2位の国土面積をもつ巨大な国カナダの約15％を占め、イヌイットが多く住むヌナヴト準州に次ぐ大きな州である。ただ、北は北緯60度線を越えてハドソン海峡まで達しているものの、人口の大部分は北緯45度付近に集中している。ケベックは東西にも長く、最東端に位置するコミュニティであるブランサブロンと最西端となるオンタリオ州境との間には経度にしてほぼ20度の差があるが、ケベック州内の大部分の地域は西に隣接するオンタリオ州のほとんどの地域とともに東部標準時を採用している。例外はブランサブロンとその周辺およびセントローレンス湾に浮かぶマドレーヌ諸島で、これらの地域では大西洋標準時が採用されているが、前者はデイライト・セイヴィング・タイム（いわゆるサマータイム）を採用しておらず、その期間は東部標準時と同じ時間になる。なお、ケベックをはじめ、カナダや米国においてサマータイムを適用している地域では3月の第2日曜日に時計を1時間進め、11月の第1日曜日に時計を1時間戻す。つまり、サマータイムの期間のほうが本

写真　ケベックシティから下流に向けて川幅が広がるセントローレンス川
（2017年、筆者撮影）

来の標準時の期間よりも長くなっている。

自然的基盤のなかで、ケベックを理解するために最も重要なのはセントローレンス川である。源流のスペリオル湖西岸から河口までは約３０００キロメートル、五大湖のうち最も東に位置するオンタリオ湖からはほぼ北東向きに約１２００キロメートルを流れてセントローレンス湾に注ぐこの大河は、１５３４年にガスペ半島に達したフランス人探検家ジャック・カルチエが翌35年に探検して以来、早くから大西洋と五大湖とをつなぐ大動脈としてケベック、ひいてはカナダの発展に大きな役割を果たしてきた。ケベックという地名は、「川が狭くなるところ」を意味する先住民アルゴンキンの言葉が語源であるが、実際に州都ケベックシティ付近から下流はラッパ状に広がるエスチュアリーとなっており（写真）、地図上では海のようにみえる。セントローレンス川とセントローレンス湾の境界はアンティコスティ島であり、エスチュアリーは汽水域であることから、サンジャン湖から流れ出て東流するサグネ川との合流点のタドゥサック付近ではホエール・ウォッチングがさかんである。ケベックシティから下流では橋がかけられておらず、いくつかの地点間がフェリーで結ばれるのみであり、たとえばコートノール地方の中心都市ベ・コモとガスペ半島の付け根の町マタンヌの間は約2時間の航行となる。

セントローレンス川沿岸の低地は肥沃であり、17世紀になるとフランス人が入植を始めた。交通路として重要であった川へのアクセスは入植者にとって非常に重要であり、ロングロットと呼ばれる、川から内陸に細長くのびる地割りが発達した。現在でも、とくにケベックシティより下流の南岸に広がる農村地域では、その名残が顕著にみられる。また、沿岸には早くから都市も発達した。1608年にはのちに州都となるケベックシティが、さらに1642年にはモントリオールが建設された。当初は聖母マリアの町を意味するヴィル・マリーと名づけられ、カトリック布教の拠点として建設されたモントリオールは、オタワ（ウタウエ）川とセントローレンス川の合流点付近の中州に位置し、しかもモントリオールの上流には大きな船の進入を阻む難所が控えるという、大都市に発展するいくつもの条件を兼ね備えていた。18世紀半ばにケベックが英国統治下に入って以降、モントリオールには英国商人が拠点をかまえ、とくに彼らが好んで居住したロワイヤル山（モン・ロワイヤル）の南麓や西麓はのちに高級住宅地となった。そして、1820年までには早くから政治の中心地として発展したケベックシティの人口を超えて、モントリオールは1970年代までカナダ最大の都市として君臨した。1959年に全通したセントローレンス海路は、モントリオールより上流にみられた水運の難所を解消するものであり、モントリオールの優位性を低下させ、トロントがその地位を取って代わることを決定づけたとされる。

一方、ケベック州中央部から北部にかけて大きく広がるのが、ケベック州の面積の5分の4以上を占めるカナダ楯状地である。カナダ楯状地は、先カンブリア時代の火成岩や変成岩で構成され、北アメリカ大陸の安定した基盤となっている。カナダ楯状地の大部分は岩だらけのなだらかな高原であるが、周辺部で標高が高くなっており、州内の最高峰はニューファンドランド・ラブラドール州との境界となるトーンガット山地のイベルヴィル山（標高1652メートル）である。また、カナダ楯状地の南端部は日本でもローレンシャン高原として知られ、とくに秋の紅葉シーズンは日本人に人気の観光地であり、なかでも標高968メートルのトランブラン山とその麓の村（モン・トランブラン）は、スキーリゾートとして有名である。カナダはその寒冷な気候もあって冬季オリンピックの強豪国であるが、地形に依存するスキー競技の有力選手にはケベック州出身者が多い。カナダ楯状地は森林資源や鉱産資源が豊富であり、また水力発電を活かした産業が発達した一方、過去の氷河による侵食などを背景に土壌が非常にやせており、農業生産の可能な場所が限られることもあって、小都市が点在するのみで人口集中地域はみられない。ケベック州東部に目を転じると、セントローレンス川南岸で大きく北東に突き出たガスペ半島が印象的だろう。ガスペ半島から米国メイン州との境界付近にかけての地域は同国東部を南西から北東に走るアパラチア山脈の延長であり、標高は高いところで1000メートルを超える。

すべての領域が北緯40度以上に位置するケベック州の気候は全体として寒冷であり、11月中旬以

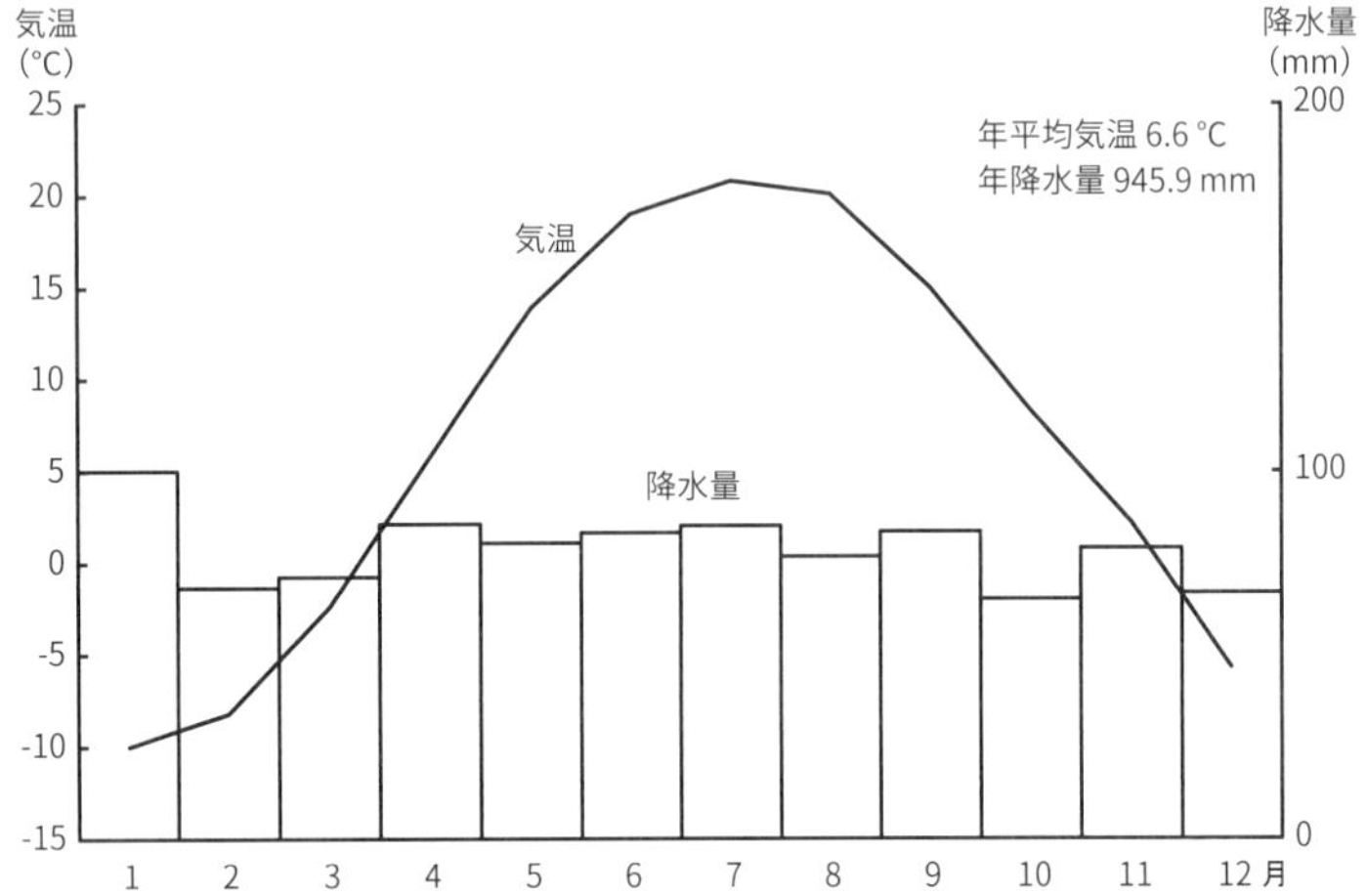

図　モントリオールの月平均気温と月降水量
出典：『理科年表』2022 年版により筆者作成

降は雪が降り始めて半年近く続く冬の到来となる。ケベック州では最も低緯度となる地域に位置するモントリオールでも、年間で最も低い1月の月平均気温はおおよそマイナス10度であり（図）、とくに1月下旬はマイナス20度前後の日が続くことも珍しくない。一方で5月以降はぐんぐんと暖かくなって、夏は最高気温が30度前後になる日もあり、風や湿度を考慮に入れた体感気温の差は冬と夏とで60度を超える。年降水量は１０００ミリメートル前後でカナダでは比較的高湿とはいえ、日本の大部分の地域では梅雨のまっただ中でうっとうしい日が続く夏至の頃はまさに夏らしい気候であり、学校の夏休みの時期には野外のイベントが各地でさかんに開催されている。春先の雪解けとメープルシロップ、秋の紅葉とハロウィンなど、長い冬の一方で短いながらもそれぞれの季節があり、四季を楽しめるのもケベックの魅力であろう。

（大石太郎）

コラム1

ケベックの諸地域

大石太郎

ケベック州では法令によって自然的特性や社会経済的特性に基づく行政地域（régions administratives）が設定されており、州の文書に示されている番号順に、バ・サンローラン（セントローレンス川下流地方）、サグネ・サンジャン湖、州都地域、モーリシー、エストリー、モントリオール、ウタウエ、アビティビ・テミスカマング、コートノール（セントローレンス川・湾北岸地方）、北部ケベック、ガスペジー・マドレーヌ諸島、ショディエール・アパラッシュ、ラヴァル、ラノディエール、ローランティッド（ローレンシャン地方）、モンテレジー、中央ケベックという17地域に区分される（次ページの図）。よく似た地域区分に観光局のものがあるが、同じ地名が用いられていても境界が異なる場合があり、注意が必要である。また、観光局による地域区分のほうが若干細かく、2018年に主要国首脳会議（G7サミット）が開催された、セントローレンス川の雄大な風景が楽しめる風光明媚なシャルルヴォワ地方は、行政地域では州都地域に含まれているのに対して、観光局では独立した区分になっている。ここでは、カナダ国勢調査の「経済地域」と領域が一致し、そのデータを用いた分析が可能な行政地域の区分にしたがって、いくつかの地域を紹介しよう。

フランス語のみを州の公用語とするケベックでは、ほとんどの行政地域でフランス語を母語とする住民が8割を超えているものの、必ずしもフランス語一色で塗りつぶされるわけではない。北部ケベックでは先住民が多く、モントリオールや、オタワ（ウタウエ）川をはさんでオンタリオ州と接するウタウエでは英語を母語とする住民が古くから居住してきた。モントリオール郊外に位置し、カナダ統計局が設定する

I
地　理

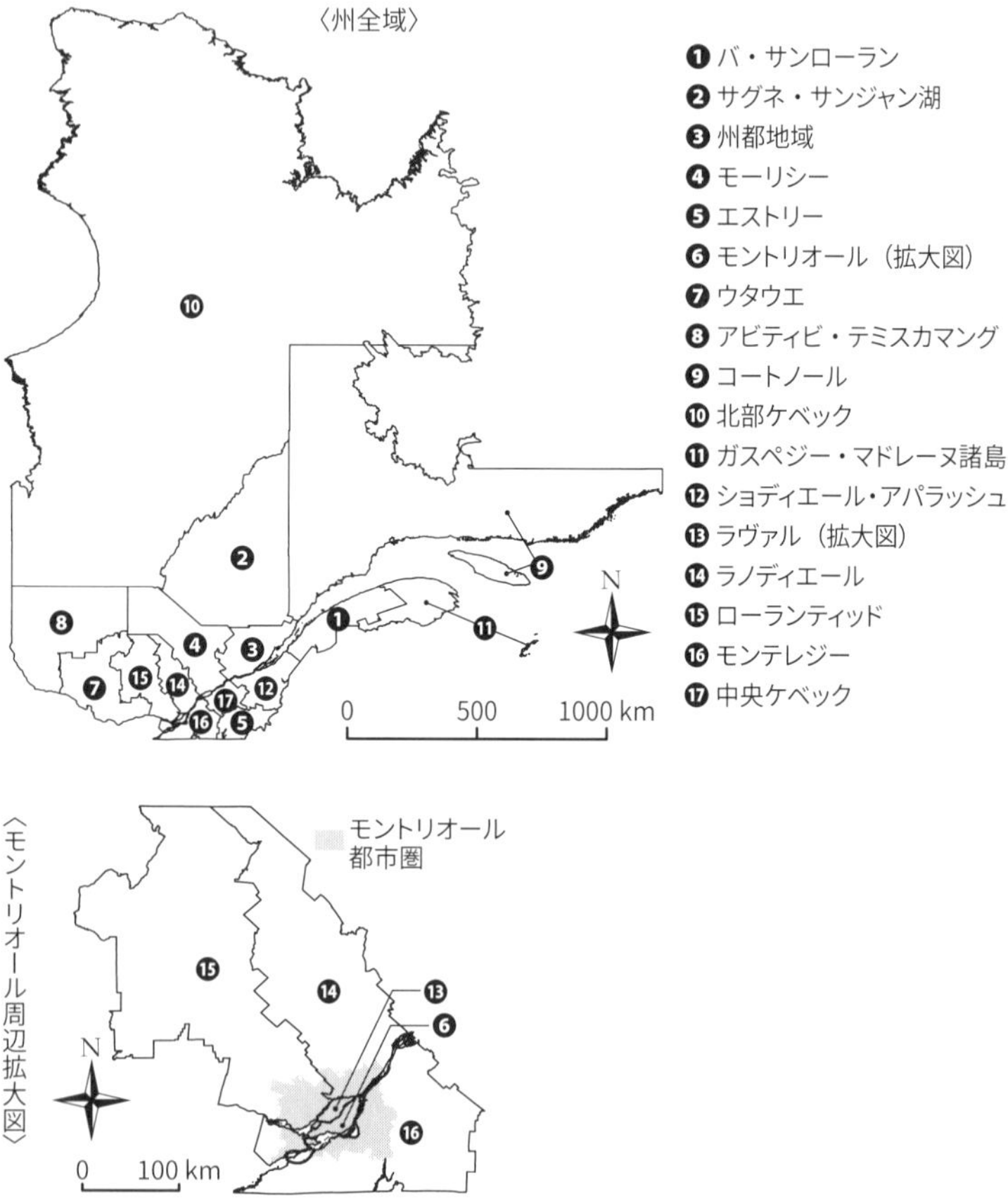
〈州全域〉
❶ バ・サンローラン
❷ サグネ・サンジャン湖
❸ 州都地域
❹ モーリシー
❺ エストリー
❻ モントリオール（拡大図）
❼ ウタウエ
❽ アビティビ・テミスカマング
❾ コートノール
❿ 北部ケベック
⓫ ガスペジー・マドレーヌ諸島
⓬ ショディエール・アパラッシュ
⓭ ラヴァル（拡大図）
⓮ ラノディエール
⓯ ローランティッド
⓰ モンテレジー
⓱ 中央ケベック
N
0
500
1000 km
〈モントリオール周辺拡大図〉
モントリオール都市圏
N
0
100 km

図　ケベックの諸地域

モントリオール都市圏（図）に含まれるラヴァルやモンテレジーの一部ではフランス語以外の言語を母語とする移民も多い。ニューファンドランド・ラブラドール州の本土部分（ラブラドール地方）と接するコートノールの最東端の地域は、実質的にはラブラドール地方の延長で住民の多くが英語を母語としている。この地域は現在もケベックシティなどの州中心部と道路で結ばれておらず、航空便ないしセントローレンス川・湾を航行する船便を利用するか、陸路では大きく迂回して他州を経由しないと到達できない僻遠の地である。

また、現在では住民の約9割がフランス語を母語とする南東部のエストリーも歴史的には英語話者の多かった地域であり、19世紀初めにはイースタン・タウンシップスと呼ばれるようになっていた。現在でも英語起源の地名が数多くみられるとともに（写真）、中心都市シェルブルックには英語を教育言語とする大学が立地し、英語日刊紙も刊行されている。観光局では、行政地域と同じ領域にもかかわらずカントン・ド・レストという別の地名を用いているが、これはイースタン・タウンシップスをフランス

写真　エストリーにおける英語地名がみられる道路標識
（2022年、筆者撮影）

語にしたもので、英語の広報媒体ではイースタン・タウンシップスが用いられている。なお、「東の王国」を意味するエストリーは１９４０年代から使われるようになったとされ、81年に正式な地名となった。

　カナダからの分離・独立運動にも地域差がみられ、指導者を輩出したガスペジーやサグネ・サンジャン湖で独立派政党が強さを発揮してきたのに対して、独立派政党の候補が当選しない地域もある。英語話者が多く居住するモントリオール西郊がその典型であり、またウタウエも連邦首都オタワの都市圏に含まれることもあって、独立派政党が苦戦する地域の一つである。しかし、独立派政党が苦戦する要因は必ずしも言語だけではない。住民の95％以上がフランス語を母語とするショディエール・アパラッシュの南部ボス（Beauce）地方は進取の気性に富む土地柄で中小企業が多く立地し、連邦下院議員選挙で一度も独立派政党の候補が当選したことのない、ケベックでは数少ない地域の一つである。

2

ケベック州の人口と都市

★都市への人口集中と進む高齢化★

２０２１年に実施されたカナダ国勢調査によると、ケベック州の人口は約８５０万であり、カナダの人口の23・０％を占め、約１４２２万を数えるオンタリオ州に次いで人口の多い州である。この二つの州でカナダの人口の61・４％を占めており、低下しつつあるものの、この2州にカナダの人口が集中していることは、連邦国家カナダとして最初に実施された国勢調査（１８７１年）以降、変わっていない。なお、先に開発が進んだのはケベック州（連邦結成以前のロワー・カナダ）であり、人口でオンタリオ州（同アッパー・カナダ）に逆転を許すのは１８５１年のことである。第二次世界大戦後、差の拡大は顕著となり、２０２１年にはその差が５７２万まで開いた。

１８７１年に約１１９万であったケベック州の人口は増加を続け、１９６１年に５００万を突破し、１９９１年には７００万を超えた。伸びがとくに著しかったのは１９５１年から１９６１年にかけてであり、この間に約１２０万もの増加をみた。最近でも、２０１１年から２０２１年までの10年間に約60万増加した。カトリックの影響力が強かった時代には子だくさんの家庭が多く、10人以上のきょうだいがいるのはふつうであり、なかにはきょうだいが20人以上という家庭もあったという。その結果、かつては人口圧が高く、農業に適した土地が限られることもあって、19世紀後半から20世紀前半にかけて、繊維工業が発展したニューイングランドに労働者として移住する者が多くみられた。また、1970年代後半から80年代にかけて、カナダからの分離・独立をめざす動きが活発になったことを背景に、相当数の英語話者が他州へ転出した。このように、何度か目立った人口流出を経験しつつも、かつては出生率の高さ、最近では他州や海外からの流入によって、ケベック州では今日に至るまで人口増加が続いている。なお、ニューイングランドに移住したケベック州出身者は移住先の工業都市でプチ（リトル）・カナダと呼ばれる集住地区を形成し、1960年代まではフランス語の新聞を発行する都市もあった。現在では、フランス語はほぼ失われてしまったものの、フランコ・アメリカンというアイデンティティが維持されている。

州内に目を転じよう。次ページの表は、カナダ国勢調査に基づいて2021年におけるケベック州の行政地域別人口と関連諸指標を示したものである。自然的特性や社会経済的特性に基づいて区分された17の行政地域（26ページの図参照）のうち、人口が最も多いのはモントリオール市を含むモントリオール島内の自治体からなるモントリオール（約200万）である。これに続くのがモントリオール郊外でセントローレンス川南岸に位置するモンテレジー（約159万）、州都ケベックシティを中心とする州都地域（約76万）であり、州の二大都市を含む行政地域が上位を占めている。一方、最も少ないのは北部ケベック（約4万6千）であり、広大な領域におもに先住民のコミュニティが点在している。これに次ぐのはセントローレンス川・湾の北岸を意味するコートノール（約8万8千）、さらにガスペ

表　ケベック州の行政地域別人口および関連諸指標（2021年）

番号	行政地域	中心都市	人　口（人）	人口増加率（2016～21年、%）	65歳以上人口の割合（%）	年齢中央値（歳）
1	バ・サンローラン (Bas-Saint-Laurent)	リムースキ	199,039	0.8	27.6	50.4
2	サグネ・サンジャン湖 (Saguenay–Lac-Saint-Jean)	サグネ	275,552	*-0.3*	24.9	47.2
3	州都地域 (Capitale-Nationale)	ケベックシティ	757,950	3.8	22.5	43.6
4	モーリシー（Mauricie）	トロワリヴィエール	273,055	2.6	27.2	49.6
5	エストリー（Estrie）	シェルブルック	337,701	5.9	23.8	45.2
6	モントリオール（Montréal）	モントリオール	2,004,265	3.2	17.5	39.6
7	ウタウエ（Outaouais）	ガティノー	405,158	5.9	17.7	42.0
8	アビティビ・テミスカマング (Abitibi-Témiscamingue)	ルーイン＝ノランダ	147,082	0.2	20.9	44.0
9	コートノール（Côte-Nord）	ベ・コモ	88,525	*-4.3*	21.3	46.4
10	北部ケベック (Nord-du-Québec)	シブガモー	45,740	2.6	9.1	29.8
11	ガスペジー・マドレーヌ諸島 (Gaspésie–Îles-de-la-Madeleine)	チャンドラー	89,342	*-1.1*	29.8	54.4
12	ショディエール・アパラッシュ (Chaudière-Appalaches)	セットフォードマインズ	433,312	3.1	23.3	45.6
13	ラヴァル（Laval）	ラヴァル	438,366	3.6	18.7	42.8
14	ラノディエール（Lanaudière）	ジョリエット	528,598	6.8	20.0	43.6
15	ローランティッド (Laurentides)	サンジェローム	528,598	7.9	20.5	44.8
16	モンテレジー（Montérégie）	ロングイユ	1,591,620	5.6	20.3	43.2
17	中央ケベック (Centre-du-Québec)	ヴィクトリアヴィル	250,445	3.3	23.7	45.2
	ケベック州全土		8,501,833	4.1	20.6	43.2

※　表中の番号は26ページの図中の番号と一致する
出典：カナダ国勢調査により筆者作成

ジー・マドレーヌ諸島（約8万9千）であり、いずれもモントリオールから遠く離れた縁辺地域である。この二つの行政地域はいずれも２０１６年から２０２１年にかけて人口が減少しており、人口増加率はそれぞれマイナス４・３％、マイナス１・１％であった。

高い出生率で知られたケベックでは１９２０年代半ばから出生率が低下し始めるが、いったん回復して１９５０年代には20年代後半と変わらない水準にあった。世俗化を背景に60年代に入ってケベックの出生率は急激に低下し、２０２１年の合計特殊出生率は１・58となっている。ただし、出生率の低下はケベック州に限られたことではなく、合計特殊出生率はカナダ全土（1・43）をはじめ、オンタリオ州（1・37）、ブリティッシュコロンビア州（1・21）などを上回る。一方、２０２１年のケベック州における65歳以上人口の割合は20・６％であり、ブリティッシュコロンビア州（20・３％）と同水準であるが、カナダ全土（19・０％）やオンタリオ州（18・５％）を若干上回り、カナダのなかでは比較的高い。州間の人口移動はもとより、外国からの移民の多寡が反映されていると考えられる。もちろん州内でも地域差があり、行政地域別にみると（前ページの表）、65歳以上人口の割合が最も高いのはガスペジー・マドレーヌ諸島（29・８％）である。最も低いのは先住民の多い北部ケベック（９・１％）であるが、それに続くのはモントリオール（17・５％）、カナダの首都オタワに隣接するウタウエ（17・７％）、モントリオール郊外のラヴァル（18・７％）であり、大都市とその周辺で低い。２０２１年の年齢階級別人口構成（次ページの図）をみると、ベビーブーム前後に生まれた「60～64歳」と「55～59歳」の割合が最も大きく、日本ほどではないが少子化も進んでいる。

ケベック州の都市は、セントローレンス川沿岸を中心に南部に集中している。通勤流動などを指標

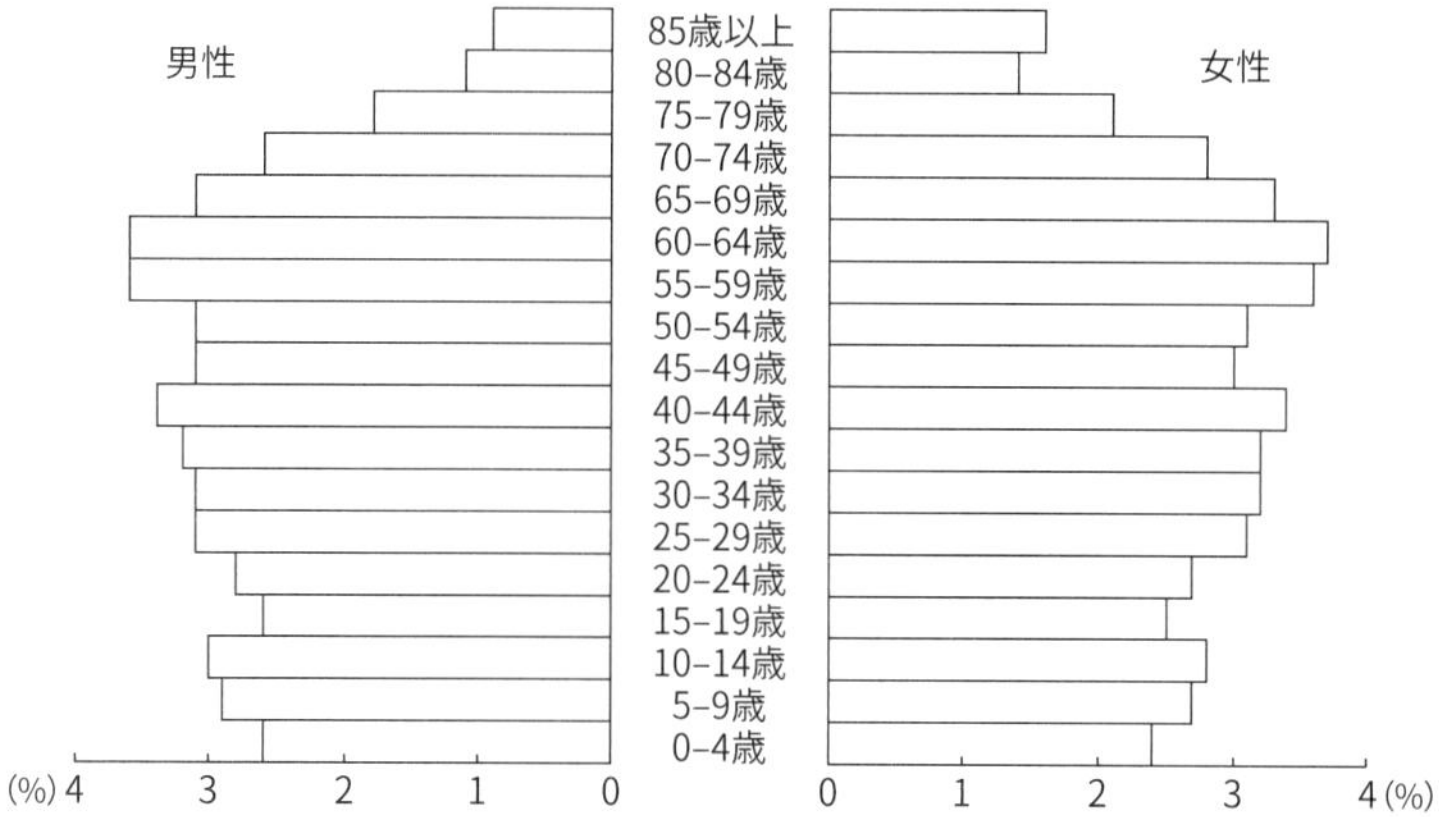

図　ケベック州における年齢階級別人口構成（2021年）

カナダ国勢調査では2021年調査より性別について男性・女性以外の回答が可能になっており、この図の「男性」「女性」にはカナダ統計局が男性・女性以外の回答を按分した数値を含む。

出典：カナダ国勢調査により筆者作成

にカナダ統計局が設定するセンサス都市圏（RMR／CMA）は州内に六つあり、これとは別に南西部ウタウエ地方の中心都市ガティノーが州境を越えてオンタリオ州オタワと都市圏を構成している。2021年国勢調査によると、六つの都市圏は人口の多い順に、モントリオール（約429万）、ケベックシティ（約84万）、シェルブルック（約23万）、サグネ（約16万）、トロワリヴィエール（約16万）、ドリュモンヴィル（約10万）であり、オタワ・ガティノー都市圏（約149万）のうち、ケベック州側の人口は約32万である。二大都市であるモントリオールとケベックシティは鉄道や自動車で約3時間、同様にモントリオールとオタワは約2時間の距離にあり、ケベック・ウィンザー回廊と呼ばれるカナダ随一の都市群の一部をなしている。一方、唯一カナダ楯状地に位置するサグネは、産業構造の変化を背景に現在では停滞しているが、その立地条件により20世紀初頭から製紙・パルプ工業やアルミニウム工業が発展した工業都市である。

このように、ケベック州では人口の約7割がいずれかのセンサス都市圏に居住し、都市への人口集中が顕著である。モントリオール都市圏だけでも州人口の実に半分以上が居住しており、白人と先住民以外をさすヴィジブル・マイノリティの占める割合は、ケベック州全体で約16%であるのに対して、モントリオール都市圏では約27%と突出している。モントリオールの人口構成をふりかえると、今でこそ「北米のパリ」と紹介されることも多いものの、かつては大英帝国の海外領土を代表する都市であり、1851年にはブリテン諸島系のアングロフォン人口がフランコフォンを上回っていた。その後、人口圧の高かった周辺の農村からフランコフォンが流入し、労働者としてモントリオールの発展を支えた。彼らがおもに居住したのは風下となる東部の地区であり、南北を走るメインストリートであるサンローラン大通りをはさんだ東側にフランコフォンが、西側にアングロフォンが多い傾向は現在でも色濃く残っている。こうした居住分化に象徴されるフランコフォンとアングロフォンの断絶は、1945年に発表されたヒュー・マクレナンの小説の題名にちなんで「二つの孤独」といわれてきた。その一方で、現在のケベック州を俯瞰すると、多文化的な住民構成のモントリオールと、住民の大部分がフランス語を話す白人というモントリオール以外の地域とが文化的・社会的に「分断」しており、それは現代ケベックを理解するための大きな鍵となっている。

（大石太郎）

3

モントリオールとケベックシティ

★対照的で魅力的な二つの都市★

ケベック最大の都市で経済の中心地であるモントリオール。それに対してケベック第二の都市で政治の中心地であるケベックシティ。この二つの都市はかなり異なった性格を持ち、それぞれが魅力的で独自の輝きを放っている。

モントリオール

２０２１年のカナダ国勢調査によると、モントリオールは都市圏人口の89％以上がフランス語を話せるフランス語の都市だが、60％以上が英語とフランス語の両方を話せる際立ったバイリンガル都市でもあり、多くの市民はそれを誇りに思っている。それどころか、そこはマルチエスニックな多言語都市である。

モントリオールはフランス語では「モンレアル」である。それはジャック・カルチエが１５３５年にこの山をMont Réalと呼んだことに由来する。16世紀のフランス語で「王の山」という意味で、その名前が島の名前となり、やがて町の名前となって今日に至っている。それを英語読みしたのが「モントリオール」なのである。セントローレンス川の巨大な中州に位置するこの町は、２０２１年のカナダ国勢調査では人口約１７６万人、

写真１　モン・ロワイヤルの展望台から眺めたモントリオール中心市街地の高層ビル群（2010年、大石太郎撮影）
奥に見える川はセントローレンス川である。

都市圏でみると約４３０万人で、カナダ第二の大都会である。これは８５０万人というケベック州全体の人口の半分以上を占める。

中心市街地《ダウンタウン》にはガラス張りの高層ビルが立ち並び（写真1）、そこから少し外れた所に旧市街がある。石畳、聳え立つノートルダム大聖堂、まるでヨーロッパの古い町に来たかのような錯覚を覚える。超近代的な高層ビル街と旧市街が隣り合わせにあることもまたモントリオールの魅力である。モントリオールは２００６年にユネスコから、シティ・オブ・デザインに指定された。

一時経済は低調だったが、１９９０年代後半には回復し、今日では航空宇宙産業、エレクトロニクス、製薬、デザイン、ファッションなどの分野に強みを発揮している。ビデオゲームをはじめとしたマルチメディア産業は、北アメリカの中心地として脚光を浴びている。これはデジタル技術だけではなく、モントリオールが芸術文化の振興に力を注いできた結果でもある。

実際、モントリオール国際ジャズ・フェスティヴァルなど、この都市には国際的に注目を浴びる文化的催しがたくさんあるし、モダンダンスの分野では１９８０年代以降世界を牽引している。シルク・ドゥ・ソレイユの本拠地でもある。ケベックのみならずカナダの芸術文化の発信地として、この町は燦然とした輝きを放っているのである。さらに、世界各地の多様性に富んだ豊かな食文化もある。またモントリオールは国際都市でもあり、70の国際機関が置かれ、その数において北アメリカ第3位である。

このように、モントリオールは経済や文化の領域において、様々な点で大きな魅力を持っているが、それはここがマルチエスニックな多言語都市であることと深い関係がある。

歴史的経緯により、モントリオールには強力な英語コミュニティがあり、北アメリカでの英語の圧倒的な力とグローバリゼーションの影響で、近年英語の力がさらに増大している。英語コミュニティといっても英国系だけではなく、そこには多種多様な出自の人々が属するが、特にユダヤ系は文化的に独特の存在感を示している。

それだけではない。モントリオールは強い経済力により、多数の移民・難民をひきつけ、その結果として、マルチエスニックな様相を呈している。2021年の国勢調査によれば、モントリオール市の人口の37・9%（モントリオール都市圏では27・2%）を（ヨーロッパ系と先住民を除いた、いわゆる）ヴィジブル・マイノリティが占めており、2016年の34・2%からさらに伸長している。こうした人々のもたらす言語と文化の多様性は、モントリオールをより豊かで魅力的な都市としているのである。

ケベックシティ

モントリオールは例外的に多様であるが、州全体としてみるとケベックはカナダの中でもエスニシ

写真2　ケベックシティの城壁とサンルイ門
（2022年、大石太郎撮影）

ティの多様性が低い州である。全人口のうちヴィジブル・マイノリティは16・1%だけで、カナダ全体平均の26・5%をはるかに下回っている。モントリオール都市圏を除くと、わずか4・4%だけとなる。ケベックシティは人口の9・4%がヴィジブル・マイノリティで、2016年の2・8%からは大幅に増加しているとはいうものの、やはりエスニシティの多様さには欠ける。当然ながら、都市の様相もモントリオールとはかなり違う。使用される言語もほとんどフランス語であり（ただし、観光客が英語で旅をするのに不都合はない）、エスニシティや言語の点で、モントリオール以外のケベックを代表しているともいえよう。

ケベックシティはモントリオールからセントローレンス川を230キロほど下ったところにある州都である。ケベックというのは、先住民の言葉で「川幅が狭まる所」という意味で、ケベックシティの下流はほとんど海のようであり、上流が狭くなるといっても大型船舶が航行できるだけの十分の広さがある。ケベックシティは、人口規模ではモントリオールの3分の1にも及ばず（2021年の調査では約55万人）、都市圏でみても83万人程度で州人口の1割未満にしかならない。しかし、ここここそが北アメリカの「フランス的事実」の発祥の地なのである。また、ここは

１７５９年にフランス軍が英国軍に敗北した場所でもある。さらに、この町で１８６４年に、カナダ連邦結成に連なる「ケベック決議」が採択された。こうした意味で、ケベックシティには、歴史の重みがあり、単なる州都を超える特別な地位を占めている。

ケベックシティの基を築いたのはサミュエル・ド・シャンプランで、１６０８年のことだった。２００８年はちょうど４００周年にあたり、それを記念して盛大な記念式典が催された。この町は英国領となるまでは、北アメリカにおけるフランス植民地の中心で、経済的には製材業が重きをなしていたが、20世紀後半には、経済の中心はサービス、金融、観光などに移り、今日に至っている。官公庁に関わる仕事も多い。現在はカナダ９位の経済規模の都市である。

ケベックシティの旧市街は北アメリカで唯一城壁に囲まれた街である（写真２）。ここはユネスコにより１９８５年に世界遺産に選ばれた。城壁の内側には旧市街が、外側には近代的な市街が広がる。シャトーフロントナックをランドマークとする旧市街は、北アメリカで最もヨーロッパ的な地区であろう。

モントリオールとケベックシティ、これだけ性格の異なる二つの都市が、東京と名古屋の間よりも近い距離で一つの州内に共存している。そのどちらを欠いてもケベックは輝きを失う。モントリオールだけを見てケベックについて語ることはできないが、モントリオールを見ずしてケベックを語ることもできない。ケベックシティについても、もちろん同じことがいえる。

（丹羽　卓）

4

ケベックの観光資源

★誰が「見るべきもの」を創ってきたのだろうか★

日本人にとってケベックといえば、「紅葉」であり、秋の観光が極めて人気である。しかしながら、「紅葉」を前景化した「メープル街道」は1980年代に日本の旅行会社が仕掛けたものであり、歴史的に見れば今日の観光資源としての「紅葉」はそれほど注目すべきものではなかった。1535年、ジャック・カルチエは二度目の航海で初めての越冬をスタダコネ付近で経験することになるが、木々の色が変化する現象、紅葉に関しての記述はみられない。その3世紀後の1843年には、英国人作家チャールズ・ディケンズが北アメリカを訪れ、モントリオールに3週間近く滞在するが初夏の滞在ということもあり、紅葉に関する言及はまったくみられない。『日本奥地紀行』の著者でアイヌの人々に会いに行った英国人女性の冒険家、イザベラ・バードにとって、1854年の北アメリカの旅は初めての海外旅行であった。見送る親類たちから、北アメリカに行くなら、ニューヨーク、ナイアガラ、ケベックは必ず見るべきところと言われ、約束通りに、それらの場所を訪れている。ケベックで秋を過ごしたバードも、紅葉に関してはそれほど関心を示していない。彼らツーリストたちにとって「見るべきもの」は何だったのか。

アブラハムの戦いで英国軍に負けたフランスでは、１８５５年までケベック旅行が禁止されていた。このような事情から当時のケベックの描写は英国人旅行者の描写（旅行記）に頼らざるを得ない。ディケンズやバードが関心を寄せたのは、当然「アビタン」と呼ばれたフランス系カナダ人であった。彼ら英国人によって発展したモントリオールの商業都市とは対照的に、カトリックの信仰を続け、昔ながらの生活を送るフランス系への言及が印象的である。「アビタン」には否定的な含蓄があるが、一方で、彼らの生き生きとした生活の様子も語られ、英系支配のもとで「細々と暮らす」イメージとはかけ離れた新たなイメージの発見もある。バードは、先住民族の村ロレットも訪問する。ロレットは現在のケベックシティ近郊の先住民居住地ワンダケ地区の旧名である。カナダではここ数年、「先住民族観光」に力を注いでいるが、旧大陸からの旅行者にとって、先住民はすでに「見るべきもの」であったのだろう。

ケベックにおいて「アビタン」というフランス系の人々と先住民という二つの民族集団が客体化される、つまり今日のエスニックツーリズムがみられる。また、ディケンズは建設中のモントリオールのノートルダム大聖堂の尖塔を、バードは立法議会の内部について英国的ともいえる辛辣なジョークをもって紹介するが、彼らが享受したのは都市観光である。

さて、ケベックにおいて見るべきもの、つまりケベックの観光資源について、ツーリズムという単語が誕生した19世紀から時系列的に紹介していこう。

19世紀、ケベックにおいても蒸気船や鉄道という新しい交通手段が登場した。とりわけ蒸気船の就航はケベックにおいて重要であった。それまで伐採した木材の搬出に利用するための川が、人の楽しみのための移動に利用されるようになったのだ。まずケベックの大動脈セントローレンス川沿いにヴィレジアチュールが形成される。これは富裕層たちが夏を過ごすための定住型リゾート地（避暑地）である。彼らは船上でも涼をとった。米国からの旅行者や滞在者が多かった。また、鉄道はケベックの地方とモントリオールやケベックシティを結んだ。孤立した地方の解消と同時に孤立していた地域にも場所のアイデンティティが付与され、ケベックの換喩としてのイメージが構築されていく。このアイデンティティ形成に大きく関わったのが、ルイ・エモンの『マリア・シャプドレーヌ（Maria Chapdeleine）』である。近代化の進む都市モントリオールとは対照的に、自然に囲まれ、田舎然とした生活様式や広大な自然、さらには雪に閉ざされた風景が« The land of Maria Chapdeleine »として定着し、ケベックのイメージとして「オールド・ケベック（古き良きケベック、Old Quebec）」が確立される。「マリア・シャプドレーヌの家」は博物館（現・Musée Louis Hémon）となり、多くの観光客を魅了する。

「古き良きケベック《オールド・ケベック》」のスローガンは自虐的である。作者エモンもまたフランス人であり、ケベックのフランス系カナダ人ではなかった。そこで、外からのまなざしが作品に投影され、ケベック・イメージが形成され、イメージは観光資源として外へと投射した。この構図が観光政策として成立したのは、観光客として想定されていたのがフランスや英国、あるいはニューヨークのような大都市からの人々であり、ケベックにノスタルジーを求めたためだろう。

20世紀、「古き良きケベック《オールド・ケベック》」は「ベル・プロヴァンス（麗しき地方、La Belle Province）」へと看板を

写真１　セントローレンス川の対岸から望むシャトーフロントナックホテル（2019 年、大石太郎撮影）

掛け替える。「古い」から「麗しき地方」へのイメージの刷新である。と同時に、英語からフランス語へと変化している。まさしく「静かな革命」によって生み出されたかれらのスローガンである。１９６７年には万国博覧会、１９７６年にはモントリオールの夏季オリンピックによって、ヨーロッパや米国以外の観光客がケベック州を「知る」ことになった。このスローガンはケベックの人々の自負心の回復であり、「古き良きケベック《オールド・ケベック》」の脱構築である。

日本において１９８０年代より「メープル街道」の国としてカナダは周知されるようになった。一般的には夏季の観光地であったカナダの観光シーズンを秋まで延ばそうという旅行会社「プレイガイドツアー」の功績である。だが、その結果として、観光資源は紅葉、季節は「秋」に定着してしまった。以後、大きな動きはみられないが、２０１７年に韓国で放映され大ヒットとなったドラマ『トッケビ（Goblin）』によって、ケベックシティ、とりわけシャトーフロントナックホテル（写真１）と

写真2　アベナキ博物館における先住民族観光の様子
ケベック州内では先住民族に関する博物館で彼らの生活を学ぶことができる。（Centre-du-Québec © TQ/Leroyer Gaëlle）

シャンプラン通りが重要シーンとなり、聖地巡礼先として「紅葉」に関係なくアジアからの観光客が訪れている。

ケベックからは州政府公式サイトBonjour Québecを通しガスペジーの海鳥、セントローレンス川のクルーズ船の旅、王の道、ワイン街道など自然豊かな観光資源が紹介される。コロナ禍以前からカナダ連邦政府とケベック州政府の双方が力を注いでいた先住民族観光は新型コロナウイルス禍による移動制限中、いわゆるマイクロツーリズムの対象としてケベック州内でも人気が高まった（写真2）。とはいえ、コロナ禍では十分な利益が見込まれず、再度公的資金が投入されている。観光は先住民族の雇用創出としても重要なセクターである。SDGsの観点からもこれからの観光形態として先住民族観光を注視していきたい。

（羽生敦子）

マドレーヌ諸島

コラム2　長谷川秀樹

　マドレーヌ諸島はケベック州に二つしかない海洋有人島嶼の一つで、セントローレンス湾央に位置し、北東から南西に連なる細長い島嶼群である。複数の島が砂州でつながれネックレスのような形状をした「列島（マデリノ列島）」部分と、それから離れたブリオン島とアントレ島の孤島からなる。「列島」は海流・潮流による堆積作用で形成され、起伏はあるものの急峻な岸壁や山塊は見られないのに対し、アントレ島は海から屹立する断崖絶壁に囲まれた島で、「列島」とは対照的な地形である。年中冷涼で冬季は周囲の海域が流氷に、夏季はしばしば濃霧に覆われる。このため耕作農業はほとんどなく、牧畜や漁業およびそれらの加工（乳製品や燻製品）が古くからの生業であった。

　同諸島はケベックにありながら独特の位置を占めている。離島であることは言うまでもないが、大西洋標準時帯にあるため、モントリオールとは1時間の時差がある。ガスペジー地方（ガスペ半島）とは同じ「地域（レジオン）」、すなわちケベック州議会の同一選挙区として組織されているものの、諸島・半島間の航路はなく、双方の住民間交流も乏しい。諸島と地理的に近いのは南にあるプリンスエドワード島であり、この島との間には毎日定期航路が連絡している。とはいえ、両島民の交流が盛んであるとまでは言えない。冬季に流氷に完全に閉ざされかつては島外とは完全に隔離されていた。空路もあるが、小型機しか就航できず、ケベックシティやモントリオールへは何度も経由が必要だ。

　マドレーヌ諸島民は自らを「マデリノ」と称する。島内の漁船や自動車の登録証にはフランス三色旗に「マリアの星」をあしらった「アカディ」旗を見かけ、島民の多くは18世紀半ばの

写真　カポムール島から港と沖合に浮かぶアントレ島を望む
(2016年、筆者撮影)

「アカディ追放」「強制送致」時の遭難者あるいは逃亡者の子孫であることからアカディアンともいえそうだが、ほとんどの島民は「アカディアン」ではなく「マデリノ」と称する。またPied de vent（天使の梯子）など当地の気象を反映した独特のマデリノ・フランス語も見られる。

2021年国勢調査によれば人口は約1・3万人である。20世紀後半は人口が急減したが、2000年以降は1・2〜1・3万人で維持している。言語別にみると95％がフランス語話者、5％が英語話者で、後者はアントレ島と北端のグロッシール地区に集住している。アングロフォン（英語話者）のほとんどはスコットランド系である。行政的には諸島全体を統括する自治体として、イル・ド・ラ・マドレーヌ海洋共同体がある。「海洋共同体（communauté maritime）」とはケベック州はおろかカナダ全体でもマドレーヌ諸島にしか見られない自治体で、これはケベック州の基礎自治体と中間自治体の行政機能の双方を持つ離島地域ならではの組織といえる。

諸島の中心地となるのがカポムール島である。同島のカポムール地区には港湾や行政・公安機関、銀行や商店、宿泊施設や飲食店が並ぶが、都市とまではいえず、せいぜい「小さい田舎町」である。同諸島には幾つかこうした「小さい田舎町」があり、ケベック州道199号がそれらを結んでいる。199号の総延長は80キロを超える。電力供給は完全諸島内発電であり、カポムール郊外に電力公社イドロ・ケベックのディーゼルパワープラントがある。環境や燃料の問題から、太陽光や風力など自然エネルギーによる電力完全自給の実験が行われている。

ケベックで「島」といえばたいていの人はセントローレンス川の中州の島嶼を想起するであろう。オルレアン島やクードル島など観光や映画で有名な島もあれば、モントリオールも地理的に島である。だが、これらのほとんどは本土側と架橋されていたり大都市であったりと住民が「島民」であると意識することは少ない。これに対しマデリノからは、周囲からの地理的、物理的、歴史的な隔絶性から、島民としての強固なアイデンティティを感じ取ることができる。

沿海諸州とアカディアン

コラム3 大石太郎

ケベック州のさらに東に位置するカナダのニューブランズウィック州、ノヴァスコシア州、プリンスエドワードアイランド州はまとめて沿海諸州と呼ばれる。沿海諸州はカナダのほかの州と比較するとケタ違いに面積が小さく、人口規模も小さい。２０２１年のカナダ国勢調査によると、沿海諸州ではニューブランズウィック州を中心に約25万人がフランス語を母語としており、歴史的経緯からアカディアンと呼ばれている。ただ、すでに英語に同化された人々のなかにも、アカディアンのアイデンティティをもつ人はいる。少ない家族から発展したために同じ姓をもつ人が多いのはケベックと共通する特徴であるが、多いのはルブランやガランなどであり、ケベックとは傾向が異なる。

彼らの歴史をふりかえろう。１６０４年にフランス人が現在のニューブランズウィック州と米国メイン州との境界に位置するサンクロワ（セントクロイー）島に入植を試み、翌年にはファンディ湾南岸のポールロワイヤル（現・ノヴァスコシア州アナポリスロイヤル）に拠点を移して入植に成功した。入植者はファンディ湾の干満の差を利用して農業開発に取り組み、入植地はやがてギリシャの理想郷アルカディアになぞらえてアカディと呼ばれるようになった。しかし、北アメリカの英仏植民地抗争の舞台となったアカディは、１７１３年のユトレヒト条約によって英国の支配下に入った。アカディアンと呼ばれるようになったフランス人入植者はそのまま暮らすことを許されたが、再び英仏間の緊張が高まった18世紀半ばに事態は暗転し、１７５５年に英国植民地当局によって入植地から強制追放されてしまう。この事件は19世紀半ばに米国の詩人H・W・ロングフェローが発表した

写真1　プリンスエドワードアイランド州のアカディアン居住地域「エヴァンジェリン地区」(2019年、筆者撮影)

叙事詩『エヴァンジェリン』によって広く知られるようになり、アカディアンのアイデンティティ形成に大きな影響を与えた。また、強制追放された人々の一部は最終的に当時スペイン領だった現在の米国ルイジアナ州南部に定着してケイジャンと呼ばれるようになった。

1763年のパリ条約によって北アメリカにおける英国の支配が確立され、アカディアンは戻ることを許されたが、かつての入植地はプランターと呼ばれる英国系入植者にすでに占拠されていた。そこでアカディアンはまだ開発が進んでいなかった現在のニューブランズウィック州の沿海部やセントジョン川上流域に住み着いて開拓に取り組んだ。ただし、セントジョン川は19世紀半ばに米国との国境となり、米国側に入植した人々はしだいに米国社会に組み込まれていった。また、一部の人々は現在のノヴァスコシア州の縁辺部やプリンスエドワードアイランド州西部に定着した(写真1)。

アカディアンのアイデンティティが明確になるのは１８８０年代のことである。聖職者が中

写真２　中心都市モンクトンのタンタマル（2017年、筆者撮影）
聖母被昇天の日（8月15日）がアカディアンの祝日であり、近年は沿海諸州の各地でタンタマルと呼ばれるパレードが行われている。

心となって集団の守護聖人や旗、歌が定められ、それぞれケベックとは異なるものを選んだことはアイデンティティの明確な違いにつながった（写真2）。これらの象徴体系は現在でも機能しており、アカディアンの居住地域ではフランス国旗の青の部分に黄色い星を配した旗が誇らしげにはためいている。入植４００周年を10年後に控えた１９９４年から世界アカディアン会議が5年ごとに開催されるようになり、沿海諸州はもとより、ケベックやルイジアナなど、おもに北アメリカ各地に散らばる末裔たちが集まってアイデンティティを確認する機会となっている。アカディアンは居住する州において少数派であり、つねに英語への同化にさらされてきた。現在では成人のほとんどが仏英二言語話者であるが、二言語話者であることも彼らの誇りの一部となっている。

コラム4

オンタリオ州のフランコフォン

小松祐子

オンタリオ州政府のフランコフォニー包摂的定義によれば、オンタリオ州には今日約62万人のフランコフォン（フランス語話者）がいる。カナダ国内ではケベック州に次ぐ規模であるが、州人口の4％程度に過ぎず、他州や国外からの人口流入の多い同州において、その割合は年々低下している。英語が多数派を占める社会のなかで「見えないマイノリティ」として暮らす彼らの歴史と現状を以下に紹介しよう。

その歴史は、フランス人探検家サミュエル・ド・シャンプランが、ジョージア湾岸の先住民ヒューロンの土地に滞在し毛皮取引所を開設した1615年にさかのぼる。しかし、北米フランス植民地の「上流地方」と呼ばれたこの土地への入植者は極めて少なかった。1763年パリ条約によって北米フランス植民地が英国へ譲渡された後、米国独立時に英系プロテスタントである約7500人の王党派が「上流地方」に流入し、のちのアッパー・カナダ（現・オンタリオ州）で多数派となった。19世紀前半には、オタワ（ウタウエ）川を越えてロワー・カナダ（現・ケベック州）からフランス系住民が多数移住し、東部で農業、北部では林業に従事した。19世紀後半には北部の鉱業が発展し、ケベック州からの多数の労働者とその家族を受け入れた。このため、これらの地域のフランコフォンにはケベックに出自を持つ者が多く、民族的均質性が高い。現在も州の東部、北部には、住民の多数をフランコフォンが占める自治体が存在する。しかし、20世紀後半には産業構造の変化により州南部への移住が進み、とくにトロントを中心とする地域のフランコフォンが増えている。この地域のフランコフォンには、ハイチ、セネガル、チュニジアなどからの移民も多く、民族文化的な多様性が高くなっている。

　オンタリオ州のフランコフォンは、歴史的に英語同化政策による抑圧的な状況を経験してきた。1912年に学校でのフランス語使用を禁じた教育令「第17号規則」がその代表例である。フランス語での教育権をめぐる闘争は、カナダ権利自由憲章第23条（少数派言語教育権の保障）を受けてフランス語教育委員会が設置される20世紀末まで続いた。1997年には、州政府の緊縮財政により州内唯一のフランス語総合病院であるオタワのモンフォール病院の廃止が決定されたが（写真）、フランコフォンらは5年にわたる法廷闘争に勝利を収めた。しかし、三度目の受難として、2018年の州政権交代後に、2021年秋にトロント市内に開設が準備されていたフランス語オンタリオ大学（UOF）計画の中止と2007年から存在したフランス語サービス委員会の廃止が発表され、激しい抗議活動が繰り広げられた。彼らの悲願であったフランス語大学の開設はカナダ連邦政府の支援により実現したが、フランス語サービス委員会は2019年に州オンブズマン事務所に併合された。

　これらの闘争は、オンタリオ州フランコフォンのフランス語系としてのアイデンティティ意識を強化する機会となってきた。また、ケベッ

写真　オタワのモンフォール病院とフランコ・オンタリアンの旗（2016年、大石太郎撮影）
旗のポールに近い部分には緑地に白ユリ模様が、遠い部分は白地に緑でオンタリオ州の花・エンレイソウが描かれている。

オンタリオ州のフランコフォン

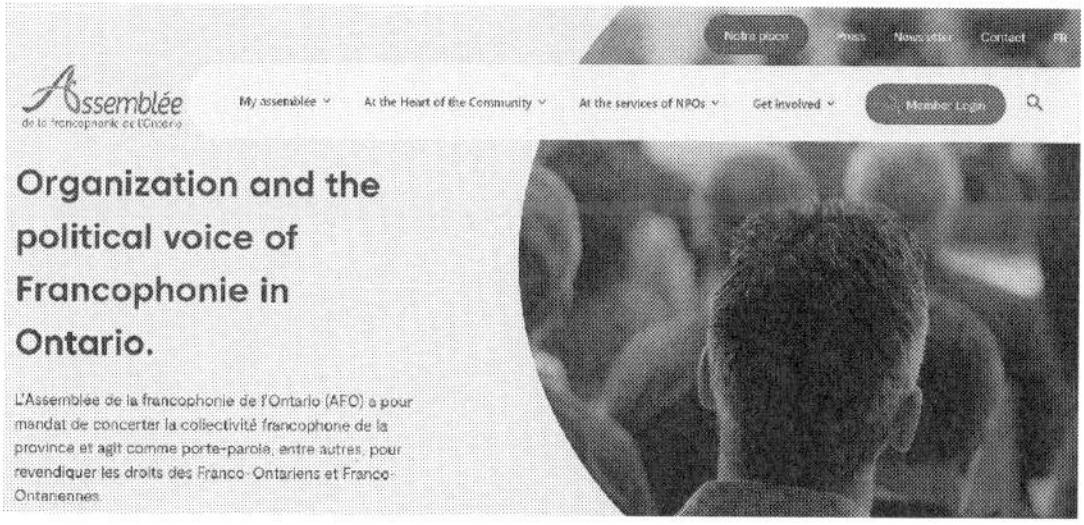

上／オンタリオ・フランコフォニー 400 周年記念ウェブサイト（https://ontario400.ca/）
下／ AFO のウェブサイト画面（https://monassemblee.ca/en）

ク州のメディアや知識人、政治家らが連帯を示し、言論や募金活動を通じて、彼らを側面から支えてきたことは本書で特に強調されるべきことだろう。

　オンタリオ州フランコフォンは1970年代以降、「フランコ・オンタリアン」と自称し、自分たちの旗と歌「私たちの場所」を持ち、毎年9月25日を「フランコ・オンタリアンの日」と定めている。彼らの結束の基盤となる組織が、オンタリオ州フランス系カナダ教育協会（1910年設立）を前身とするオンタリオ・フランコフォニー会議（AFO）である。またオンタリオ・フランス語テレビ（TFO）が1980年代から放送を続けている。

南北アメリカ大陸にある フランスの海外県とカリブ

コラム5

廣松 勲

ケベックの歴史を振り返ると、歴史的にこの地域がいかにフランス共和国と強いつながりを持っているかを認識することができる。地理的には大きな隔たりがあるにもかかわらず、現在でも世界有数のフランス語圏地域として存在することと自体、この地域のフランス系住民による生き残りへの執着を感じ取ることもできるであろう。

実はこのようなフランスとのつながりは、歴史的だけでなく、地理的にも存続している。あまり知られていないが、セントローレンス湾の南東、ニューファンドランド島の南部に「サンピエール島およびミクロン島」と呼ばれるフランス領がある。自治体のウェブサイトによると、この地域は16世紀初頭にポルトガル人航海士によって発見され、1536年にジャック・カルチエが到来してからは、フランス西部諸地域の漁師に漁場として活用されてきた場所であった。その後、幾度かフランスの手から離れるものの、1815年の第二次パリ条約（ナポレオン戦争終結時の条約）によってフランス領となり、現在に至るまでフランスの領土、「海外自治体（COM）」として残っている。フランス文学の愛好者にとっては、『墓の彼方の回想』を書いたフランソワ＝ルネ・シャトーブリアンの訪れた島々としても知られる場所であろう。

このように、実質的なフランス領以外にも、北アメリカ（特にケベック）は他のフランス領とのつながりも強いといえる。カリブ海域に点在するフランス領や旧フランス植民地とのつながりである。前者としては、フランスの「海外県・地域圏（DROM）」であるマルティニック島とグアドループ島、そして南アメリカ大陸に

写真　第27代カナダ総督ミカエル・ジャン（2007年、大石太郎撮影）

位置する海外県・地域圏であるフランス領ギアナが挙げられる。後者としては、1804年に世界初の黒人共和国として独立したハイチ共和国が存在する。とりわけ、北アメリカとのつながりとして、ハイチ出身移民の存在感を忘れることはできないであろう。たとえば、ケベックでは1970年代から80年代にかけて移民の民族文化が急激に多様化していくが、その中でもハイチ出身移民の人々は数としても、ケベック社会の変容に少なからず影響をもたらした。また、米国（特にマイアミやニューヨーク）においても、ハイチ出身移民（とその子孫たち）はその土地に根付きつつ、様々な形で社会の前面で活躍している。代表的なところでは、ジャン＝ミシェル・バスキアやフージーズといった芸術家・音楽家のみならず、任天堂現地法人の元社長レジー・フィセメ（在任2006～19年）やハーバード大学学長クローディン・ゲイ（在任2023年～）なども挙げられる。

カナダについて見てみれば、2021年の国勢調査によるとカリブ諸国からの移民は40万人程度おり、特にジャマイカ（14・5万人程度）とハイチ（10万人弱）からの移民が多いとされる。大部分はトロントとモントリオールに居住するとされるが、特にケベックにおいてはハイチ系移民の存在が顕在的である。たとえば元カナダ総督のミカエル・ジャン（在任2005～10年）、アカデミー・フランセーズ会員のダニー・ラフェリエールを輩出したこともあり、特に大きな存在感を有するといえるだろう。彼らの中にはハイチ本国における2世代にわたる独裁政権の時代、特に60年代と70年代に抑圧的状況を逃れてケベックに渡ってきた人々が少なくない。現在、彼らはケベックにおいて複数のコミュニティ組織を立ち上げ、新しいハイチ系移民がケベック社会での生活に早く馴染めるように様々な取り組みを継続している（たとえば、AHQ、CIDIHCAなど）。

このようにカリブ海域諸島は、北アメリカとも強いつながりを維持しつつ、その民族文化的な多様性と豊かさに貢献し続けているのである。

II

歴　史

5

先住民の過去と西ヨーロッパ人の到来

★二つの文明の出会い★

北アメリカ大陸の先住民のルーツについては、神話的な「創世伝承」説も含めて諸説ある。だが、私たちが馴染んでいるのは、文化人類学者らの唱える「アジア由来」説であろう。北東アジアからベーリング海峡を越えての到来説だ。その時期もいろいろだが、一般的には1万5000年前頃と考えられている。氷河期末期に北アメリカ大陸に渡来した先住民は、アラスカを経て南下し、その後バイソン（アメリカヤギュウ）を求めてプレーリー地域へ、さらにはトナカイを追って東部のケベックや大西洋沿海諸地域へと生活空間をひろげていく。当時は現代に比べて寒冷であったため、こうした重要食料資源は東部全域に存在していた。

ところで無文字文化である先住民の過去を知るには、限られた出土品や遺跡の分析・測定に頼るほかない。ここでは、ケベックを含めたカナダ東部地方の先史時代、および西ヨーロッパ人との出会いについて探ってみよう。

文化人類学者によれば、出土した動物の遺骨や道具のタイプから類推して、先史時代は次の三つに大別される。第一の時期は「パレオ（古）インディアン期」。約7000年以上前にあたり、狩猟者たちは海洋性動物を求めて、現在のケベック州東部のガスペ半島までやってきた。第二は「アルカイック期」。約７０００〜４０００年前にあたり、彼らの一部は特定の場所に野営するようになる。そして第三が「農耕期」。約３５００〜５００年前にあたり、広い範囲で農耕が行われるようになる。トウモロコシ、カボチャなどの栽培、土器製作、組織化された村落社会も登場し、定住化が進む。こうした人たちが西ヨーロッパ人と出会うのは、この時期の末期にあたる。

ただ注意すべきは、先住民といっても彼らをすべて同一民族集団と捉えてはならない点である。地域・言語・生活様式・文化などにより、多種多様なのである。西ヨーロッパ人が北アメリカに到達した16世紀前後頃、言語的には８種類以上、民族的には１００以上が存在していたと推定される。さらに文化圏と自然地誌との関連でみると、10地域に分けられる。五大湖からケベックをふくむセントローレンス川周辺および大西洋沿海諸地域は、「東部森林地域」にあたり、西ヨーロッパの探検家がまず接触した先住民は、この地域の人たちであった。そこに限定してみると、言語的には三つに区分できる。すなわち、アルゴンキン、イロコイ、およびスーの各言語族である。セントローレンス川左岸の広域を中心にアルゴンキンが、その右岸およびニューファンドランド地方をふくめた地域ではイロコイが、そしてスーはアメリカ中西部の北側に、それぞれ生活領域を形成していた（図１）。当時の人口は、アルゴンキン約７万人、イロコイ約10万人（現在の米国側にいた数を含む）、そしてスー約２万５０００人と推定される。

１０００年頃、北欧のバイキングが北アメリカ大陸の北方に到来した。だが、本格的な定住にはいたらなかった。16世紀頃になると、今度は西ヨーロッパの漁師がニューファンドランド島周辺にまで

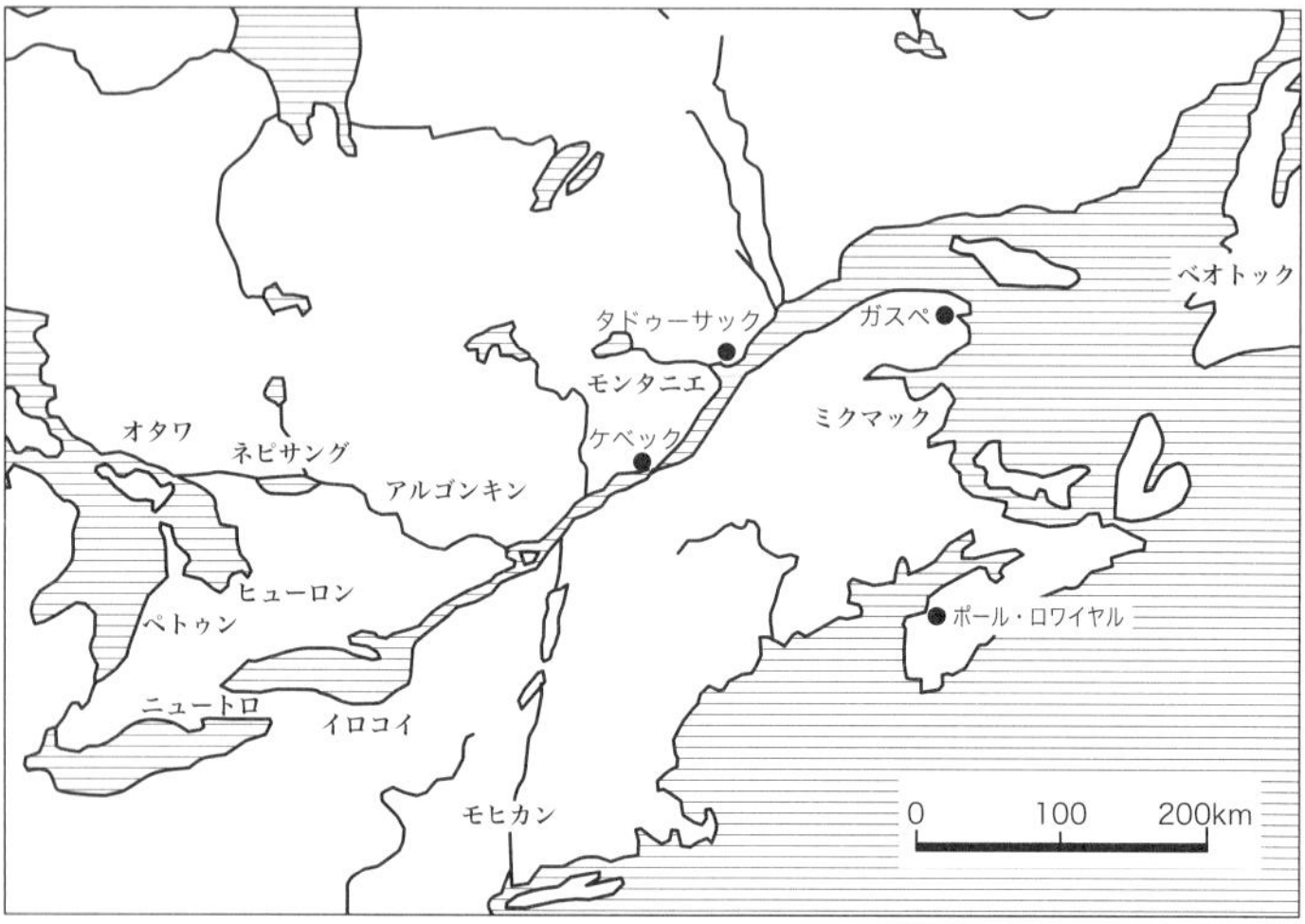

図1　カナダ東部における先住民の分布図（1500年頃）
出典：M. Trudel, *Initiation à la Nouvelle-France*, 1968, p. 27を基に作成

達していた。とくに興味をひくのは、スペインのバスク出身の漁師が、クジラを求めてセントローレンス湾北方とニューファンドランド島に挟まれた海域にて活動していたことである。食用としての捕鯨のみならず、当時のヨーロッパでは、クジラからとれるランプ用の油が何よりも貴重品であったためである。他方、ニューファンドランド沖は、タラの宝庫でもあった。冷凍技術の限られた時代ゆえに、タラは多くの場合、塩漬けにされたが、フランス南西部は豊富な塩の産地であった。そして干タラが重要な食用源ともなっていく。

ところで、16世紀に先住民との出会いなど貴重な記録を残した人物がいた。フランスの探検家ジャック・カルチエ（1491～1557年）である。彼の出会ったのは、ヒューロン、イロコイなどであった。セントローレンス川を1534～42年にかけ合計3回探検航海している。それをまとめたのが『航海記』（初版は死後の1565年）だが、真の筆者は複数とも言われる。それはともかく、彼らの出会いは、敵対的でなく物々交換から始まった。先住民が毛皮やアザラシの肉などをもってきたのに対し、カルチエたちは手斧・小刀・数珠などを与えている。また先住民の食文化には「塩味をするものは一切食べない」との観察記録もみられる。

西ヨーロッパ人の描いた初期の先住民像はどのようなものだったろうか。たとえば、ケベックを創設したサミュエル・ド・シャンプラン（１５６７頃～１６３５年）が描いた赤子を抱く女性像と戦士像をみてみよう（図２）。女性は左手に櫓を持ち、後方には樺《かば》の木で造ったカヌーが見える。そのことから、これは農耕生活よりも自然のなかを動き回る非定住民族だと推定できよう。右側の男性は楯・弓矢・弓で武装し、筋肉隆々とした勇ましい姿として描かれる。しかしよく見ると、両者とも先住民本来の姿とはかなり異なる。いずれの顔も〝ヨーロッパ風〟である。女性は育児・家事に励むイメージとして描かれ、ヘッドバンドや髪型を含め、全体の服装も先住民のスタイルではない。一方、男性は古代ギリシャ・ローマ時代の像やルネッサンス期の彫像の模倣の域を出ていない。当時の探検家は、まだヨーロッパ的発想から抜けきれないまま、先住民像を表現していたのだった。

図２　「先住民モンタネの男女」像
1612年、サミュエル・ド・シャンプラン作。
出典： A. Vachon, *Rêves d'empire le Canada avant 1700*, 1982, p. 112.

歴史の大きな流れのなかでみると、先住民と西ヨーロッパ人との接触とは、二つの文明の出会いでもあった。先住民にとりプラスの現象といえば、それは石器文明から鉄器文明への変化であったろう。
他方、この異文化接触のもたらした負の側面も見逃せない。二つだけ指摘してみよう。一つは、16 30年代後半を中心に、西ヨーロッパ人の持ち込んだ伝染病の蔓延である。先住民社会に存在しなかった天然痘、はしか、コレラなどが猛威を振るい、多大な死者を出してしまった。とくに抵抗力の弱い老人や子どもに犠牲者が多かった。もう一つは、アルコール類の流入である。ブランデーをはじめ、もともと酒文化を持たない先住民に与えたその影響は、強烈であった。過度の飲酒癖に陥り、ライフスタイルを狂わせ、やがては先住民社会に破滅的な悪影響を及ぼすことになる。

（竹中　豊）

6

「フランス的事実」のルーツ

★フランスの植民地時代とその終焉★

ケベック史のなかで、ヌーヴェル・フランスと称されるフランス植民地時代（1534～1760年）は、次の三大要素の種が蒔かれ、根付いていった時期である。「フランス文化」、「フランス語」、そして「カトリシズム」である。これらを、北アメリカにおける「フランス的事実」という。15世紀末～17世紀にかけ、西ヨーロッパ人が国家的後ろ盾を得て北アメリカに進出し始めるのだが、その主な背景として、⑴経済的にはタラや毛皮動物など「富の追求」、⑵政治的には新大陸における植民活動と「領土的覇権」の獲得、そして⑶宗教的にはカトリック教会側の「布教熱の高まり」、などがあった。

まずはフランスとの関わりからみてみよう。国王フランソワ1世によって派遣されたイタリア人ジョバンニ・ダ・ヴェラッザーノ（1485年頃～1528年頃）は、1524年、北アメリカの大西洋岸沖を航海中、その大陸を「ノヴァ・ガリア」（新フランス）と名づけた。これが「ヌーヴェル・フランス」呼称の起源である。1534年になると、フランスの探検家ジャック・カルチエ（1491～1557年）がセントローレンス川下流のガスペ半島に上陸し、その地をフランス領と宣言した。これが、北アメリカにおけるフランス領占有権の始まりとされる。以後の航海で、彼はさらに上流のオシュラガ（現・モントリオール）まで到達していた。しかし本国の政治的混乱により、その後しばらくフランスの北アメリカ進出は中断してしまう。本格的な北アメリカ進出に乗り出すのには、ブルボン王朝が登場して国内政治の落ちつく17世紀を待たねばならなかった。

1608年、北アメリカにおけるフランス植民地の拠点としてケベックが建設される。創設者は探検家サミュエル・ド・シャンプランであった。そこはセントローレンス川に面した良港であり、本国との往来を含め、自然環境や立地条件に恵まれていた。1666年までは特許を得た「百人会社」が植民活動の担い手となっていたが、その後、本国政府の直轄地となる。そこは海軍統治下にあり、現地の最高評議会が実権を握っていた。1674年からはそれが高等顧問会議と改称され、総督、地方長官、司教、評議員から構成される。大きな影響力をもっていたのは、軍事および対外関係を担当する「総督」、治安・財務を担当する「地方長官」、および宗教界の指導者である「司教」であった。統治組織のなかに聖職者が重要な位置を占めていたことは、カトリック教会の存在が大きかったことを物語る。

ところで、地理的範囲としてのヌーヴェル・フランスは、実は一定していない。境界線は曖昧だった。この地はあまりに巨大な空間であり、人口も1689年でわずか約1万2000人であった。そのため本国政府は、当初、領土拡大に消極的であり、植民地社会を〝集約〟させる方策を意図していた。だが政治的・軍事的に大西洋側の英国植民地勢力が広がり始めると、結果的にフランスは対抗意識にかられ、みずからの領域を広げていく。やがて、スペイン継承戦争（北アメリカではアン女王戦争、

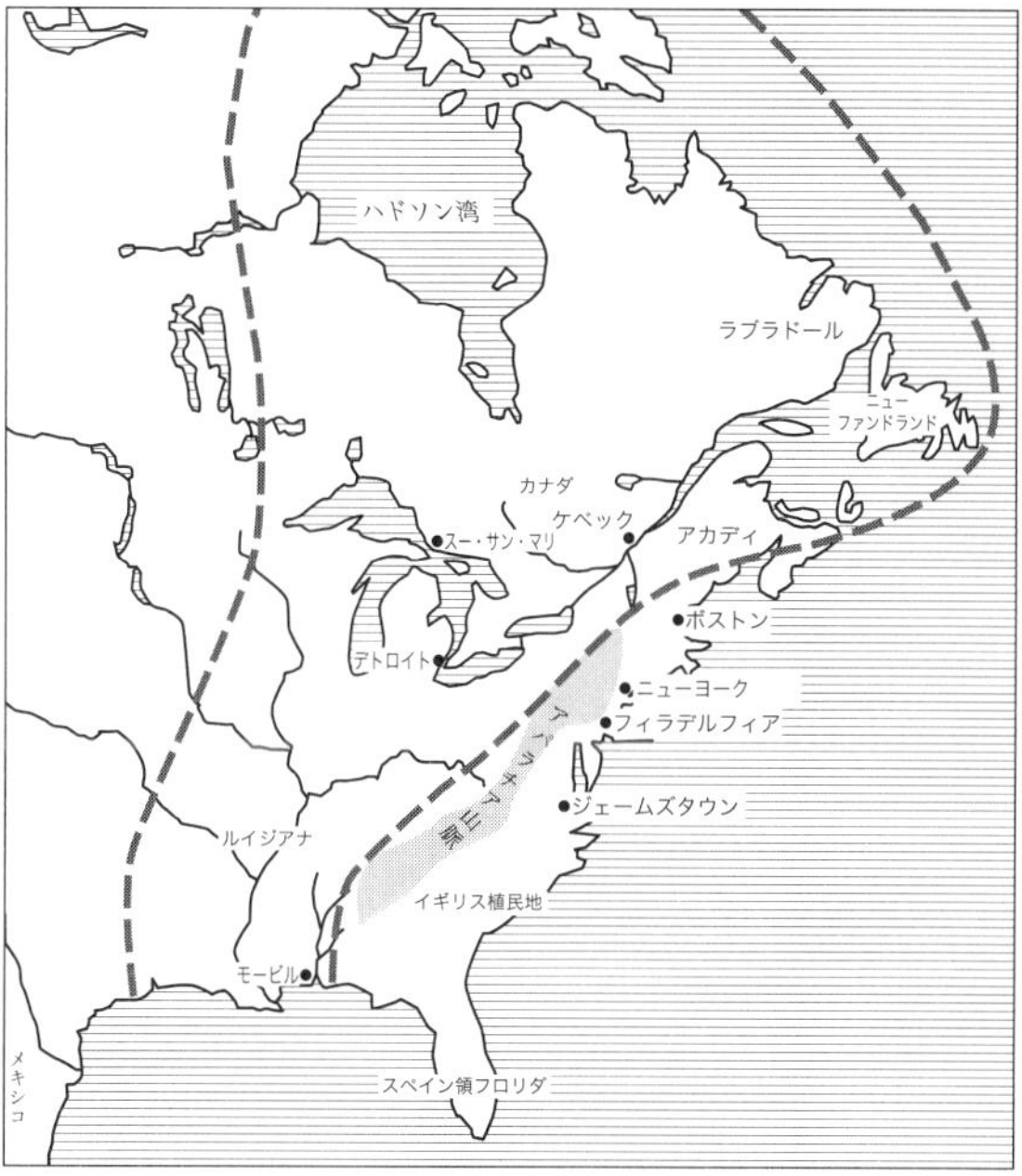

図1　ヌーヴェル・フランスの領域
破線は1712年時の境界、同年に最大規模となる。
出典：M. Trudel, *Initiation à la Nouvelle-France*, 1968, p. 79を基に作成

1702～1713年）終結のユトレヒト条約締結（1713年）に至る時点で、北アメリカのフランスは史上最大規模の領域に達していた（図1）。

ここで、ヌーヴェル・フランス社会の内側に目を向けてみよう。まず大きな特徴は、そこが当初からカトリシズムのきわめて強い土地柄だった点である。精神的基盤はカトリックにあった。聖職者の到来も早かった。1615年にレコレ会（フランシスコ会系）が、1625年にはイエズス会の宣教師が、それぞれこの地に足を踏みいれていた。とくに殉教も厭わない士気あふれるイエズス会士は、先

住民への膨大な布教記録『ルラシオン・デ・ジェズイット』（1632〜18世紀末）を残している。一方、各修道会や神学校の設立、ウルスラ会修道女マリー・ド・レンカルナシオン（1599〜1672年）による女子教育なども熱心に行われていた。17世紀は、一面、宗教的情熱のあふれる時代といっても過言でない。もっとも、ヌーヴェル・フランス社会は、敬虔な信者ばかりが集う地ではなかったゆえ、不届き者もいた。ミサ中のお喋り、ミサを抜け出して飲酒・喫煙・喧嘩などは珍しくなかった。また先住民との交換物品としての酒類の扱いをめぐっては、司教と地方長官との確執も絶えなかった。

最大の娯楽といえば、「音楽」だった。楽器はハープ、ヴィオラ、オルガンなど様々だった。土地固有の「歌詞」を交えて大声で歌い、酒を飲みながら男女で踊りあかす陽気な姿、こうした光景はよくみられた。さらに興味をひくのは、食文化の豊かさである。メープルシュガーに加え、魚類（ウナギ、タラ）・肉類（牛、豚、七面鳥）・植物類（トウモロコシ、リンゴ）など、この地は食の豊かさを育む環境にあった。今日、ケベック州で美味しいレストランが多いのも、そのルーツはこんなところにある。

話変わって、北アメリカの政治的動きに戻ってみてみると、英・仏間の植民地抗争は17世紀末から間欠的ながら、約100年続いていた。結果的には、フランス側の敗北で終わる。ならば、フランスはなぜ敗北したのか。英国海軍力の圧倒的な強さ、それに対するフランス側の軍事的・人的劣勢ぶりなど、要因はいくつもあったろう。しかしより本質的には、ヨーロッパ大陸のほぼ中央に位置するフランスは、深い内憂外患を抱えており、〝本家〟のことで精一杯だった。遠く離れた北アメリカの〝分家〟まで力を注ぐ余力はなかった。その最終局面は、1759年にケベックが、そして翌年モントリオールが相次いで陥落し、1760年でヌーヴェル・フランスは実質的に幕を閉じる。そして1

図2　「ウルフ将軍の死」 1770年、ベンジャミン・ウェスト作。
（カナダ国立美術館所蔵）

763年のパリ条約により、フランス側はニューファンドランド沖のサンピエール島・ミクロン島、およびミシシッピ川以西（スペイン領）を除いて、北アメリカの領土を英国に割譲することになる。この戦いは、現象的には両者間の覇権闘争であったと同時に、民族間の戦争、そして議会主義（英）と絶対主義（仏）という体制間の争いでもあった。フランス側は、しばしばその結果を「英国による征服」でなく、英国側への「権利の移譲」だとも主張する。

図2は最後の植民地戦争で英国軍のジェイムズ・ウルフ将軍（中央）がケベックで死去する場面（1759年）を描いたものである。カナダの歴史画のなかで、最も有名な作品の一つである。また肘を突き、思慮深いポーズをとる先住民を敢えてここで登場させている（左から二人目）のはきわめて珍しく、意義深い。新大陸には、ヨーロッパ人と異なる「高貴なる野蛮人」が存在しているのだ、とアッピールしているかのようである。

（竹中　豊）

7

英国領以降のケベック

★「生き残り」の模索★

英国との植民地抗争に敗北して以降、かつてのヌーヴェル・フランスは大きく変貌した。地理的には1763年2月のパリ条約でその領土が大きく縮小され、さらに同年10月の「国王宣言」によって、フランス系住民の集中するセントローレンス川流域は、細長い台形をした地域に縮小された。そして名称新たに「ケベック植民地」が誕生したのだった。まず、18世紀後半以降のケベック史を理解するうえで、重要なキーワードがある。「生き残り」である。英国系に包囲されながら、ケベックはなぜ生き残れたのか。表面的には、この地の人口が圧倒的にフランス系で占められていた点もあるだろう。

しかしそれ以上に決定的な理由がある。英国政府の制定した「ケベック法」の成立（1774年）である（図1）。それは一面、フランス系民族に対する温情策のようだった。その特徴は、(1)フランス系の精神的・文化的支えであるカトリック信仰の容認、(2)封建的な領主制の温存、そして(3)領土の拡張（「ケベック植民地」）、などにある。とはいえその真のねらいは、〝南〟に位置する英国植民地が本国に対して反抗的な動きを示し始め、その潜在的脅威を牽制するためであった。同時に、フランス系が

〝アメリカ〟側になびくのを抑制し、反英感情に陥らないよう配慮した戦略的判断でもあった。決してそれはフランス系住民の「生き残り」に対する同情策でなかった。だが理由がどうあれフランス系ケベックにとって、同法の成立は〝ありがたい〟ことだった。自分たちの宗教・ライフスタイルなど、いわば民族としてのアイデンティティが制度的に保障されたからである。ケベック法が、「フランス系カナダのマグナ・カルタ（大憲章）」と言われる由縁である。

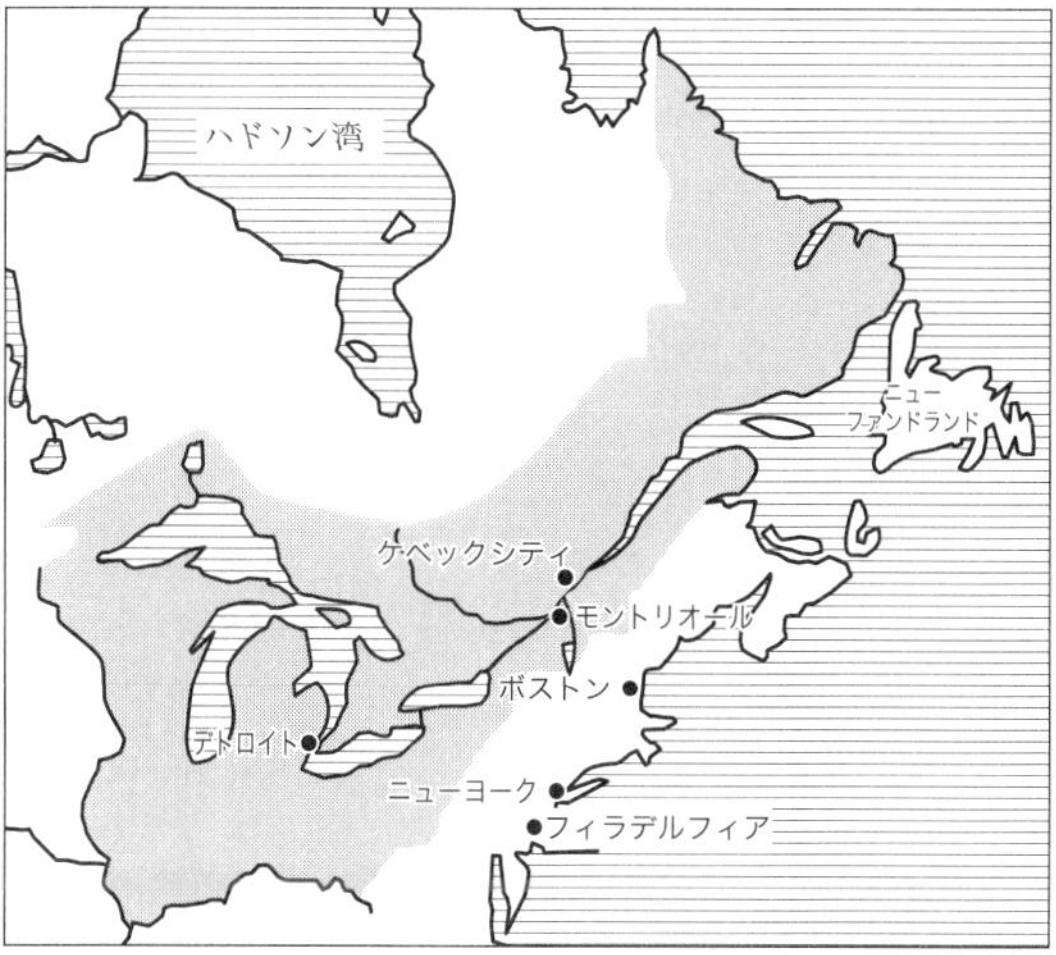

図１　「ケベック法」（1774 年）制定時のケベック植民地
出典：Y. Bourdon, J. Lamarre, *Histoire du Québec*, Beauchemin, 1998, p. 18 を基に作成

一方、同法が施行されたとはいうものの、その後のケベック史を見ると憲政上の齟齬が消え去らなかった。大きな政治的推移をみてみよう。一つ目が、１７９１年の「立憲法」（カナダ法）の成立である。これにより、旧「ケベック植民地」は、フランス系の多いロワー・カナダ（現・ケベック州）と、米国から逃れてきた英国系の多いアッパー・カナダ（現・オンタリオ州）とに分割された。これはいわば民族的棲み分け策でもあった。二つ目は、ロワー・カナダで、ルイ・Ｊ・パピノー（１７８６〜１８７１年）を指導者とする「愛国者党」による反乱（１８３７〜38年）が勃発したこと

である。これは間もなく鎮圧されてしまったが、ねらいは英国系の寡頭政治に対する反抗であり、その最終目標はフランス系の主権を有する政治体制の樹立にあった。そして三つ目が、この反乱後英国議会が「連合法」（1840年）を成立させたことである。ほぼ同時期にアッパー・カナダでも反乱が生じた点を重く受けとめた英国政府は、ジョン・G・L・ダラム卿（1792〜1840年）を原因調査にあたらせ、歴史上有名な『ダラム報告』（1839年）を発表した。だがフランス系にとって、この報告内容はきわめて屈辱的と映った。フランス系の人々は「歴史も文学も持たない民」と揶揄されたからである。ともあれ同報告を受けて成立したのが前述の「連合法」である。ロワー・カナダは「カナダ・イースト」、アッパー・カナダは「カナダ・ウェスト」とそれぞれ改称され、二つの行政区からなる「連合カナダ」植民地が誕生した。

ここで視点を変えて、ケベックにおける18世紀末〜19世紀の文化的・社会的現象を覗いてみよう。一つは、フランス系ジャーナリズムが育まれていったことである。1785年、フルュリ・メプレ（1734〜94年）によって『ラ・ガゼット・ド・モンレアル』紙が創刊された。二つは、歴史家・法律家であるフランソワ＝グザヴィエ・ガルノー（1809〜66年）が『カナダ史』（1845〜48年、3巻）を著わしたことである。これは、本格的なケベック史学の誕生を象徴している。そして三つは、当時のケベックの民衆の生態を知るうえで、社会史的にきわめて興味ある作品が生まれたことである。オランダ出身の画家コルネリウス・クリーゴフ（1815〜72年）の登場である。彼はケベック女性と結婚した人物で非フランス系ゆえに、かえってこの地の風俗的断面を新鮮な目で捉えたのだった。ケベック人たちの底抜けの明るさがうかがい知れる「カナダの田舎でのダンスパーティーの翌朝」

（図２）はその代表作だが、住民の陽気な生態が、臨場感豊かに描かれる。これは、飲めや歌えのドンチャン騒ぎの一夜を明かした翌朝の光景である。そして四つは、時期は前後するが、１８３０年代前半から半ばにかけ、深刻な社会不安が生じたことである。ケベックシティやモントリオールは恐ろしい疫病に見舞われたのだった。当時の社会は衛生状態が悪かったことに加え、大量移民の到来に際して検疫体制もきわめて劣悪であった。チフス、赤痢、コレラなどが猛威を振るった。とくに１８３２年は最悪で、ケベックシティだけで約２７００名の犠牲者を出したとされる。

図２ 「カナダの田舎でのダンスパーティーの翌朝」
1857年、コルネリウス・クリーゴフ作。この場合のカナダとは「ケベック」を指す。(The Thomas Collection (P-C-304))

こうした苦悩を克服した19世紀後半になると、カナダ史上決定的な出来事が起こった。１８６７年、〝連邦国家〟の誕生である（図３）。その流れを追ってみよう。１８６０年代前半頃、英国植民地内ではとくにフランス系との間で統治構造上の不均衡が慢性化しており、こうした状況下では、隣国米国の南北戦争（１８６１～65年）にみるような〝国家的〟分裂に陥りかねないとの危惧があった。この危機を乗り切るためには、植民地間の連帯が必要との考えが浮上してきた。植民地統合への動きはまず１８６４年、プリンスエドワードアイランドのシャーロット

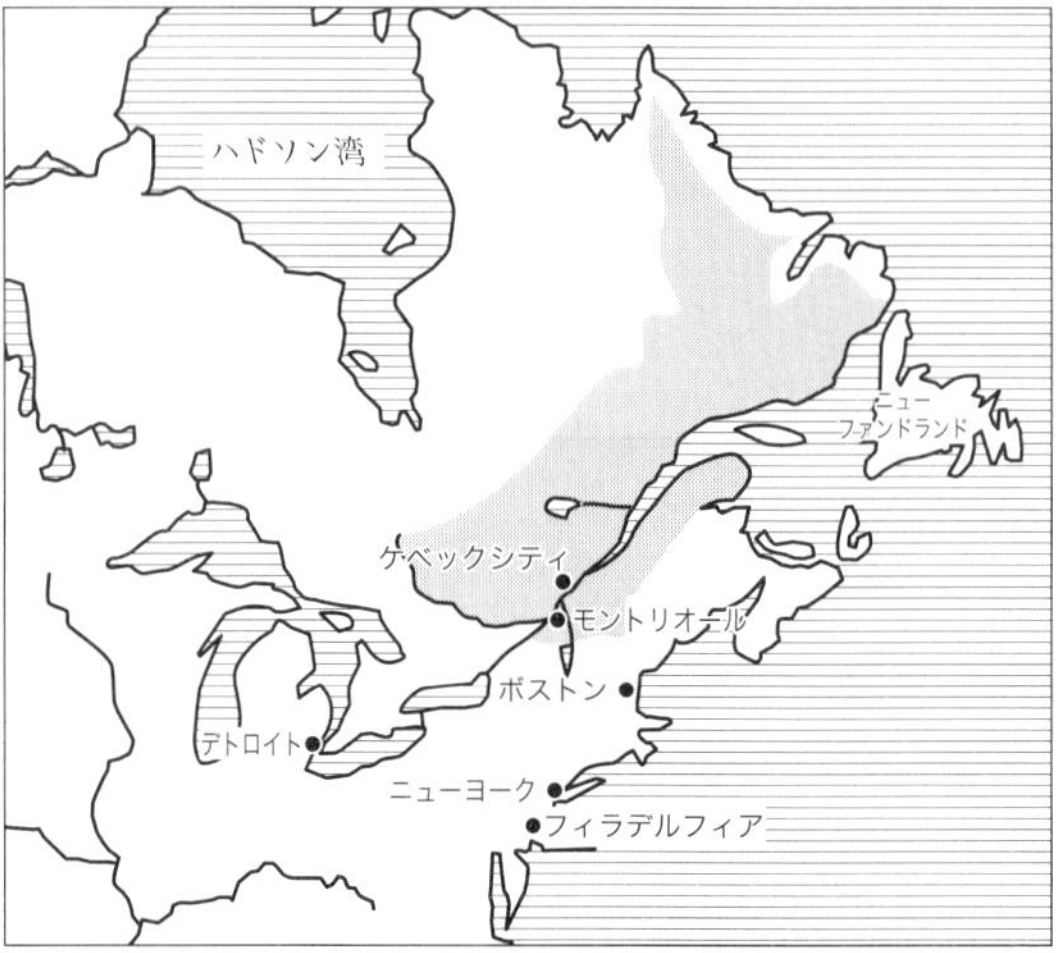

図3　カナダ自治領誕生時（1867年）のケベック州
ラブラドール地方との境界には別の説もある。
出典：Y. Bourdon, J. Lamarre, *Histoire du Québec*, Beauchemin, 1998, p. 20を基に作成

タウン会議、それに続くケベック会議にて、連邦構想「ケベック決議」が採択された。その後各植民地での激しい討議を経て、ついに1867年7月1日、北アメリカの英国植民地は「カナダ自治領」として誕生したのだった。創設のメンバーはケベック、オンタリオ、ニューブランズウィック、ノヴァスコシアの四つだった。

とはいえ、ケベックから見る限り、この連邦構想がすんなりと受け入れられたわけでなかった。反対派からは、フランス系民族として生き残りのための保障が不十分だと映った。一方、賛成派からは、ジョルジュ・エチエンヌ・カルチエ（1814〜73年）に代表されるが、彼は、英国植民地が現在のようにバラバラであれば自衛できないと主張した。そして連邦結成の意義をこう述べた。「われわれは様々な民族からなりたっているが、それは争うためでなく、共同の幸福に向かって協力するためである」と。結局、「カナダ連合」植民地議会の「カナダ・イースト」では、連邦結成をめぐる採決において賛成37対反対27の票差で可決した。ケベックはカナダ連邦に加わるという大きな決断をしたのである。

（竹中　豊）

8

新しいケベックの模索

★自信の回復か、曖昧なアイデンティティか★

ケベックが屈折したメンタリティから脱出し、近代化へと大きく変貌するのは、20世紀後半に入ってからだった。だがその前の段階で、政治的には保守的な強権体制が続いていた。それは、一部の期間を除き1936〜1959年までの通算約20年間に及ぶ。独裁者モーリス・デュプレシ（1890〜1959年）の登場である。1935年、ユニオン・ナシオナル党が結成された。その翌年、党首デュプレシは、第一次世界大戦後の不況や社会不安を背景として、また反インテリ層・保守的農村部を支持基盤に、フランス系の経済的地位の向上などを訴え、政権の座に就く。だがその実態をみると、狂信的反共主義、言論・労働組合への弾圧、選挙時の露骨な買収など、この時代は、ケベック史における「大いなる暗黒時代」とも言われる。ケベックの真の近代化は、このデュプレシ体制からの離脱に始まる。

1960年、「静かな革命」が動き始める。暴力を伴わない大規模な社会変動・意識変革でもあったため、この名がつく。20世紀半ば頃までのケベック州は、平均賃金・乳児の生存率など、どの社会指標をとっても他州に比べて貧しかった。こうした劣位状況のなか、1960年の州総選挙で、ジャン・ルサージュ（1912〜80年）率いるケベック自由党が政権を奪回する。スローガンは「今は変化の時だ」。その中身は、英国系市民と同等の権利・機会の実現、教会支配からの解放、教育の改革など、多岐にわたっていた。巨視的にみると、それは農耕型社会から産業型社会へ、内向的世界観からより開かれた外向的世界観へ、そしてカトリックの支配する伝統的価値観から脱宗教的価値観の社会へ、などと変貌する動きだった。ケベックは、いわば時計の針を19世紀から20世紀へと大きく進み始めたのである。

近代化に目覚めた半面、一部とはいえ、カナダからの完全な分離・独立を唱える過激なナショナリストが台頭したのも事実だった。1960年代〜70年代前半のことである。1970年、過激派組織ケベック解放戦線（FLQ）は、モントリオール市内の各所に爆弾を仕掛け、また政府高官の誘拐殺人事件（いわゆる「10月危機」）にまで発展し、大きな社会不安と混乱をひき起こしたのだった。だがこうした過激な暴力的動きは、ケベックになじまない。

その後、分離志向を謳いながらも、民主的手段によってケベックの独自性を訴えるケベック党（PQ）が、1976年の州選挙で勝利を収める。とはいえいざ政権の座に就くと、州首相ルネ・レヴェック（1922〜87年）は、完全な分離・独立でなく、政治的にはケベックの「主権」を、そして経済的にはカナダとの「連合」を、という軌道修正に至る。この「主権・連合」構想の是非をめぐって行われたのが、1980年5月の州民投票であった。カナダからの完全な分離・独立を求めたわけでない。結果は、反対59・6％、賛成40・4％で、PQ側の目論見は挫折した。1995年10月、今度は「主権」と「パートナーシップ」を掲げ、PQ政権は再度の州民投票を実施したのだが、またしても敗北した。結果は反対50・6％、賛成49・4％という「カミソリの刃」のような僅少差だった。

それでもPQ政権下で、ケベック史上見逃せない成果があった。フランス語をケベック州唯一の公用語としてフランス語の絶対的優位性を確立した「フランス語憲章」の成立（1977年）である（第30章参照）。これを言語による「ケベックの復権」といってよいだろう。ケベックは本来の「フランス語の顔」を取り戻したのだった。

図１　「ローランティッドの村」1925年、クラランス・ガニオン作。
出典：Clarence Gagnon, *1881–1942 Rêver le paysage*, Musée national des beaux-arts du Québec, 2006, p. 162

ところで旧宗主国フランスとの関係において、たとえば20世紀前半頃の視覚芸術の分野で興味深い現象がみられる。ケベックで著名な画家クラランス・ガニオン（1881～1942年）は、通算17年間フランスに滞在していたのだが、それでも作品の主要モチーフは故郷ケベックを描くことに注がれていた。代表作の一つに「ローランティッドの村」（図1）がある。雪に覆われた長閑《のどか》な小村、伝統的な家屋とカトリック教会、牛にひかれソリに乗る人の姿……。だがよくよく眺めてみると、後方の高い山々は明らかにケベックの風景とは違う。ヨーロッパのアルプスの姿なのである。ケベック的であることを求めつつ、しかし現実には、フランスの後期印象主義に基

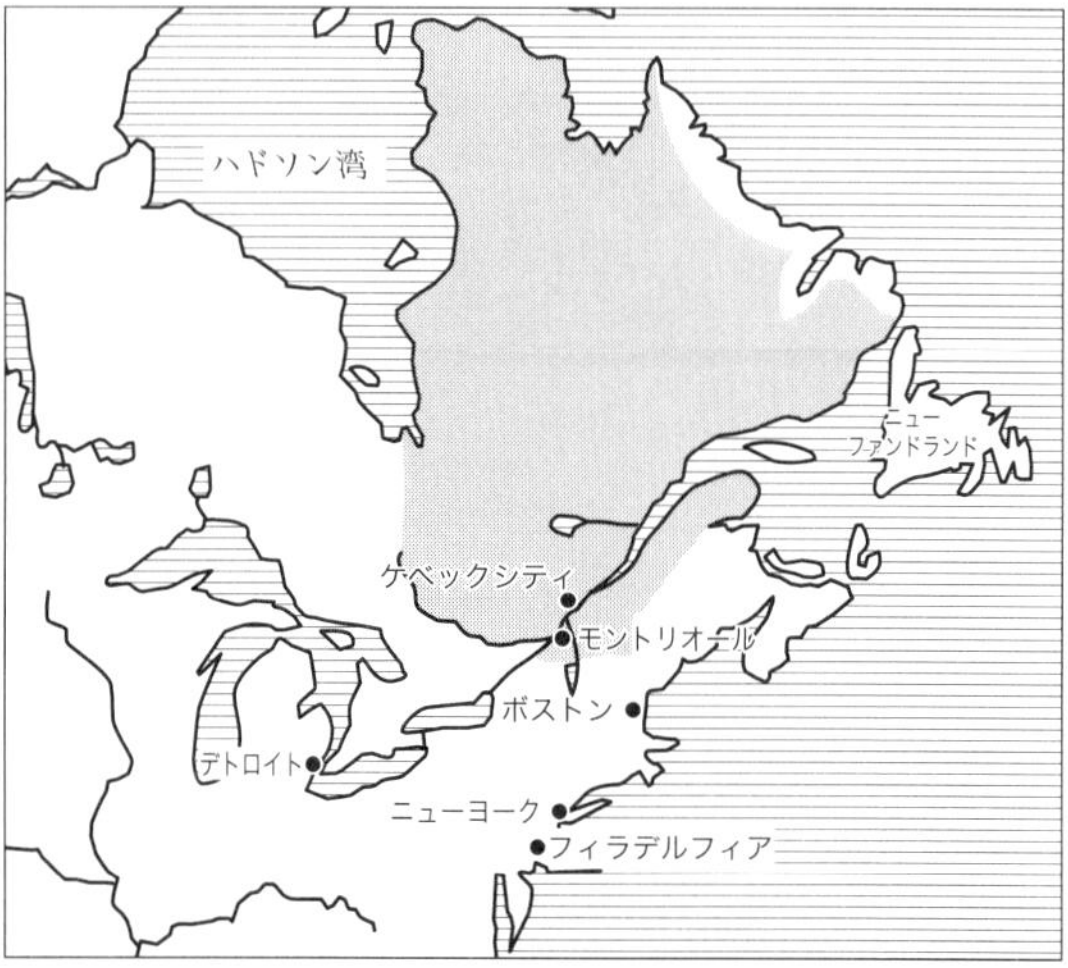

図2　1912年のケベック州
北部へと領土が広がる。やがて1927年には現在の領土となる。
出典：Y. Bourdon, J. Lamarre, *Histoire du Québec*, Beauchemin, 1998, p. 28を基に作成

づく技術の域にとどまっている。これはなにも絵画に限ったことではない。文化的基盤が、フランスへの依存体質から抜けきっていないのである。画家を含め、ケベックの知識人たちは、フランスとケベックとの間の「隙間文化」という曖昧なアイデンティティに陥っていたともいえる。

最後に、ヌーヴェル・フランス以降のケベック史をまとめてみよう。

第一は、歴史を通してケベックでは「敗北のトラウマ（心的外傷）」が潜在している点である。1760年に英国に敗れ、政治的枠組みは英国の下に置かれてしまった。1837～38年の英国系に対する反乱はあえなく鎮圧された。1980年の「主権・連合」、および1995年の「主権・パートナーシップ」構想をめぐる州民投票も失敗に終わった。カナダ内でケベックの「特別な社会」を認める1987年の連邦政府による憲法改正合意案は、1990年に失効してしまった。こうしてケベックの政治史は「敗北のトラウマ」から完全にぬけきれず、抑鬱のメン

タリティのなかで繰り広げられてきたかのようである。

第二は、「カナダ史との関係」である。いわゆる〝カナダ史〟とは、一つの共通基盤のうえに展開された一つの物語ではない。それは英国系カナダとフランス系カナダという2種類の異なる歴史的集合体が、それぞれ並列的に歩んできた軌跡であった。両者間で心理的・構造的不一致の状態が潜在しているのである。

そして第三は、歴史叙述における「重点移動」あるいは「再編成」の動きである。とりわけ、20世紀末から21世紀にかけて、多くの非フランス系移民・異文化の流入は、フランス語を生きるための絶対基準としながらも、ケベックをかつての均質的社会から文化的・民族的多様性の社会へと塗り替えつつある。またケベックと英国系との関係も大きく変化している。象徴的なのは、2022年9月のエリザベス2世女王（カナダの国家元首）の逝去の際、ケベック市庁前で同市の半旗が掲げられたことである。1964年、同女王のケベック訪問の時、多数の警察官が出動するほど大規模な反英デモが繰り広げられた様相とはまったくの様変わりである。

結局、ケベックという歴史的集合体は、カナダのなかで独自の美学をもつ独自の文化圏なのである。そして新たな「生き残り」の姿を模索しつつ、ケベックはいつでもケベックである。

（竹中　豊）

コラム6

「静かな革命」と雑誌『パルティ・プリ』

廣松 勲

「ケベック文学」という文学野を語る際に忘れてはならないのは、この言葉自体が使用され始めた時期である。一般に「ケベック文学」という言葉は、1965年に刊行されたある雑誌の特集号がきっかけであったとされる。その雑誌とは1963年10月から1968年5月まで刊行され、「静かな革命」と呼ばれる社会変容が進行する真っ只中で書かれたものであった。時代を象徴するように『パルティ・プリ』(parti pris)』(立場決め、先入観)という名称を与えられたこの雑誌において、1965年1月に「ケベック文学のために」という特集号(第2巻第5号)が組まれたのである。その結果、それまでに存在した「フランス系カナダ文学」や「フランス語表現カナダ文学」などといった修飾語句を伴う表現は簡素化され、より端的に「ケベック文学」という表現が生まれたのだ。これは単純な名称変化に留まらず、高揚状態にあったケベック・ナショナリズムの一つの表れとしても記憶すべき出来事であったといえよう。

当然ながら、ケベック文学史を振り返ってみると『パルティ・プリ』以外にも多くの文芸雑誌が刊行されてきた。別の観点から見れば、この「雑誌」というメディアは単に当時の社会を反映していたというよりは、その刊行・受容を通じてケベック社会における一定程度のまとまりをもった考え方(社会的言説)の普及にも寄与してきたのではないかとも考えられる。このような発想から見れば、とりわけ雑誌『パルティ・プリ』は最も特徴的なケベックの文芸誌であったといえる。

ところで、先程雑誌の原語名称をすべて小文字で記載した。これは1964年9月号で提案された表記法であることを忘れてはならない。

それまでは大文字も使われていたが、本誌の編集者たちが主張するところの「大文字の真実ではなく、小文字の真実を追求する」といった考え方に合わせて変更されたのである。このような考え方は本誌が則る思想的な土壌やその立場を見ることによって、よりはっきりとしてくる。

まず、本誌の思想的土壌として挙げられるのは、この時期の世界的潮流ともつながるものだが、マルクス・レーニン主義、サルトル風の実存主義、そして脱植民地化の思想である。その具体的内容は、1963年10月の創刊号に付された「紹介」、そして1964年9月号と1965年8〜9月号において発表された二つの「マニフェスト」において鮮明に描かれている。詳細に立ち入ることはできないが、これらの土壌を互いに連動させながら、主に以下のような三つの思想的立場を追求してきた。まずはケベック社会の〝現実〟を分析し、その独自性を認識すること、次に革命の実現を介して「脱植民地的社会主義」の実現を目指すこと、最後に南米やアフリカなど「第三世界」を含めた世界へとケベック社会を開くこと、以上の3点である。

このような革命思想とその実践を介して、より広い領域へとケベック社会を開き、「ケベック性」と「世界性」の連動関係が追求されたのである。当然、このような思想的立場の彼方には「ケベック独立」という理想が存在していたことは明白であろう。しかし、その後のケベック史を知る者にとって、この理想は何か物悲しさも感じさせるものでもある。ただ、ケベック文学史から見れば、ある意味でこの雑誌の主張していた通り、カナダ文学やフランス文学からの「独立」は少なくとも実現したといえるのではないだろうか。

9

カトリック教会

★教会主導的社会から政教分離へ★

ケベックがフランスの植民地となった当時、キリスト教社会であった西欧では宗教が国の政治と深く関わっていた。このような政教一致の環境で始まったケベックの歴史は、宗教と複雑に絡み合いながら展開してきた。ここでは、ケベックにおけるカトリック教会の位置づけについて、政治と宗教という観点に焦点をあてて歴史的経緯を概観する。なお、本章では、「カトリック」はローマ・カトリックの意味で、「カトリック教会」はカトリック信奉者からなる組織体という意味で用いる。

フランス植民地時代のカトリック教会

カナダに植民地の建設を始めた当時のフランスは、カトリック以外のプロテスタントを容認する「ナントの勅令」(1598年)下にあった。しかし、1625年以降、ヌーヴェル・フランスはその勅令の適用から除外され、移住者はカトリックであることが条件であった。当時、総督に任命されたサミュエル・ド・シャンプランは、植民地定着のためには家族とカトリックの宣教師の渡来が不可欠との見解を示した。1615年から修道会の渡来が始まり、1635年に男子のための学校、163

9年に女子のための学校が開設された。同じ頃、病院も開かれた。学校は先住民の子どもたちを対象としたが、次第にフランス人の子どもも受け入れられるようになった。やがて教育と福祉の分野は修道会が担当する慣習が定着していった。

ヌーヴェル・フランスのカトリック教会はフランスに在住する司教の管轄下に置かれていた。このような状態が問題視され、１６５９年、フランソワ・ド・ラヴァルがヌーヴェル・フランスのカトリック教会の責任者として任命され赴任した。１６７４年、この地が宣教地から司教区に昇格、彼が初代司教に任命された。また、大神学校が設立され、現地での司祭養成が可能になった。１６６３年には教会に納める十分の一税の制度が導入された。こうして、ケベック社会の特徴となったカトリック教会を中心とする住民生活の基盤が築かれていった。

教会は植民地の行政組織に組み込まれていた。たとえば、１６４８年に設けられた植民地統治のための最高評議会には教会の最高責任者が含まれ、教会が制度的に植民地行政に参加することになっていた。ヌーヴェル・フランスの行政当局と教会との関係に重要な影響を与えたのは、フランスのルイ14世治下における絶対王政で、カトリック教会もその権限下に置いていた。１６６３年、ヌーヴェル・フランスは国王の直轄地となった。教会の権限は国家の権限の下に位置づけられ、国王は司教の任命にまで関与した。司教の任命を受けたラヴァルは文書で国王に忠誠を誓っており、一般行政にも関与していた。教会の活動範囲は限定され、教会がいわば独占的な権限を行使できた領域は教育であった。反面、教会は国家から財政支援を受けており、それによって教育を無償で行うことができた。フランス領時代のカトリック教会は、国家権力と深く関わりながら定着していったのである。

英国植民地時代のカトリック教会

1763年の「国王宣言」 ヌーヴェル・フランスは1763年のパリ条約により、ローマ・カトリック教会から独立していた英国のケベック植民地となった。パリ条約は、住民に英国の法律の許す範囲においてという条件を付して、カトリックを信奉する自由を認めた。これによって、ケベックの住民は英国国教会を強要されることなくカトリックにとどまることが可能になったが、英国国教を信奉するという宣誓を行わない限り公職に就くことはできなくなった。このことは、植民地行政は少数派の英国系住民の掌中に委ねられることを意味した。また、ローマ教皇を認めないということは、司教の任命を不可能とした。しかし、総督ジェームズ・マレーはカトリックとフランス文化を無視して新しい植民地を統治することは困難であると判断し、統治政策を植民地の事情に適応する必要を主張した。ケベックのカトリック教会を司る司教の不在が、新植民地統治上好ましくないと判断した英国政府は、1766年ケベックの司教にフランス人ブリアンの任命を認めた。彼は着任後植民地行政に協力的な姿勢を示し、宗主国が変わっても大部分がカトリックであったケベック社会の安定を図った。

1774年の「ケベック法」と1791年の「立憲法」 このような植民地統治の方針転換が1774年のケベック法に反映されることとなった。ケベック法は、ケベックの安全と住民の精神的不安を取り除くためであるとして、ローマ・カトリック教会に国王の至上権のもとで宗教活動を行う自由を認めた。また、その教会の信者に限定することを条件に教会税の徴収を認め、公職に就くための宣誓を廃止した。ケベック法は北アメリカ大陸にフランス系文化集団とカトリック教会が存続する礎となったのである。

ケベック法が制定された当時はケベックの人口の大部分はフランス系住民であったが、その後、アメリカ独立戦争の結果、英国系住民が急増し、民族・宗教・言語の異なる人々が共存することとなり、ケベックは困難な状況に直面することとなった。この問題の解決を目的とする立憲法によってケベックはロワー・カナダとアッパー・カナダに分割されたが、ケベック法は廃止されなかった。この分割の趣旨はケベックを民族・宗教・言語の異なる行政単位に分割することであったが、現実にはこのような単一文化集団からなる行政区画を設けることは不可能で、双方に少数派としての異文化集団を抱えることとなった。この異文化共存が多数派と少数派という関係で存続することになり、後世に多くの課題を残した。とくに、次世代の教育と文化伝達の観点から重視された教育行政が長期にわたりこの問題を引きずることとなった。

教育行政とカトリック教会　フランス領時代から教会が中心となって学校教育普及に着手していたが、英仏植民地戦争によりその活動は後退していた。情勢が落ち着くにつれて再興の努力が始まったが、ヌーヴェル・フランス時代から学校教育を担当してきた修道会は会員や資金の補充がつかない状態であった。

一方、この時期に増加し始めた英国系住民対象の学校も設置され始めていた。1787年、現在の大西洋沿岸諸州、ケベック州およびオンタリオ州にあたる地域の司教に任命された英国国教会のイングリスは、1789年、宗派上中立で教育言語は英語の初等教育から高等教育までを包含する意味でのユニヴェルシテ・ド・ケベックの設立を提案した。それは、没収されたイエズス会の資産をその

写真　ケベックシティ対岸のオルレアン島に建つカトリック教会（2005年頃、竹中豊撮影）　こうした建築スタイルは、かつてはケベックのいたるところで見られた。

財政基盤として活用しようとするものであった。フランスでナポレオンが制度化したユニヴェルシテのように、学校教育全体を管轄する教育行政機関の役割も担うことを可能にする制度であったが、この提案は多くの議論の末廃案となった。

1801年教育法によって、宗派上中立の王立知識普及機関や各地区に学校委員会を置く教育行政組織の基盤が制度化され、王立学校の普及が図られた。しかし、この法律はカトリックの教育修道会の教育事業および私立学校には適用されなかった。この教育政策に対してカトリック側の反発が強く、カトリック教会のみを対象とする1824年教育法が制定され、教会委員会にその教区の小学校の設置・維持のための資産保持を許可、管轄下の学校の管理権が与えられた。このような宗派間の緊張はその後も続いた。

1840年の連合法を機に新教育法が1841年に制定され、宗派上中立の共通学校が制度化されるとともに、新たに教育長職が設けられ、その下にカナダ・イーストとカナダ・ウェスト（第7章参照）の教育長が置かれ、前者はカトリック、後者はプロテスタントが就くこととなった。その後、カナダ・イーストでは、1846年の教育法によって、共通学校の存続を前提としたうえで、宗派上少数派の分離学校設置権が認められた。なお、ケベックシティとモントリオール市については分離学校制度を適用せずにカトリック教育委員会とプロテスタント教育委員会を設け、両宗派対等とした。この制度は1867年の英領北アメリカ法第93条によって憲法条項として確定され、学校をめぐる宗派間の相克は、それぞれ自治権を有する教育行政の一州二制度の導入により一応終止符が打たれた。

カトリック系学校教育の状況　立憲法から1867年までの期間は、カトリック教会がロワー・カナダにしっかりと根づいた時期であった。フランス革命期に多くの聖職者がフランスよりカナダに渡来し、カナダのカトリック教会の強化につながった。また、多くの教育修道会が、フランスから渡来、あるいは、カナダで創立され、フランス領時代に定着した教会主導による学校教育の慣習は、この時代に著しい飛躍を遂げた。

この傾向は1867年の英領北アメリカ法による教育の州自治と宗派別学校教育の制度化によって促進された。1868年、ケベック州は公教育省を設置した。しかし、1856年に設置され存続していた公教育評議会が1869年に各宗派の学校を管轄するカトリック委員会とプロテスタント委員会に分かれた。1875年に公教育省が廃止された後、この宗派別委員会が事実上の宗派別教育行政機関となった。1852年に英国で国王至上法が廃止されていたにもかかわらず、ケベック州では教育行政において事実上の政教一致が実現した。この制度は、以後、約100年間も続くことになった。

なお、1930年代には教育修道会の会員養成所が師範学校として認可され、初等中等教育の教員に聖職者が占める割合は、1836年に4％であったのが1876年には38％、1943年には49％に達した。その後減少傾向となり1960年には31％となっていた。

「静かな革命」とカトリック教会

改革への動き　これまで述べてきたように、ケベック州では教育行政における政教一致体制が維持されてきたが、やがてこれを疑問視する声が徐々に表面化してきた。1953年に設置された憲法問題調査審議会が、1956年に提出した報告書は、聖職者が学校教育から漸次手を引くことを勧告している。この体制に終止符を打とうとしたのが「静かな革命」期の教育改革であった。

この政教分離において重要な役割を果たしたのが、当時モントリオールの司教であったポール＝エミール・レジェ枢機卿（1904～91年）であった。彼は教会の社会的責務を縮小する必要があるとし、とくに、学校教育の聖職者支配を批判し、学校はまず社会の共通善のための市民教育をすべきであると主張した。カトリックの知識人もこれに呼応するかのように活発な論議を展開した。たとえば、1961年に開催されたある学術団体の年次大会はテーマを「教会とケベック」とした。これは聖職者を含んだカトリックの歴史学者、社会学者、法学者、経済学者、神学者などによる学際的な大会で、大会の重要帰結として教育行政における政教分離を主張した。

教育行政における政教分離　1961年に設置された教育調査審議会（パラン委員会）は教育行政における政教分離を勧告した。その勧告に従って、1964年に州教育省が設置され、カトリックとプロテスタントに分かれていた州中央教育行政の一元化と政教分離が実現し、教会は公立学校運営から手を引いた。

しかし、教育委員会に関する一元化と政教分離の勧告は、1867年憲法によって擁護されているカトリック教育委員会とプロテスタント教育委員会の廃止を意味し、違憲訴訟にまで発展した。また、人間教育の質の低下を危惧する保護者グループの強い反対や一部の聖職者の批判により難航、実現まで約30年かかった。1997年に1867年憲法が改正され、そして1998年、遂に教育委員会が宗派別からフランス語と英語の言語別に再編された。その後も初等中等教育課程にカトリック・プロテスタント・道徳のいずれかの科目を選択する制度が続いたが、2008年9月にこの選択科目制度に代わって「倫理・宗教文化」が必修科目として導入された(第34章参照)。こうして、ケベックにおける学校教育行政における政教分離が一段落したのである。

ケベック社会の宗教事情の変貌　数百年続いたケベックの政教一致の体制は、「静かな革命」の流れの中で廃止された。カトリック教会も、1960年代の第二ヴァチカン公会議の影響による変化や増加する移住者の多様化等により、ケベック社会における存在感を急速に低下させたが、時代の流れとともに付加された宗教上本質的ではない諸要素を除きつつ、宗教の本質を追求する宗教団体として宗教活動を行っている。信徒も社会慣習からではなく、自由な選択によって教会に行く傾向にある。住民の多様化とともに多文化社会となったケベックの宗教界も多様化の道をたどっている。

(小林順子)

10

「聖ジャン・バティストの日」から「ケベックの日」へ

★ナショナル・デーの起源と展開★

ケベック州では、毎年6月24日は「ケベックの日（Fête nationale du Québec）」として祝日に定められている。州民の間ではフランス語で「サン＝ジャン・バティスト（洗礼者聖ヨハネ）」、さらに略されて単に「サン＝ジャン（聖ヨハネ）」とも呼ばれるこの祝日には、州最大都市モントリオールや州都ケベックシティのみならず州内各地でケベック州旗が多く掲げられ、人々は州旗にちなんだ青色のものを身にまとい、ケベックの独自の文化や歴史を祝う。パレードやコンサートが盛大に行われるなど、ケベックの人々にとって極めて特別なナショナル・デーとして位置づけられている。ケベック州は同日を法定休日として定めるカナダ唯一の州であり、その点に限ってもケベック州の独自性が見て取れ、興味深い。

歴史をたどると、この日は約100年前の1925年に「聖ジャン・バティストの日」として祝日となったが、どのような歴史的背景があったのだろうか。当初の名称に「聖ヨハネ」が含まれたことからもうかがい知れるが、ケベックにおける聖ジャン・バティスト協会の成り立ちと発展を紐解くことで、6月24日にまつわる歴史をみてみよう。

写真１　州旗を掲げてケベックの日を祝う人々
(Montrealais, CC BY-SA 2.5, via Wikimedia Commons)

キリスト教においては、聖ヨハネの誕生日とされる6月24日は古くから夏至祭と関連づけられ、大かがり火を焚くなどして祝われていた。この慣習は、フランス人によって宗教・言語とともにヌーヴェル・フランスに持ち込まれ、17世紀の植民初期から祝祭として扱われていたことが史料で確認されている。

６月24日がケベックで特別な意味を帯びることになる直接的な起源は、１８３４年6月24日、モントリオールで影響力のあった新聞『ラ・ミネルヴ』紙の編集長リュジェ・デュヴェルネが、市長やロワー・カナダ立法議会議員など時の有力者60名程度とともに晩餐会を催したこととされる。この年は、ロワー・カナダ立法議会において、ルイ・ジョゼフ・パピノー率いる愛国党の主導により、議会の権限強化やフランス語の公用語化等の改革を求める「92ヶ条の決議」が採択された年であり、英国植民地でありながらフランス系カナダ人が住民の多数を占めるロワー・カナダの政治的状況が緊迫していた時期でもあった。

１８３４年時点では、「天は自ら助くる者を助く」と称する秘密結社的組織が結成されたのみで、正確には聖ジャン・バティスト協会そのものの誕生とはいえない。しかし、晩餐会参加者の間で、フランス系カナダ人の結束のために6月24日を休日にしたいとの思いが共有されたという事実をもって、1834年を聖ジャン・バティスト協会の実質的な始まりだとする見方もある。この頃は、聖ジョージ協会（イングランド系）、聖パトリック協会（アイルランド系）、聖アンドリュー協会（スコットランド系）のように、民族的アイデンティティに基づく友愛団体がモントリオールで相次いで生まれた時期でもあった。

写真2　シェルブルック通りに建つモントリオール聖ジャン・バティスト協会
（2023年、矢頭典枝撮影）

その後、1837～38年のロワー・カナダの反乱期の混乱を経て、聖ジャン・バティスト協会の発足に向けた機運が高まった。1842年にケベックシティで最初の聖ジャン・バティスト協会が誕生、翌1843年6月9日にはデュヴェルネによって正式にモントリオール聖ジャン・バティスト協会が創設された。カトリックの聖職者たちもまた重要な役割を担った。フランス系の人々が北アメリカの地で相互扶助および節制の価値観の旗手となることを目指したカトリック教会が協会創設の追い風となり、聖ジャン・バティスト協会は相互扶助および道徳的・社会的進歩を目的に掲げて活動を開始した。具体的には、①共通の歴史・記憶と記念行事を通じたフランス系カナダ人の連帯の追求、②相互扶助原則に基づく協同援助、③上記の取り組みのための財政基盤強化および分配という3点がその活動の中心となった。協会創設初期は多分に宗教的な性格を帯びるミサなどに始まったが、年々パレードが盛大になるなど、時代とともに祝賀行事の質も規模も変化を遂げていった。

まずケベックシティやモントリオールで生まれた聖ジャン・バティスト協会は、言語・文化・歴史・信仰を共有する共同体としてのネイションの友愛団体として、州の境界にとどまらず活動を展開し、その範囲は北アメリカ大陸各地に広がった（たとえば１８５０年ニューヨーク、１８５２年オタワ、１８６４年デトロイト、１８８８年カルガリーなどで協会が創設された）。ケベックシティ建設３００周年にあたる１９０８年には、教皇ピウス10世が聖ヨハネをフランス系カナダ人信者の守護聖人として正式に宣言したことで、聖ヨハネとフランス系カナダとの結びつきが確かなものとなった。

写真3　20 世紀半ばまで聖ジャン・バティスト協会の旗として使われた「カリヨン聖心旗（Carillon Sacré-Cœur)」（C.P. Champion, CC BY-SA 3.0, via Wikimedia Commons）

聖ジャン・バティスト協会は１９２４年、モントリオールのモン・ロワイヤルに十字架のモニュメントを建立するなど、フランス系カナダ人の結束を示すシンボルや文化施設の整備にも積極的に取り組んだ。１９４８年に採用されたケベック州旗（青地の白十字にユリの紋章が四つ配された、いわゆるフルール・ド・リゼのデザイン）は、当時の聖ジャン・バティスト協会の旗であるカリヨン聖心旗が基になっており、前年１９４７年に連盟を形成したケベック州各地の聖ジャン・バティスト協会の働きかけが実った結果でもあった。

その他聖ジャン・バティスト協会に関する興味深いエピソードとしてしばしば言及されるものに、カナダ国歌「オー・カナダ（Ô Canada/O Canada）」にまつわる歴史が挙げられる。この曲は実は1880年の聖ジャン・バティストの日に開催された「フランス系カナダ総会」のために作られたのが最初であり、その後英語系カナダでも歌われるようになり、1980年、正式にカナダ国歌に定められたという経緯をたどる。このようなところにも聖ジャン・バティスト協会のレガシーが刻まれている。

1960年代のいわゆる「静かな革命」以降、フランス系カナダのナショナリズムは宗教等を基盤とするエスニックなものから、ケベック・アイデンティティを軸とするものへ変遷を遂げたが、聖ジャン・バティスト協会は比較的早くからケベックの自己決定権を主張した市民社会団体の一つといわれている。聖ジャン・バティスト協会が主催した1966～69年の「フランス系カナダ総会」は、州内外のフランス系カナダ人を包含していた集団アイデンティティが分裂の運命をたどる契機として位置づけられている。1960年に約20万人の会員を擁した聖ジャン・バティスト協会連盟やその流れを汲む組織は、ケベック主権主義の主張を強め、主権獲得をめぐる二度の州民投票（1980年および1995年）では、独立を志向する側に立って活動を展開した。

6月24日の祝日は、1960年代以降のケベックの人々の宗教離れも相まって、1977年、ルネ・レヴェック政権時に「聖ジャン・バティストの日」から「ケベックの日」に改称され、現在に至っている。

（田澤卓哉）

III

多文化社会

11

統計にみる民族的・宗教的多様性

★モントリオールに集中するヴィジブル・マイノリティと宗教的少数派★

ケベック州はカナダで唯一、州民の多数派が民族的出自をフランス系とするが、近年の移民の定着によって民族的多様性が顕著になってきた。しかし、どのような民族集団がどれくらいいるのかを数字で把握することはできない。カナダ国勢調査では自らが属する「民族集団」そのものではなく、「民族的または文化的出自（ethnic or cultural origin）」を質問項目としているからである。２０２１年国勢調査では、多くの人々が回答した電子版の質問票で５００以上の「先祖の民族的または文化的出自」の回答例をオンラインで提示し、そのなかにはOntarianやChristianなど州民や宗教の信者の名称もある一方で、内容的に重複して紛らわしいもの（FrenchとFrench CanadianやIndianとSouth Asianなど）もあり、回答者は複数回答を許可された。カナダ統計局は、調査結果は回答者が家族のバックグラウンドをどのように認識しているかを反映し、社会情勢や自分の出自に関する考え方の変化によって変容することもあると指摘している。そのため、たとえば同じ両親をもつ兄弟が異なる回答を記入することもある。２０２１年国勢調査で最も多かった回答はケベック州民の「民族的または文化的出自」の回答はカナディアン（29・0％）であり、フランス系（21・4％）、ケベコワ（ケベック人）（11・2％）、フランス系カナディアン（7・1％）、アイルランド系（4・9％）、イタリア系（3・8％）、スコットランド系（2・3％）、イングランド系（2・1％）がこれに続いた。

表1はこの統計から「文化的出自」に相当する回答を割愛し、「民族的出自」の回答のみを抽出して回答数の多い順に示している。カナダの建国民族集団であるフランス系と英国系（アイルランド系、スコットランド系、イングランド系）、移住時期が早かったイタリア系、ドイツ系、中国系、ギリシャ系、ユダヤ系と並んで、近年移住してきたハイチ系、アラブ系、アフリカ系、レバノン系、インド系が上位に入っている。この状況は、フランス語を話す移民を増やすことを目的にした近年のケベック州政府の移民政策を反映している。統計には表れないが、「フランス系」にはケベック州のフランス系だけでなく、フランスからの移民も含まれている。フランス語を公用語の一つとするハイチからの移民はフランス語を話し、レバノン系の多くもフランス語を話す。アラブ系とアフリカ系は、アフリカのフランス語圏（アルジェリア、モロッコ、カメルーンなど）の移民を含む（第13章参照）。

表1　ケベック州の民族的出自の上位（2021年）

1	フランス系
2	アイルランド系
3	イタリア系
4	スコットランド系
5	イングランド系
6	ハイチ系
7	ファースト・ネーション
8	ドイツ系
9	中国系
10	アラブ系
11	スペイン系
12	アフリカ系
13	レバノン系
14	インド系
15	ポーランド系
16	ポルトガル系
17	ギリシャ系
18	ユダヤ系
19	ロシア系
20	ルーマニア系
21	ベルギー系
22	フィリピン系
23	メイティ
24	ベトナム系
25	メキシコ系

出典：Census Profile, 2021 Census of Population, Profile table “Ethnic or Cultural Origin” (Statistics Canada, 2022) より筆者作成

モントリオールの街中を歩くと、非白人系が多いことがわかる。カナダ統計局は、非白人系（先住民を除く）を「ヴィジブル・マイノリティ」と呼んでいる。２０２１年国勢調査では、ヴィジブル・マイノリティ人口の割合はカナダ全体では26・5％である。移民は大都市に定住する傾向があるため、英語圏の大都市では、トロントとヴァンクーヴァーのヴィジブル・マイノリティ人口の割合はそれぞれ55・7％と54・5％と高く、数の上ではもはやマイノリティではなくなっている。また、ヴィジブル・マイノリティ人口の割合はカルガリーで41・4％、オタワで32・5％であり、エドモントンでも42・8％と高い。

カナダ全体のヴィジブル・マイノリティ人口の割合と比較すれば、ケベック州は16・1％と低い。しかし、モントリオールとそれ以外のケベック州の地域では、大きな隔たりがある。モントリオール都市圏のヴィジブル・マイノリティ人口の割合は、27・2％である。モントリオール市に地域を絞れば、その割合は38・8％であり、大都市としては英語圏のトロント、ヴァンクーヴァー、エドモントン、カルガリーに次いでヴィジブル・マイノリティ人口が多い。モントリオール都市圏を除くケベック州の地域は、ヴィジブル・マイノリティ人口の割合が4・4％と極めて低く、州都ケベックシティも9・4％と低い。モントリオール以外は圧倒的なフランス系白人社会だといえる。

ではケベック州のヴィジブル・マイノリティはどのような人々で、カナダ全体に比べると何が違うのだろうか。表2が示すように、カナダ全体では、南アジア系（インド、パキスタン、バングラデシュ、スリランカなど）と中国系の割合が高いが、ケベック州では、黒人系とアラブ系の割合が目立って高く、特にモントリオール都市圏の中心部モントリオール市では黒人系が11・5％、アラブ系が8・2％と極

表 2　カナダ全体とケベック州におけるヴィジブル・マイノリティの割合と内訳（2021 年、%）

	カナダ全体	ケベック州全体	モントリオール都市圏	モントリオール市	ケベックシティ
ヴィジブル・マイノリティの割合	26.5	16.1	27.2	38.8	9.4
南アジア系	7.1	1.5	2.9	4.6	0.3
中国系	4.7	1.4	2.5	3.3	0.5
黒人系	4.3	5.1	8.1	11.5	4.1
フィリピン系	2.6	0.5	1.0	1.6	0.1
アラブ系	1.9	3.4	5.9	8.2	1.8
ラテンアメリカ系	1.6	2.1	3.3	4.5	1.6
東南アジア系	1.1	0.8	1.5	2.2	0.5
西アジア系	1.0	0.5	0.9	1.0	0.2
韓国系	0.6	0.1	0.2	0.3	0.0
日系	0.3	0.1	0.1	0.2	0.1

出典：Census Profile, 2021 Census of Population, Profile table “Visible Minority” (Statistics Canada, 2022) より筆者作成

めて高い。この状況は、近年のハイチとマグレブ諸国などアフリカのフランス語圏からの移民の増加を反映している。

ケベック州の多様性は宗教にも表れている。移民が増加したとはいえ、２０２１年の宗教別人口をみると、キリスト教と答えた人が64・8％であり、カナダ全体の53・3％より高い。キリスト教のなかでもケベック州では圧倒的にカトリックが多く（全宗教の53・8％）、カナダ全体（29・9％）を大きく上回る。しかしモントリオール市に地域を絞れば、この割合は低くなっている（全宗教の49・5％）。キリスト教の次にケベック州に多いのはイスラム教の5・1％であり、モントリオール都市圏では8・7％、モントリオール市では12・7％と極めて高い。ユダヤ教の割合はモントリオールではカナダ全体よりも高い。これはユダヤ系の人々が早い時期にモントリオールに

表3　カナダ全体とケベック州の宗教別人口の割合（2021年、%）

	カナダ全体	ケベック州全体	モントリオール都市圏	モントリオール市
キリスト教 （カトリック）	53.3 (29.9)	64.8 (53.8)	57.8 (44.2)	49.5 (35.0)
イスラム教	4.9	5.1	8.7	12.7
ヒンドゥー教	2.3	0.6	1.1	1.8
シク教	2.1	0.3	0.5	0.9
仏教	1.0	0.6	1.0	1.5
ユダヤ教	0.9	1.0	2.0	2.1
北米先住民信仰	0.2	0.0	0.0	0.0
その他	0.6	0.3	0.4	9.5
無宗教	34.6	27.3	28.5	31.0

出典：Census Profile, 2021 Census of Population, Profile table “Religion” (Statistics Canada, 2022) より筆者作成

定住した状況を反映している。また、ケベック州のヒンドゥー教とシク教の割合はカナダ全体よりも低い。これらを信仰する南アジア系の多くが英語圏の大都市に集中する傾向があるからである。

ケベック州の宗教別人口に関する2021年の国勢調査で特筆すべき傾向は、第一に、この20年間でカトリックと答えた人が激減している点である。2001年国勢調査では83・2%だったのが、2021年には53・8%に下がっている。第二に、イスラム教人口が増加し、2001年では1・5%だったのが、2021年には8・7%に上昇している点である。第三に、無宗教と回答した人が、カナダ全体と同様に激増している点である。表3が示すように、2021年のケベック州の無宗教人口の割合は27・3%であり、カナダ全体の割合（34・6%）よりも低いが、この20年間で約5倍に増えている。

このようにケベック州では民族的・宗教的多様性がますます顕在化している。特にモントリオールではキリスト教以外の文化や宗教的慣行に社会としてどのように向き合っていくのか、まさに「妥当なる調整」（第16章参照）のあり方がいっそう重要性を増すだろう。

（矢頭典枝）

12

ケベック州の先住民

★ハイブリッド化する社会と文化★

先住民とは、ある土地において欧米人らが到来する以前からそこで生活を営んできた原住者である。彼らは、現在、植民者が創設した国家の中に編入され政治経済的に少数派の立場にあるが、独自の文化やアイデンティティを保持している。1982年のカナダ憲法では、カナダの先住民とは、インディアン、メイティ（メティス）、イヌイットであると明記されている。現在のカナダでは、インディアンと呼ばれた多様な先住民グループは、ファースト・ネーションズという総称で呼ばれている。メイティとは、フランス系の交易者や植民者らと先住民との間に生まれた人々の子孫であるが、独自の文化を保持している人々のことをさす。イヌイットは、かつてはエスキモーと呼ばれたが、極北地域を故地とする人々である。

現在のケベック州においては、アベナキ、アルゴンキン、アティカメクゥ、クリー、ヒューロン、イヌー（モンタニエ）、マラシート、ミクマック、モホーク、ナスカピのファースト・ネーションズやメイティ、イヌイットの人々が生活を営んでいる。2021年の国勢調査によると、ケベック州の先住民人口は、ファースト・ネーションズ約11万6000人、メイティ約6万人、イヌイット約1万3000人の合計約19万人であり、ケベック州人口の約2％に相当する。2006年の国勢調査では約10万5000人であったので、この15年間で人口が2倍近くになっている。ケベック州内で総人口が1万人を超す先住民グループは、それぞれイヌー約2万3000人、クリー約2万人、モホーク約1万4000人、アルゴンキン約1万3000人、メイティ約6万人、イヌイット約1万3000人である。一方、最少はナスカピの約800人である。

ケベック州には31のリザーブ（居留地）と16のイヌイットの村（うち1村は現在無人）がある（写真）。2021年の国勢調査によると、同州内のリザーブに住むファースト・ネーションズは約60％であり、約40％はリザーブの外で生活を営んでいる。イヌイットの場合は、大半が故地である極北地域に住んでいるが、約10％の人々がモントリオール都市圏やケベックシティなどの都市に移住している。ケベック州の先住民は他州の先住民に比べ、リザーブや故地に留まる人口比率が相対的に高いといえる。

現在のケベック州に相当する地域には、15世紀頃に多様な先住民グループが存在していた。極北地域にはイヌイット語を母語とする狩猟・漁労を生業とするグループがおり、その南の亜極北地域から森林地域にかけてはアルゴンキン語族系のクリーなど狩猟・採集を生業とするグループとイロコイ語族系のモホークなどカボチャやトウモロコシの農耕を主な生業とするグループがいた。狩猟・漁労・採集を生業とするグループは季節的な移動生活を送っていたが、農耕を生業とするイロコイ語族系グループは、セントローレンス川流域からオンタリオ湖にかけての肥沃な地域に分散して小村落を形成し、定住生活を送っていた。

これら先住民の生活は、ヨーロッパ人の到来とともに大きく変化した。ジャック・カルチエがケベックに到達し、１５３４年にセントローレンス川沿岸をフランス領と宣言した。その地では、寒冷気候のため農業が振るわず、ビーバーの毛皮交易を中心とした植民地経営が行われた。その後、カナダ東部地域でビーバーが減少するにつれて毛皮交易の中心はカナダ東部地域から中部地域や北方地域、さらには西部地域へと移っていった。

フランス植民地の拡大を恐れた英国は、アン女王戦争（１７０２～13年）やフレンチ・インディアン戦争（１７５４～63年）に勝利し、北アメリカにあるフランス領をすべて獲得し、英国は１７６３年に国王宣言を出した。その後、１８６７年にカナダ自治領が成立すると、１８７６年に「インディアン法」が制定され、インディアンはカナダ連邦政府の管轄となった。１９３９年にはイヌイットも同政府によって管轄されることになった。

写真　現代のイヌイットの村（ケベック州アクリヴィック村、2016年、筆者撮影）

ケベック州において先住民が注目を浴びるようになったのは、１９６０年代の「静かな革命」の時期であった。ケベック州政府は、水資源や森林資源が豊富な北方地域を積極的に統治する方針に転換した。当時、ケベック州政府は水力発電の開発を目的として、ケベック州北西部ジェームズ湾地域において複数の大型ダムの建設を計画し、先住民に相談することなく着工した。このダム建設に対してクリーとイヌイットは、狩猟や漁労を行ってきた河川域の環境を破壊する恐れがあると反対し、訴訟を起こした。その訴訟では先住民側に軍配があがったものの、すでに進行していた工事の差し止めが無理であることがわかると、先住民側はケベック州政府やカナダ政府に補償を要求した。これがケベック州北部におけるランドクレーム（先住民諸権益請求問題）交渉の発端である。

2年近い政治交渉の末、ケベック州のクリーとイヌイットは、カナダ連邦政府とケベック州政府を相手に「ジェームズ湾および北ケベック協定」を1975年に締結した。また、ナスカピは、「北東ケベック協定」を1978年に締結した。この結果、三つの先住民グループは、総計で2億3400万ドルの補償金、1万4000平方キロに及ぶ土地の所有権、15万平方キロの土地における排他的な狩猟・ワナ猟権などの諸権利を獲得した。

さらに1984年には、クリー・ナスカピ法によってカナダで初めての先住民自治政府が成立した。また、2007年にはイヌイットも地域政府の創設についてカナダ政府とケベック州政府を相手に原則合意に調印した。このようにケベック州の先住民は政治的な自律性を高めてきた。その反面、彼らは健康問題、高い失業率、若者の自殺のような諸問題に直面してきた。このため、1980年代以降のケベック州ではより良い仕事や生活を求めてリザーブや故地を離れ、都市に移住する先住民が増加した。

しかし、都市移住者の大半は教育や職業訓練を十分に受けていないため、就職できず、社会福祉に頼らざるをえなかった。中には、ホームレス状態に陥る人がいた。その一方で、経済的に成功した先住民もいた。このため都市先住民の間で生活様式の多様化が進むとともに、経済的な格差が拡大しつつある。また、都市で生まれ育った先住民の数も多くなり、モントリオール都市圏やケベックシティにおいて先住民友好センターや独自の社会的ネットワークを介した交流や異民族間婚の増加によって都市先住民の間に新たなハイブリッド文化やアイデンティティが生成されつつある。（岸上伸啓）

13

移民受け入れ

★フランス語系社会の持続的発展に向けて★

2022年11月、前月の総選挙で快勝し2期目に入ったケベック未来連合（CAQ）のフランソワ・ルゴー州首相は、州議会の開会演説で移民政策に関する野心的な目標を掲げた。モントリオールを中心に、州内におけるフランス語の存在感が縮小傾向にあるとの認識を示し、フランス語を話す移民を増やすことがフランス語の生き残りに不可欠とした。その上で、ケベック州が選別する経済移民のうち、フランス語話者の割合が長年にわたって5〜6割に止まっている状況は看過できないとし、2026年までの任期中にその割合をほぼ10割まで引き上げたいとした。この目標を達成できる可能性は低いと思われるが、このエピソードは、移民受け入れがフランス語系社会の存続および発展というケベックの存在自体に関わる大きな問題と密接に関わっていることをよく示している。

読者の中には「ケベック州が選別する経済移民」という表現に違和感を覚えた人もいるかもしれない。連邦制を採用するカナダでは、憲法において移民政策は連邦と州の共有権限と定められている。そのため、州は連邦法に矛盾しない範囲で独自の移民政策を展開することができる。1867年にカナダ連邦が成立した直後、フランスやベルギーからの移民受け入れや、米国に移住したフランス系カナダ人の帰還を目指して、ケベック州が独自の移民政策を展開したこともあった。しかし、期待された結果が得られなかったことや、フランス系カナダ人の高い出生率により人口の自然増が見込めたこともあり、20世紀に入る頃には移民政策から撤退した。また、当時のフランス系カナダ人エリートたちが、カトリック信仰に基づくフランス系カナダネイションの維持にとって移民の受け入れを脅威とみなしていたことも大きい。

1950年代に入ると、英語系コミュニティが州内の移民たちの受け皿になっている状況に危機感を抱いたフランス系カナダ人の若手エリートたちが、フランス語で機能するケベック社会の存続には、フランス語系社会に移民を統合することが不可欠との考えを強めた。1960年代には、「静かな革命」の流れの中で州政府内における移民政策への関心も高まり、1968年には移民省が設立された。当時、ケベック州の移民政策の主な目的は、①フランス語系社会への移民の統合、②ケベック社会の特徴を反映した移民政策を実施するため、移民の選別・統合に関わる州の権限を連邦政府から取り戻すことの二つであった。連邦政府との交渉が続き、1978年の協定により経済移民をケベック州が選別できるようになった。さらに、1991年には「移民および一時滞在外国人の入国に関するカナダ・ケベック協定」が締結され、現在に至るまで、ケベック州が移民政策に関して行使する権限の基礎となっている。この協定では、経済移民に関する選別に加えて、移民の統合政策についてもケベック州の権限とされ、統合政策の実施にかかる相応の費用を連邦政府が負担するとした。たとえば、2021年度、6億9700万カナダドルがこの協定に基づいてケベック州に対して交付されている。

図　ケベックの移民受け入れ数と人口推移（1975〜2021年）
出典：Institut de la statistique du Québec のデータに基づき筆者作成

また、移民の受け入れ数に関しても、ケベック州の受け入れ予定数を考慮してカナダ連邦政府が全国レベルの受け入れ数を設定することとなっている。ケベック州が設定できる上限数は、カナダの総人口に対する同州人口の割合に5%を加えた数となっており、フランス語系社会の人口を一定の割合で維持したいというケベック州の意志に配慮する形となっている。

ここで、ケベック州の移民受け入れ状況を見ておこう。図にあるように、2004年以降、新型コロナウイルス禍による影響を受けた2020年を除いて、毎年4万人以上の移民を迎えている。2021年には、人口の約0・6%にあたる5万2279人を受け入れている。移民の受け入れは人口増加に大きく貢献しており、その7割前後が移民による社会増がもたらしたものである。

ケベック州が受け入れる移民は、大きく三つのカテゴリーに分類される（カナダ連邦政府のカテゴリーと同様）。まず、最も割合が高いのが、ケベック州が選別する経済移民で受け入れ数の5〜6割を占める。次に移民の家族・親族で受け入れ数の4分の1前後である。このカテゴリーは連邦政府が選別する。最後に難民やこれに類する人々であり、7分の1から6分の1の割合となっている。外国での難民選別に関し

表１　ケベック州の熟練労働者選別用配点表

評価項目	事実婚パートナー・配偶者 なし 最高点	なし 配分割合(%)	あり 最高点	あり 配分割合(%)
学歴	26	25.2	26	21.7
職歴	8	7.8	8	6.7
年齢	16	15.5	16	13.3
フランス語運用能力	16	15.5	16	13.3
英語運用能力	6	5.8	6	5.0
ケベック滞在歴・親族の居住	8	7.8	8	6.7
事実婚パートナー・配偶者の属性	－	－	17	14.2
就職先（地域）	14	13.6	14	11.7
子どもの有無	8	7.8	8	6.7
経済的自立	1	1.0	1	0.8
合計	103		120	
合格点	50		59	

出典：Ministère de l'Immigration, de la Francisation et de l'Intégration
Grille de sélection du Programme régulier des travailleurs qualifiés Règlement du 2 août 2018 https://cdn-contenu.quebec.ca/cdn-contenu/immigration/publications/GR_Selection_Travailleurs_Qualifies.pdf?1616677921

てはケベック州が行っている。受け入れ数全体では、6～7割の移民をケベック州が選別している。

経済移民の中で最も人数が多いのが熟練労働者で、カナダ連邦政府と同じようにポイント制による選抜を実施している。評価項目の点数配分（表1）を見ると、ケベック州がどのような属性を持った移民を重視しているか見えてくる。2018年から適用されている現行の配点表の場合、事実婚パートナー・配偶者の有無によって合計点、合格点、配分割合が異なるが、学歴、年齢、フランス語運用能力、就職先の地域という項目の割合が共通して高い。つまり、ケベックが現在求めている移民は、高学歴でフランス語が流暢、地方に就職先を見つけた若者である。さらに、子どもや、同じような属性を持つ事実婚パートナー・配偶者がいればなお良いといった点数構成になっている。

配点表でフランス語運用能力が重視されていることもあり、移民の主要出身国に関する統計を見ると、フランス、アルジェリア、モロッコ、カメルーン、ハイチ、コートジボワールといったフランス語圏の国々からの受け入れが多くなっている（表2）。

表2　2016年ー2021年の移民出身国上位10ヶ国と移民数

	カナダ		ケベック州		モントリオール都市圏	
	出身国	移民数	出身国	移民数	出身国	移民数
1	インド	246,995	フランス	20,980	フランス	15,295
2	フィリピン	151,490	アルジェリア	13,975	アルジェリア	12,840
3	中国	118,035	シリア	13,390	シリア	11,590
4	シリア	63,135	中国	10,735	中国	9,995
5	ナイジェリア	40,355	モロッコ	9,510	インド	8,065
6	米国	39,875	カメルーン	8,835	モロッコ	7,765
7	パキスタン	36,255	ハイチ	8,600	ハイチ	7,740
8	フランス	27,175	フィリピン	8,480	フィリピン	7,275
9	イラン	25,650	インド	8,460	カメルーン	5,930
10	英国	22,755	チュニジア	6,640	チュニジア	5,055

出典：Statistique Canada. 2022. Série « Perspective géographique », Recensement de la population de 2021 より筆者作成

また、２０２２年４月に失業率が３・９％まで下がるなど、労働力不足が深刻化していることから、労働市場の短期的なニーズに基づく迅速な移民受け入れが進められている。このような文脈で受け入れを進めようとしているターゲットは、ケベック州在住の外国人労働者や州内の教育機関で学位を取得した外国籍住民である。フランス語運用能力があり、ケベック社会の価値観に馴染んでいると考えられているためである。

ケベック州政府は移民の定住・統合支援にも力を入れている。現在では、ケベック州に到着する前からオンラインでのフランス語学習、移住・雇用に関わる情報提供や支援、アドバイザーとの面談が無料で受けられるようになっている。ケベック州政府の定住・統合支援サービスの歴史は長いが、移民先として選ばれるべく改善を続けている。ケベック州の移民政策は、外国人労働者の受け入れを進めている日本にとっても参考になることが多いであろう。

（古地順一郎）

14

多文化のまちモントリオール

★国際性と多様性が個性になるまち★

モントリオールは67年万国博覧会、F1カナダグランプリ、国際映画祭などの開催地として知られているだけでなく、1980年から続く世界最大のジャズの祭典である国際ジャズ・フェスティヴァルやフランコフォンの音楽祭フランコ・ド・モンレアル（Francos de Montréal）をはじめとして、アフリカ祭フェスティヴァル・ニュイ・ダフリック（Festival Nuit d'Afrique）、アラブ祭（Festival du monde Arabe）、アジア祭（Festival Accès Asie）等によって、国際色豊かな創造都市として名を馳せている。そしてその活力の源が移民である。

2021年のカナダ国勢調査によるとモントリオール市の人口は約180万人で、北岸・南岸の郊外を含めたモントリオール都市圏人口は430万人であり、ケベック州人口の半分に達する。同都市圏の人口の3人に1人が移民で、120以上のコミュニティが共存している。移民の出身地も特色があり、近年カナダ全体では移民の過半数がアジア出身であるのに対し、モントリオール都市圏での上位はフランコフォニーの国である（第13章参照）。

移民のまちらしくモントリオールにも中華街があるが、トロントやヴァンクーヴァーの中華街と比べると小さく感じるだろう。モントリオールの中華街は、19世紀以降に鉱山や鉄道建設事業に従事するために来た、主に広東語を話す中国の南方系の移民で形成された（写真1）。観光地となっている旧市街《オールド・モントリオール》と中心市街地《ダウンタウン》との間に位置するために地価高騰が激しく、1970年代、大型商業ビルや国際会議場の建設のために規模が縮小された。その後、香港からの移民やベトナムからの難民も移り住み、飲茶レストランやベトナム料理店が目立つようになった。2022年、ケベック州政府は中華街を文化遺産に認定した。一方、ここ20年ほどの間に中心市街地《ダウンタウン》の西端、英語を教育言語とするコンコルディア大学の近くに新中華街とも呼ばれる地域が形成され始めた。こちらには世界各地の中華街にしばしばみられる牌坊（門）や孔子像といったものはなく、若者向けレストランや中国系学生相手の韓国コスメティック店等がみうけられ、北京語が主に使われている。これと同時期にケベック州の多くのコンビニオーナーが中国系となったことも見逃せない。

　移民のコミュニティとして古く、中華街同様地区の名称になっているのが、ジャン・タロン市場から広がるイタリア街《リトル・イタリー》である。イタリア系の到来は17世紀にヌーヴェル・フランス植民地に送られたフランス軍に属した北部ピエモンテ出身者に遡るが、一般の移民としては19世紀にイタリア南部から男性農民が流入した。多くは肉体労働に従事する季節労働者で

写真1　モントリオールの中華街
旧市街と中心市街地《ダウンタウン》との間に位置する旧来の中華街には牌坊がある。（2022年、矢頭典枝撮影）

写真２　イタリア街のマドンナ・デラ・ディフェスタ教会
（2016年、矢頭典枝撮影）

あったが、20世紀に入ると定住移民や家族の呼び寄せが主流となった。そうして、１９１９年にはイタリア街の象徴であるマドンナ・デラ・ディフェスタ教会も建立され、今日に至る（写真２）。近年では郊外にも移民が多く居住し、以前よりイタリア系住民の多い北部サンレオナールのほか、たとえば南岸のブロサールには中国系が居住している。

ユダヤ系移民については、20世紀初めのモントリオールでフランス語と英語に次いで話されていたのがイディッシュ語で、当時は多くのユダヤ系商店がサンローラン大通りに軒を連ねていた。やがて、居住地は西側や郊外に移っていき、ポルトガル系移民がそれと入れ替わった。２００３年には半世紀にわたるポルトガルからの移民の象徴としてサンローラン大通りとマリー＝アン通りとが交わる角の小さな区画がポルトガル公園として整備された。しかし、商店はまだ健在だが居住地は移っていき、移民の多い地区も構成人口は流動的である。同様に、ギリシャ系移民も１９１１年に北アメリカ初のギリシャ系子女のための小学校をクラーク通りに建設したほど存在感があるが、この学校を前身とした英語、フランス語、ギリシャ語の学校法人ソクラテス・デモステネスは現在モントリオールに１校を残し、残りの５校はラヴァルなどの郊外にある。移民住民の構成人口変化といえば、フランス系モントリオールの象徴のプラトー地区も、ここ10年で地価高騰とともにフランスからの新移民が集中して住む地域となり、ケベコワがフランス人地区と呼ぶようになるほど住民の入れ替わりがある。

市の北部で地下鉄サンミッシェル駅東側周辺は20世紀の終わり頃から徐々にマグレブ系（北アフリカ北西部）住民が増え、ハラル肉の店などの商店も増えた。そして、２００９年には多くの市民や観光客に開かれた場とするために、北アメリカで初の「マグレブ街」としての認定を市に申請して受理された（写真３）。

写真３　マグレブ地区の食料品店の壁画
（2023年、筆者撮影）　アルジェリア、モロッコ、チュニジア、ベルベルの旗からとったモチーフとカナダのカエデ、ケベックの白ユリおよびモントリオール市のロゴが青年の夜の砂漠での道標となる星のように描かれている。

20世紀後半以降の主要な移民出身地としては旧フランス領のベトナムもあげられる。２００４年のモントリオールの名字統計では、「トランブレ」に次いで2番目に多いのが「グエン」である。25位までに「チェン」も入っており、ベトナム系の名前はモントリオールの住民にとってなじみのあるものとなっている。そして、ケベック州の民族的出自のデータの上位が示すように（第11章参照）、今日、ハイチ系も一大コミュニティを築いている。ハイチ系の食料品店や理容店は

図　2017年に修正されたモントリオール市の旗
十字架の中央に先住民を表す白マツの木が加えられた。

ジャン・タロン通り北東部に多い。２００５年に女性であり黒人として初めてカナダ総督となったミカエル・ジャンもハイチ出身である（コラム５参照）。

　モントリオール市の旗には元来、キリスト教の原則を表す赤い十字架で区切られた四方向に、フランス人を示すユリの花、アイルランド人を示すシャムロック（クローバー）、スコットランド人を示すアザミ、イングランド人を示すランカスターの赤い薔薇が配置されていた。これに、モントリオール建設３７５周年となる２０１７年に十字架の中央に先住民を表す白マツの木が加えられた（図）。また、２０１９年には、中心市街地《ダウンタウン》東端のアマースト通りがアタテゲン通りに名称変更された。アマーストとは、英領北アメリカ司令官として、フランス軍とその同盟の先住民を破り、１７６０年にモントリオールを征服した英国人である。名称変更は当初、英語系住民の反発を招くのではと懸念されたが、先住民撲滅政策で知られるアマーストの名前が使用されるのはふさわしくないと判断された。新しい通りの名称「アタテゲン」は、モントリオール地域を拠点としていたモホーク（カニエンケハカ）の言葉で兄弟姉妹を意味する。移民に加えて先住民にも配慮した多文化共生を目指そうとするモントリオール市の姿勢は一つの前進である。

（神﨑佐智代）

15

インターカルチュラリズム（間文化主義）

――★連邦政府の多文化主義に対抗するケベック独自のモデル★――

カナダは１９７０年代から世界に先駆けて「多文化主義（multiculturalism）」を掲げ、多様な文化の共存を図ってきた国として知られる。ただし、ケベック州では「多文化主義」への反感からこの語を避け、代わって「インターカルチュラリズム（フランス語でinterculturalisme）」が使われる。

１９７１年10月にピエール・トルドー首相がカナダ連邦下院で多文化主義の採択を宣言した翌月、当時のケベック州首相ロベール・ブラサはトルドーに書簡を送り、連邦政府の多文化主義に異を唱えた。ケベックの側からすると、英国系とともにカナダの建国に関わった「二大民族」であるフランス系カナダ人を、移民と同じ諸文化集団の一つに貶める試みとして捉えられるからだ。また、多文化主義は様々な文化をバラバラのまま放置し、ゲットー化を招いているようにも映る。もちろん、ケベック州も他州と同様に世界各地からの移民や難民を擁する多民族多文化社会であり、多様性の尊重や、移民支援、反差別等における種々の政策を実施してきている。それらは連邦や他州が推進する多文化主義政策と共通しているものも多い。

同州では70年代に「インターカルチュラル（フランス語で

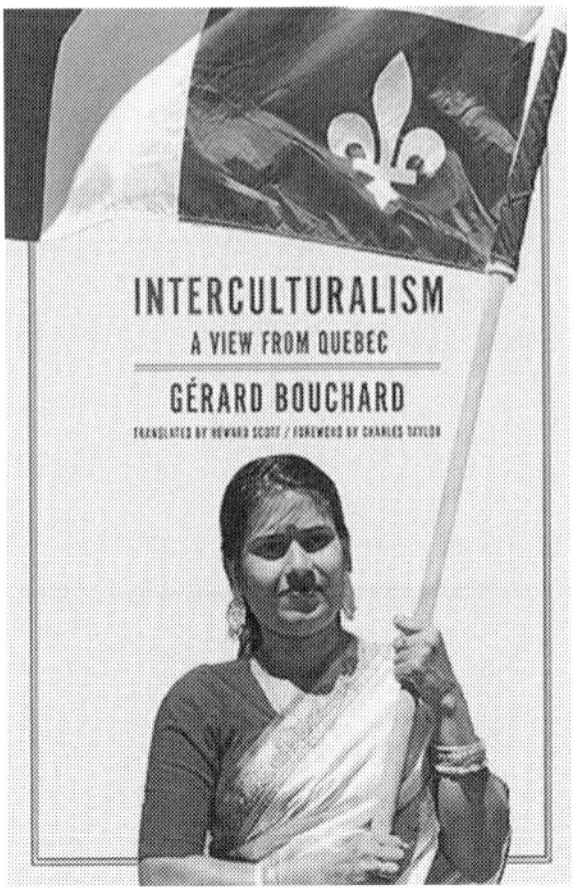

ジェラール・ブシャールのインターカルチュラリズムに関する著作（英訳版）
インドの民族衣装を着た女性がケベック州旗を持つ。

interculturel)」の語が普及し、政治家や知識人らが意識的に「インターカルチュラリズム」に言及するようになったのは、88年に連邦政府により「カナダ多文化主義法」が施行された以降である。つまり、インターカルチュラリズムは、連邦政府の多文化主義への対抗概念として語られてきた側面が強いといえよう。

インターカルチュラリズムの代表的な提唱者として、学界と政策形成の双方において多大な貢献をしてきたのが、ケベック大学シクチミ校の社会学者ジェラール・ブシャールだ。2013年には、インターカルチュラリズムについて包括的に論じた書籍を刊行した（邦訳書は『間文化主義《インターカルチュラリズム》——多文化共生の新しい可能性』彩流社、2017年）。ブシャールによると、連邦の多文化主義モデルは、他州とは異なる歴史的、文化的な特殊性を持つケベック社会にはそぐわないという。

第一に、先述のトルドーによる連邦下院の演説で、カナダには二つの公用語はあっても公用文化はないと述べられたように、多文化主義ではカナダを代表する文化の存在を認めていない。カナダの総人口のうち最も多い英国系でも3分の1に満たず、もはや人口的にマジョリティを構成する民族文化的集団が存在しないからである。それに対してケベック州では、依然として州民の多数派をフランス系が占め、独自の文化が存続しているといえる。第二に、言語に関してもカナダの英語圏とケベック州では大きく事情が異なる。前者では、英語を習得する意義を移民に対して特に強調する必要はない。他方、カナダのみならず、北アメリカ大陸という圧倒的な英語人口の包囲網の中でフランス語を維持しているケベック州では、移民に対してフランス語の習得を政策的に奨励しなければならない。

こうした事情から、フランス語を核とする文化的な連続性と民族文化的な多様化を調和させながら、いかに社会統合を実現していくのかという点が、ケベックのインターカルチュラリズムの優先課題となる。フランス語を重視しているとはいえ、必ずしもマジョリティであるフランス系の文化を不変なものとして固守しようとしているわけではない。フランス語の共有を大前提としつつ、多様な文化が相互交流・対話を重ねる過程で、結果的にマジョリティ自身の文化も変化を受け入れながら独自のケベック・アイデンティティを構築していくことを目指すとされる。

ブシャールが特に留意することの一つは、多文化主義批判としてもよく聞かれるように、マイノリティの文化に配慮し過ぎるとするホスト社会の側からの不満である。それに対してブシャールは、マジョリティの不安感にも配慮しながら、マジョリティとマイノリティとの関係性にバランスをとる必要があると強調している。特にケベック州の場合、フランス系住民は州内ではマジョリティであっても、カナダ全体ではマイノリティの立場であるため、州内の文化的な多様化に対して自らの社会が脅かされるとする危機感を抱きやすい。したがって、文化集団間の対話と交流による相互理解や、文化的な差異から生じる問題を協議や仲裁によって乗り越えようとする「妥当なる調整」（第16章参照）の実践が重視される。

インターカルチュラリズムのモデルはケベックを超えて、欧州評議会をはじめ海外からも注目されるようになっている。ちなみにブシャールは2012年に来日した際に、強固なマジョリティの文化が存在する日本にも、多文化社会を築いていく上でこのケベックのモデルからの示唆が有益ではないかと語っている。なお、インターカルチュラリズムと多文化主義の比較は少なからぬ研究者の関心テーマであり、両モデルが本質的に異なるものなのか、あるいはラベルの違いに過ぎないのかについては様々な見解が存在する。

ところで、第16章にあるように、ブシャールはチャールズ・テイラーとともに「文化的差異に係る調整の実践に関する諮問委員会」の共同委員長を務め、2008年にその報告書（要約版の邦訳書は『多文化社会ケベックの挑戦――文化的差異に関する調和の実践　ブシャール＝テイラー報告』明石書店、2011年）を公表した。そこでは、ケベックのインターカルチュラリズムが公式な政策として必ずしも明示されてこなかったことを問題視し、ケベック州政府に対してその定義を明確にするように勧告した。

それから8年後の2016年3月、ようやくケベック州政府は政策声明『共に、私たちはケベック』の中で、インターカルチュラリズムの定義について、ケベックの多元的でダイナミックなアイデンティティ、公的に使用する共通言語としてのフランス語、人権と自由の尊重、差別の克服、対話と和解を通じた対立への解決アプローチ、そして移民とホスト社会の間での義務の共有に基づく統合を重んじるものと明記した。しかしながら、連邦の多文化主義のように法的ないしは制度的な確固たるステイタスを持つには至っていない。

他方で近年、勤務中の公務員に宗教的なシンボルの着用を禁止する法律の制定（第17章参照）や、先住民の精神世界を含む多様な宗教文化を学ぶために2008年に導入された小中学校の必修科目の廃止（第34章参照）など、ブシャールをはじめとするインターカルチュラリズムの推進派にとって懸念される事態も起こっている。今後の動向が注目されよう。

（飯笹佐代子）

16

多様な宗教文化との共存に向けて

―★「妥当なる調整」をめぐる論争と『ブシャール=テイラー報告』★―

ケベック州は様々なエスニック・マイノリティを抱える多文化社会であり、宗教的にも多様な人々が暮らしている（第11章参照）。モントリオールの街を歩いていると、ヴェールを被ったイスラム教徒の女性やターバンを巻いたシク教徒の警官、もみあげとひげを剃らず、黒のシルクハットに黒のスーツ姿のハシディズムと呼ばれるユダヤ教超正統派の男性と出会うことは珍しくない（次ページの写真）。第11章でみたように２０２１年の国勢調査によると、ケベック州民の６割以上が信仰の対象としてキリスト教と答えているが、それ以外の宗教を信仰する人々の存在感は確実に増しつつある。とりわけ移民の集中するモントリオール市では、キリスト教人口が５割を切る一方で、イスラム教人口は12・７％とカナダ全体の３倍近くの割合となっている。

では、キリスト教以外の宗教的な文化や慣行に対して、ケベック社会はどのように向き合ってきたのだろうか。ここでは「妥当なる調整（accommodements raisonables）」という考え方に注目したい。これはもともとアングロサクソンの法的概念（日本では一般に「合理的配慮」と訳される）であり、労働の分野にお

写真　モントリオールの街を歩くハシディズムと呼ばれるユダヤ教超正統派の男性たち（2012年、筆者撮影）

いて規範を厳格に適用することによって、かえって平等の権利を侵害するような差別が生じた場合、それを解消するために調整が図られたことに由来する。しかし近年では、より広義に、宗教や文化の違いによる摩擦の解決を図るための調整を意味する表現として使われることが多い。

ケベック州政府の文化共同体・移民評議会は、すでに1993年に「妥当なる調整」を移民に対する差別を解消し、移民のケベック社会への統合をより容易に進めるための考え方として位置づけている。ただし、そうした調整は「デモクラシー」、「両性の平等」および「万人に等しい法的規範」を損なわず、過度な負担にならない範囲内で図られるべきとされる。司法では、ケベック州の裁判所の判決がイスラム教やユダヤ教の宗教裁判所の判決と異なる場合、あくまで前者が優先される。

実際に、職場、学校、病院などの日常的な場面において、文化的、宗教的な差異を考慮した様々な調整が図られてきている。職場では宗教的祭日のために休暇を取る権利が、他の従業員に不公平をもたらさない限り認められている。学校においては、州の教育法に抵触せず、学習プログラムを損なわない範囲内であれば宗教的な要求が受け入れられる余地がある。たとえば、肌を人目に晒してはならないという宗教の教えに従い、体育授業の免除を要求するイスラム教徒の少女に対して、同一カリキュラムの履行という原則のもとで、授業に参加できるように肌を覆うウェアの着用が容認される。宗教的祭日のための欠席や、ラマダン（断食）時の学習の軽減なども、たいていの場合認められている。ただし、性教育や生物の授業の免除、特定の宗教のために常設の祈祷場を設置することなどは許可されない。

医療の現場においては、最期が近づいたイスラム教徒のベッドをメッカの方角に向けることや、ユダヤ教徒がコーシャー・フード（ユダヤ教で定められた清浄食品）を持ち込む要求などは、病院側に特段の支障がなく、臨床的に問題ないと判断されれば一般に受け入れ可能とされる。他方で、調整の困難な問題も少なくない。宗教的理由で患者が輸血を拒否する場合や、胎児の容体に危険が迫っているのに、妊婦が帝王切開に応じない場合などである。こうした一部の事例を除けば、宗教的な要求の多くは現場での話し合いを通じてうまく折り合いがつけられてきた。ところが、「妥当なる調整」の是非をめぐってケベック社会が騒然となるような論争が繰り広げられたこともある。

ことの発端は、２００６年11月、モントリオールのＹＭＣＡが、近隣に住むユダヤ教超正統派の信者らの要望により、肌を露出したトレーニングウェアの女性が見えないように、ジムのガラスを曇りガラスに取り替えたことによる。それが報じられて以降、保健所におけるカップルを対象とした出産準備コースで、イスラム教徒の女性の要求によって非イスラムのカップルの夫が参加を拒否されたなどといった、行き過ぎた調整を非難する記事が相次いでメディアに取り上げられた。それらを受けて、宗教的マイノリティの要求への過剰な譲歩はケベック社会に亀裂をもたらし、このままでは「フランス的ケベック」が消滅してしまう、という主張まで登場した。

その伏線として、シク教徒の男子生徒が学校でキルパン（儀式用の短刀）を携帯することの是非をめぐって争われた裁判で、２００６年３月、カナダ連邦最高裁判所が携帯を支持する判決を下したことの影響は少なくない。この判決は、ケベック州控訴裁判所の判決を覆すものであり、キルパンの凶器としての危険性を懸念する人々に不満を残すこととなったからである（なお、他の多くの場合は裁判沙汰にならずに、本物の短刀ではなく小型のペンダントやブレスレットに加工した代用品の携帯で調整が行われている）。

翌年3月の州議会選挙が近づくなか、「妥当なる調整」の賛否は政治家をも巻き込んだ論争へと発展していった。そして2007年2月、事態の収拾を図る必要に迫られた当時のジャン・シャレ州首相は、社会学者のジェラール・ブシャールと政治哲学者のチャールズ・テイラーという著名な二人の学者に依頼して、「文化的差異に係る調整の実践に関する諮問委員会」を発足するに至る。同委員会は、ただちに州内全域で「妥当なる調整」に関する精力的な実態調査を開始し、翌年5月、通称『ブシャール＝テイラー報告』として知られる報告書『未来を築く――調和のとき』（要約版の邦訳書は『多文化社会ケベックの挑戦――文化的差異に関する調和の実践　ブシャール＝テイラー報告』明石書店、2011年）を公表し、以降、加熱した論争はひとまず沈静化した。

報告書によると、メディアで批判的に取り上げられた「妥当なる調整」に関する記事の大半が事実を曲解し、正しく伝えていなかったという。上述の出産準備コースの件で話題になった保健所についても、男性を排除した事実はなかった。報告書は、「妥当なる調整」への批判的意見に対してデモクラシーの原理に依拠しながら丁寧に応答し、その正当性や意義について強調している。さらに、ケベック独自のインターカルチュラリズムや「ライシテ」と呼ばれる政教分離のあり方についても論じており、その評価には賛否あるものの、多様化するケベック社会への政策提言書として現在でも影響力を持っている。

（飯笹佐代子）

コラム7

チャールズ・テイラーと多文化社会

梅川佳子

　チャールズ・テイラー（1931年〜）は、カナダにおいて、英国系文化とフランス系文化が競合するとともに調和するモントリオールで、英語を話す父とフランス語を話す母のもと、バイリンガルの家庭で育った。テイラーは、幼少期から、異なる文化的背景をもつもの同士が、どのようにお互いに理解し、対話し、共通の社会を形成していくのかという問いに直面することになった。

写真　マギル大学（2023年、大石太郎撮影）

　このような問いについて広い視野で考察するために、青年テイラーは、カナダのマギル大学（写真）で歴史を学ぶとともに、オックスフォード大学で哲学・政治学・経済学の研究に従事する。オックスフォードでは哲学に関する博士論文を執筆するが、その際も、研究室にとじこもっていたわけではない。たとえば、英国的文化圏とは異なっていた東ヨーロッパの社会主義的な文化圏にあったハンガリーの問題にも強い関心を示し、実際にハンガリー難民救援の活動を行っている。ハンガリー難民は、当時の社会主義諸国を支配したソビエト連邦のスターリニズムが引き起こしたものであり、難民支援は社会主義的権威主義に対する抗議でもあった。しかし、社会主義と対立する冷戦のさなかにあった資本主義の文化についても異議申し立てを行い、冷戦構造を超越する政治や理論を探究した。そのためにニューレフト運動を立ち上げるとともに、膨大な学術論文や著書を発表してきた。

　このような青年時代を送ったテイラーは、「統一性と多様性のあいだを調停」する研究を続ける。異なる価値観をもつ諸個人のあいだで、どのようにして「対話」し理解を進めることが可能になるのか。さらに、異なる諸文化のあいだにおいては、いかにして対立を越えることができるのか。この課題こそが、数多くの著作を貫通するテーマとなる。

多くの著作の中でテイラーは、今日の多くの政治的紛争が、異なる諸集団によるアイデンティティの承認の要求、あるいはその要求のための闘争に由来すると述べている。こうした紛争を回避するためには、各集団のアイデンティティを尊重し、他者の差異性を相互に承認することが必要である。アイデンティティは、他者による承認、あるいはその不在、さらには歪められた承認によってかたち作られる面が強いからである。特に少数派の集団であっても、その集団の特徴が多数派集団のそれと平等な承認を与えられる必要があるという。

ケベック問題についても、政府は、個人の権利を保障しつつも、カナダの文化的多元性と差異を促進すべきであり、多数派のみならず少数派の共同体の善や文化を存続させるための政策が重視されなければならない。このような観点から、テイラーはジェラール・ブシャールとともに、2008年にケベック州政府の諮問委員会の報告書『未来を築く――調和のとき』を執筆し、「妥当なる調整」の意義を強調している。

テイラーは、出身国のカナダの政治にも関わりながら、グローバルな価値を追求し、世界の異なる文化における相互承認が実現されることを目指している。このような研究は日本においても重視され、テイラーは「多様な文化の共存をめざす社会哲学の構築」を行ったとして、2008年に京都賞を受賞した。これは、テイラーの多文化社会論が現代日本においても重要な意味をもつことを示している。

17

ヴェール論争

★「ライシテ法」と強化される宗教的シンボルの規制★

世界のイスラム圏には女性のヴェール着用を義務づける国がある一方で、西欧諸国では近年、ムスリム女性のヴェールを禁止する動きが進んでいる観がある。一口にムスリムのヴェールといっても、頭髪だけを覆うヒジャブ（スカーフ）、目元を除いて全身を覆うニカブ、全身に加えて目元まで覆うブルカ（目元の部分は網状の布）などに分類される。宗教的中立性の観点からヴェールに対する規制が最も厳しいとされるフランスでは、2004年に公立学校でのヒジャブの着用が、2011年には公共の場でのニカブやブルカの着用が禁止された。ベルギーやスイスなど、顔を出しているヒジャブは許容しつつ、顔を覆うニカブやブルカを規制するようになった国もある。

注目すべきは、ケベック州においてもヴェール着用の是非をめぐって論争が起こってきたことだ。より正確には、ヴェールを含む「宗教的シンボル」をめぐって、と言うべきだが、議論の対象はヴェールに集中する傾向が強い。ヴェールがしばしば女性の抑圧の象徴として、男女平等の理念に挑戦するものと映るからだ。だが、ヴェールを被る理由は人それぞれである。強制された人もいるかもしれないが、信仰心、もしくは自己表現のために自発的に着用する人も多い。イスラム文化において頭髪は性的な部分とみなされるため、それを隠すことによってこそ職場で男性と対等に仕事ができると考える人もいる。しかし、こうした当事者側の思いは理解されないばかりか、9・11同時多発テロを機にムスリムとテロのイメージが結びつくことによって、ヴェールが治安への脅威を喚起するシンボルとさえなっている。とりわけ身体全体をすっぽり覆うニカブやブルカは、危険物を隠し持っている可能性があるとして危険視される。

ケベック州においてヴェールを含む「宗教的シンボル」が注目されるのは、同州が模索する「ライシテ」のあり方と密接に関わっているからだ。「ライシテ」とは政教分離や国家の宗教的中立性を意味する、フランスでも用いられている語である。まさしく「ライシテ法」（21号法）という名の法律が2019年にケベック州議会で可決されたことにより、州民を二分するほどの論争が先鋭化していった。

第16章でも取り上げられている『ブシャール＝テイラー報告』（2008年）では、実はケベック社会が目指すべき「開かれたライシテ」についても論じ、宗教的シンボルの着用は裁判官、検察官、刑務官、警察官など高度に中立性を体現すべき職務を除いた公務員には許容されるとした。教員については、ブルカやニカブの着用は生徒に顔を見せないので円滑な意思疎通に支障があるが、頭髪だけ覆うヒジャブならば問題ないこと、また、公立学校に通う生徒や公共サービスの利用者が宗教的シンボルを着用することも問題ないとしていた。

ところが2013年、州政府は公務員が勤務中に目立つ宗教的シンボルを身につけることを禁止する、いわゆる「ケベック価値憲章」法案を発表する。禁止対象にはキリストの十字架も含まれたが、主なターゲットはムスリムのヴェールであると受け止められ（図）、ムスリム女性はじめ多くの人たちが個人の権利を掲げて抗議デモに参加した。結局、この法案は翌年の政権交代によって廃案となったが、２０１７年10月、公共サービス（交通機関や医療、教育など）の提供者と利用者の双方に対して顔を覆う宗教的シンボルの着用を禁止する「宗教的中立法」が成立する。禁止対象として想定されているのは明らかにニカブやブルカであり、事実上、北アメリカ初のヴェール禁止法となった。

そして２０１９年６月、州議会は特定の公務員に対してヒジャブはじめキッパやターバン、十字架等の宗教的シンボルを勤務中に着用することを禁止する「ライシテ法」（21号法）を成立させたのだ。禁止の対象となる公務員に警察官、裁判官、刑務官、検察官、政府弁護士とともに、『ブシャール＝テイラー報告』では問題ないとされた公立学校の教師が加えられたことにより、教育現場では動揺と反発が広がった。既得権益条項により宗教的シンボルを着用する現職教員は規制対象から除外されたが、昇進が阻まれ、担任を外された。また、教員を夢見てこれまで努力してきたムスリム女性は教職に就くためにケベックを去って他州に行かざるを得ず、教員の人手不足にもかかわらず、ヒジャブだけが理由で有能な女性の教職志望者が排除されることになったのである。

図　宗教的シンボルの例　「ケベック価値憲章」法案（2013年）の際にケベック州政府によって示されたもの。

21号法の成立後、即座に人権団体や教員組合、ムスリム団体などが、同法は一部の人々に信仰か仕事かの選択を迫ることで基本的な権利と個人の自由に抵触するとして州政府を提訴した。これらに対して第1審となる州上級裁判所は2021年4月、21号法について以下の二つの件のみを除いて合憲との判断を示した。一つは公用語少数派の言語教育として保護される英語教育委員会には「管理統制権」（カナダ権利自由憲章第23条）があるため、21号法の適用除外としたことである。これにより宗教的シンボルを着用している教員を雇用する権利が認められる。二つ目はすべてのカナダ国民が連邦と州の公職に立候補する権利を保障されていることから（カナダ権利自由憲章第3条）、州の議員が職務中に顔を覆ってはならないとする21号法の第8項を無効としたことだ。仮にブルカ着用の立候補者が当選した場合は、議員活動においてそのまま着用できることを意味する。こうした判決に対してケベック州政府は不服として控訴、同時に21号法自体への反対派も控訴し、2022年11月から州控訴裁判所において審理が行われている（2023年10月末現在、判決は出ていない）。「開かれたライシテ」を提唱したブシャールとテイラーの両氏が21号法を厳しく批判しているのは言うまでもない。また、コロナ禍においてマスクが奨励される一方で、顔を覆うヴェールを禁止するのはナンセンスであると主張する人たちもいる。

フランスからの影響やムスリム人口の増加（第11章参照）を背景に、州民の過半数が21号法を支持しているとされるが、レジェ社が2019年に実施した州民に対する世論調査によると、公立学校の教師が宗教的シンボルを着用することについて、フランス語話者では18歳から24歳の年代のみ賛成が反対を上回り、他方、英語話者ではすべての年代において賛成が反対を上回った。21号法はケベック社会を分断しているばかりか、同州が掲げるインターカルチュラリズム（間文化主義）のあり方にも大きな影響を与えることになるだろう。

（飯笹佐代子）

18

迫害から解放へ

★性の多様性に開かれた社会の実現への道のり★

ケベック州は世界で初めて同性愛に対する差別を禁止し、連邦政府よりも先に同性カップルを法的に承認し、おそらく性の多様性を尊重する社会の構築において世界でも先頭をきった社会だといえるだろう。それは、当事者たちやその仲間たちによるＬＧＢＴ等に対する規制、抑圧、差別に対する闘いの成果である。

まず簡単に基本的な語句の意味を確認したい。ＬＧＢＴとは、レズビアン、ゲイ、バイセクシュアル、トランスジェンダーの頭文字をとった性的マイノリティを表す言葉である。レズビアンは女性同性愛者、ゲイは男性同性愛者、バイセクシュアルは男性にも女性にも性的な魅力を感じる人、トランスジェンダーは身体的な性別とは異なる性別で生きることを望む人のことを指す。一括りにＬＧＢＴというが、ＬＧＢは性的指向（どの性別に性的魅力を感じるか）に関わるアイデンティティ、Ｔは性自認（どのように自分の性別を認識しているか）に関わるアイデンティティである。また性的アイデンティティを表すカテゴリーは、この四つに限られず、より多様である。そして、これらのアイデンティティの表れや認識のありよう、当事者が経験している生きづらさは、一人ひとり異なる。しかし、ここでケベックにおけるあらゆる性的アイデンティティの人々の個別具体的な状況を取り上げることは不可能である。したがって、ここでは主にＬＧＢＴを中心に性の多様性の尊重をめぐるケベック社会の変化をみていく。なお、「ゲイ」という言葉は、１９２０年代の米国で同性愛者自身が自らのアイデンティティを表す言葉として広まり、１９５０年代頃からモントリオールでも同様に使われるようになってきた。また、先住民で性的マイノリティの人々の中には、西欧の価値観に基づく性的アイデンティティであるＬＧＢＴという言葉に違和感を覚えて、deux《ドゥー》 esprits《ゼスプリ》（女性性と男性性の二つのスピリットをもつ者）という表現を用いる場合もある。

さて、ケベック社会における性的マイノリティに関する歴史的記述は、17世紀のヌーヴェル・フランスの時代から存在する。しかし、それは同性愛行為を規制したり、異性愛を規範化したりする文脈での記述である。たとえば、男性との同性愛行為により、カトリック教会により断罪された４人の兵士に関する資料が残っている。また、開拓者らは、先住民男性が「恥ずかしげもなく」、「女性の服装」をしたり、「言葉にするのも憚られる堕落した行為」を行っていたりすると述べている。このように、キリスト教的価値観を土台に作られたヌーヴェル・フランス社会では、同性愛行為（そこに異性装も混同されて含まれている）は、キリスト教的罪の処罰の対象となっていた。

ケベック社会におけるセクシュアリティをめぐる規制に関して決定的だったのは、１８９０年、連邦政府の刑法改正による同性愛行為の犯罪化である。カナダは、英国の刑法を基に、男性間の「野蛮な淫らな行為」を理由として男性同性愛者を起訴できるようにした。この間にモントリオール市内で現れ始めていた非公式のゲイの社交場は、度々警察による取り締まりを受けた。なお、同性愛とトランスジェンダー（異性装を含む）の区別はされておらず、逮捕者の中には、同性愛者だけではなく、トランスジェンダーも含まれていた。この規制は1969年、基となった英国の法律の廃止（1967年）を受けて廃止され、個人間での合意に基づく同性間の性行為は非犯罪化された。

同法の廃止により、同性愛をめぐる社会的議論がメディアで頻繁に取り上げられるようになる。同時に、1970年代を通じて、ゲイ、レズビアン、バイセクシュアルの人々は公的な場に自らの社交の場を形成し、さらに自らの権利擁護を訴える政治運動を展開していく。1971年、モントリオールに最初のゲイ男性たちの運動団体、同性愛者解放戦線が結成され、その権利擁護に向けた闘いを担う。また同じ頃、女性たちが家父長制と対峙し、自らの性の自己決定権の獲得を目指したフェミニズム運動の中で、これまで不可視にされてきたレズビアンの女性たちも声を上げ始めた。こうした運動は、様々な雑誌の発行、文化的シーンにおける映画や小説などの豊かな作品の誕生などによって、幅広く拡大していった。

しかし、こうした展開の一方で、1960～1970年代は、モントリオール市では国際的イベント（1967年モントリオール万国博覧会や、1976年モントリオール・オリンピック）の開催に向けた「浄化」政策下で風俗営業法が適用され、ゲイ男性向けのサウナやバーが取り締まりの対象となり一斉検挙などが行われた。これに対して、1976年に同性愛者抑圧反対委員会が結成され、モントリオールで最初の大きなデモが行われる。この反対運動が、1977年、ケベック党政権下のケベック州政府において「人の権利と自由のケベック憲章」を改正し、世界で初めての同性愛差別禁止に導いた。さらに、ケベック州は、カナダが2005年に同性婚を認めるのに先行して、2002年にはシビル・ユニオンによって同性カップルを法的に承認した。また同年、カナダで最初に同性カップルが親になる権利を承認した。

　トランスジェンダーの権利をめぐっては、１９８０年に当事者たちの悩みや不安を傾聴する団体が誕生し、それ以降、当事者団体や家族を支援する団体などが結成され、運動が展開していく。そして、２０００年代以降は、メディアでも大きく取り上げられるようになった。２０１５年に、ケベック州では18歳以上の成人したトランスジェンダーは、性別適合手術を受けることなく、身分証明書類の性別を変更することが可能になった。さらに、翌年、14歳以上の未成年者と、保護者の同意を得ている13歳以下の未成年者も同様の変更が可能になった。同年、ケベック州の「人の権利と自由のケベック憲章」において、性自認と性表現に対する差別が禁止された。

　このように法的次元において、ケベック社会は性の多様性の尊重の実現に向けて歩みを進めてきた。しかし、今なお差別は根強くあり、ＬＧＢＴ等の人々は性的マジョリティと比較して高い割合で精神疾患を抱えていたり、自殺願望を抱いたりしている。こうした現実に対して、様々な当事者や支援者らによる闘いは継続中であり、ケベック州政府も２００９年以降、ホモフォビア（同性愛嫌悪）とトランスフォビア（トランス嫌悪）を撤廃するための行動計画を策定し、性の多様性にひらかれたケベック社会の実現に向けての挑戦を続けている。


（矢内琴江）

写真　モントリオールにおけるゲイ・プライド（フィエルテ・モンレアル）のパレード（2017年、大石太郎撮影）
後方左に写るＱの文字が描かれた建物は電力公社イドロ・ケベックの本社である。

Ⅳ

政治・経済・対外関係

19

ケベック州政治のしくみ

★"ケベック国家"の営み★

ケベック州の政治は、立憲君主制、議院内閣制、連邦制というカナダ政治の三原理を基本とする。立憲君主制を採用するカナダにおいて、国家元首はカナダ国王（英国王が兼務）である。国王は基本的に英国にいるため、留守の間、連邦レベルでは総督が、州レベルでは副総督が名代を務めている。副総督は、連邦首相の助言に基づいて総督が任命する。通常、連邦首相は州政府の意向を踏まえたうえで副総督の人選を進める。副総督の任期は定められていないが、通常5年以上となっている。

英国型立憲君主制を範とするカナダでは、統治権は国王（総督）に属しており、行政府と立法府において重要な役割を果たしている。州の統治権も国王にあり、副総督がその代理として、州首相および大臣の任命、政令の認可、州議会の召集・解散・延長、州議会で採択された法案の裁可、総選挙の召集といった権限を行使する。民主的なコントロールを担保するため、これらの権限は州首相および内閣の助言に基づいて行使されるが、少数与党政権の場合など、副総督が独自の判断を下すこともある。さらに、近年は使われていないが、副総督には、州議会で採択された法案を拒否したり、留保（連邦政府の判断を仰ぐこと）

したりする権限も与えられている。

議院内閣制は英国で生まれた民主主義のモデルで、国王の統治権を民主的にコントロールする仕組みとして、行政府と立法府の融合を大きな特徴とする。州首相を長とする内閣は、国王の名において行政権を行使する。内閣は州議会の第一党が組織し、州議会に対して連帯責任を負う。それは、行政権の行使にあたって州議会の信任を必要とすることを意味する。したがって、内閣不信任案が可決されると、内閣は総辞職しなければならない。また、カナダやケベックでは、歳出を伴う法案はすべて内閣信任案件で、否決されると不信任とみなされる。

写真１　ケベック州議会議事堂
（2022年、大石太郎撮影）

ケベック州議会は一院制で、選挙によって選ばれた１２５人の議員から構成される。２０１２年に改正された選挙法の規定により４年毎に総選挙が行われる。投票日も10月最初の月曜日と定められている。ただし、少数与党政権時には４年を待たずに解散・総選挙が実施されることもある。選挙制度は単純小選挙区制を採用しており、１２５の選挙区から１人ずつ選出される。また、上院に相当する任命制の立法評議会が存在したが、１９６８年に廃止された。２０２２年12月の時点で、第一党はケベック未来連合（ＣＡＱ）である。フランソワ・ルゴー党首が州首相を務めている。現内閣は首相と30人の閣僚で構成されているが、その数は政権によって増減する。ケベックの内閣では、２００７年の第２次ジャン・シャレ政権で閣僚数が初めて男女同数となって以降、組閣や内閣改造があるたびに男女の閣僚数が話題となる。ルゴー政権では、２０１８年の第１次政

写真２　ケベック州議会の議場
（2000 年代、筆者撮影）

権誕生時は男女同数であったが、２０２２年10月の総選挙後の組閣では、首相を含めて男性17名、女性14名となっている。

「静かな革命」が進んだ１９６０年代以降、州政府の役割は拡大し、行政機構も複雑化した。政府内の政策調整能力を高めるとともにより複雑な問題に対応する必要が生じ、内閣府の拡充や閣内委員会の設立が行われた。その結果、首相のリーダーシップが強化されることとなった。時を同じくして、官僚機構の近代化も行われた。１９６０年以前の官僚機構は、与党の利益誘導装置として機能し、党派色が強く不透明な人事が横行していた。これを是正するため、州公務員の人事を行う独立機関を設け、官僚機構の中立化を進めた。また、公正な人材登用を行うため、能力主義による採用制度を整備した。さらに、フランスの公務員制度を参考に、社会科学系の専門職を整備し官僚の専門性も高めた。

　連邦制の基本は連邦と州の権限分割にあり、カナダでは１８６７年憲法（英領北アメリカ法）の第91条から第95条に定められている。州の立法権限については、第92条を中心に規定されている。たとえば、教育は第93条で州の権限と定められている。また、農業や移民については、第95条により連邦と州が権限を共有している。ケベック州では、ナショナリズムが強いこともあり、州に割り当てられた権限を駆使して州の利益を最大化しようとしている。その際に、連邦政府との協議が必要となることも多い。連邦と州の「外交関係」にもたとえられるこのやりとりは、メディアや州民の耳目を集めることも多い。

ここで司法権についても触れておきたい。司法権は連邦と州が共有している。ケベックは二つの法体系を持つカナダ唯一の州である。1774年にケベック法が制定されて以来、私法分野でフランス法を維持することが認められている。1991年に制定された現行の「ケベック民法典」も、フランス民法典の流れを汲んでいる。これに対し、国家権力と私人との関係を規定する公法分野では、英国法（コモン・ロー）が適用されている。

地方自治についても簡単に述べておこう。カナダでは基礎自治体に関わる権限は州に属し、市町村制度や市町村の権限・管轄分野は州法によって規定されている。市町村は「州の創造物」と言われるほど、州政府の権限が強く、中央集権国家の中央—地方関係に似ている。

ケベック州には2022年時点で、1130の市町村と一つの地域政府が基礎自治体として存在している。公選の首長と議会によって統治される市町村は、上下水道の管理、道路、都市計画、消防、住宅、警察、レクリエーション・文化、公園など、住民に近い公共サービスを主に担当している。

市町村の役割は徐々に拡大し、社会の早い変化に合わせた柔軟な政策対応が求められている。しかし、固定資産税を中心とする歳入の不足や権限不足が課題となっており、市町村側から改善を求める声が上がっている。これらの声に応えるため、州政府は2017年に市町村に関わる様々な法律を一括して改正した（122号法案）。この改正によって、市町村を基礎自治体として法律で定めるとともに、都市計画分野や固定資産税の運用に関わる権限の拡充などを行い、市町村の自治と権限を高めた。今後、ケベック州政治の中で市町村の役割がどのように変わっていくか注目される。

（古地順一郎）

20

政党政治の展開

★ケベック州の政党の対立軸の変遷★

ケベック州は、州議会の選挙制度が小選挙区制ということもあり、多党制の状況が時折みられることもあるが、基本的には二大政党制となる傾向がある。1867年の連邦結成から1935年までは、ケベック保守党とケベック自由党（PLQ）の二大政党による政権交代が行われた。1935年に、PLQを離党した分派とケベック保守党が合併して、ユニオン・ナシオナル党が設立される。ユニオン・ナシオナル党を率いた党首モーリス・デュプレシ（1890～1959年）は、1936年から1959年まで（1939～44年のPLQ政権期を除く）、ケベック州の社会経済に強い影響力をもったカトリック教会と連携して、外国資本を優遇し、労働組合を弾圧するなど、保守的な政治を行った。

1960年に、ジャン・ルサージュ（1912～80年）率いるPLQが、ユニオン・ナシオナル党に代わって州政権を奪還し、「静かな革命」を開始する。「静かな革命」において、PLQは、州政府主導で教育の世俗化や電力の州有化、中小企業への投資など、ケベック社会の近代化を推し進める政策を実施した。1960年代後半になると、ケベック州のフランス語系住民を中心として、カナダ連邦政府に対する独立運動や自治権の拡大の要求が高まった。そのような雰囲気において、カナダ連邦政府に対する政治的要求のあり方を巡って州内での議論が高まることになる。それは、次のような政党内での対立として顕在化した。PLQは1967年の党大会においてカナダ連邦内での自治権の拡大を求める「特別の地位」構想を党綱領として採用すると決議した。この「特別の地位」構想に対抗して、政治的にケベック州がカナダから分離・独立し、「ケベック以外のカナダ（ROC）」と経済連合を形成するような「主権・連合」構想を提起したルネ・レヴェック（1922~87年）らはPLQを離党し、主権・連合運動（Mouvement Souveraineté-Association）を設立した。レヴェックは、その主権・連合運動を軸に、ケベック党（PQ）を1968年に設立し、左右の独立主義勢力をPQに結集した。

1976年のPQの政権獲得から2000年頃まではPQとPLQによる政権交代がほぼ10年おきに行われた。そこでの基本的な対立軸は、連邦内自治権の拡大（PLQ）か、主権独立（PQ）かといったケベック・ナショナリズムの政治的実現の仕方に加えて、左右のイデオロギーも軸となった。PQは、労働組合との公式の提携はないが、イデオロギー的には社会民主主義政党を称し、最低賃金法の制定などの労働者寄りの政策や諸々の福祉拡充政策を行った。それに対して、PLQは外資の積極的誘致や民間企業への投資など市場よりの政策を採ってきた。しかし、1980年代以降は、PQ政権でも州の財政赤字による緊縮財政の下、公務員の削減や福祉の縮減など新自由主義的な政策に転換した。

1980年代以降は、ケベック・ナショナリズムの政治的実現の仕方についても、大きな展開がみ

写真　ケベック州議会選挙に向けたケベック党のポスター（ケベックシティ、2012年、大石太郎撮影）　ポスターに写っているのはマロワ党首で、2012年9月4日に実施された選挙で少数与党ながら第一党となり、同州初の女性首相となった。

られた。１９８２年カナダ憲法の制定や、その後の１９８７年のミーチ湖協定と１９９２年シャーロットタウン協定の失敗により、主権支持が再び高まった。特に、１９９４年のＰＱの政権復帰と翌１９９５年の２回目の分離・独立州民投票までは、主権支持が頂点に達した。しかし、その後の１９９７年のカルガリー宣言や２００６年の連邦下院での「ケベック・ネイション」決議を経て、州内の主権支持は低下してきた。このように、21世紀に入ると、主権独立か連邦内自治かという点が政党の主要な対立軸ではなくなってきた。２０１２年、ＰＱは、ＰＬＱの緊縮財政政策を批判することで、ポリーヌ・マロワ（１９４９年～）党首の下で政権に復帰した（写真）。しかし、この政権は少数与党政権であり、主権独立のための３回目の州民投票を計画するが、２０１４年の州議会選挙でＰＬＱに敗れ、短命に終わった。さらに、決定的にＰＱの衰退をもたらしたのは、２０１８年10月に行われた州議会選挙である。その選挙では、新興政党であるケベック未来連合（ＣＡＱ）が１２５議席中、74議席を獲得し、多数派政権を獲得した。ＰＬＱは、31議席であり、ＰＱは10議席まで減少した。

ＣＡＱは、かつてケベック党政権で大臣を務めたフランソワ・ルゴー（１９５７年～）が２０１１年に結党した中道右派政党である。ＣＡＱは、ケベック・ナショナリズムの政治的実現としては主権独立ではなく、カナダ連邦内での自治権の拡大を求めている。移民の受け入れ数の削減や、勤務中の公務員に宗教的シンボルの着用を禁じる21号法の制定、フランス語憲章の規定を強化する96号法を制定するなど、文化的には保守的な立場をとっている。また、この選挙で初めて議席（10議席）を獲得したケベック連帯（QS）は、ケベック州の主権獲得を掲げながらも、環境、人権、フェミニズム、反グローバリズムといった新しい社会運動を基盤とした左派政党である。

このように、1970年代後半に始まったPQとPLQによる二大政党時代は、ケベック・ナショナリズムの政治的実現を巡る対立軸（主権独立か自治権の拡大か）が中心であったが、主権主義の支持が低下してきた近年は、カナダの中でのケベック州の自治権拡大を基本としながらも、従来からの左右のイデオロギーの対立に加えて、ケベック州の文化やケベック・ネイションの価値観のあり方など争点が多様化している状況にある。たとえば、ケベック・ネイションの価値観を巡る問題として、近年では、政教分離のあり方として、公的空間における少数派のシンボルの着用の是非を巡る問題が主要な議論となっている。2012年に「ケベック価値憲章」を提起したPQや21号法を制定したCAQのように、公的空間における宗教的シンボルの着用の厳格な禁止を主張する立場から、PLQやQSのような基本的には個人の信仰の自由を重視するような立場まで見解の差がみられる。

直近の2022年のケベック州選挙で、政権与党のCAQが90議席を獲得し、前回よりも大幅に議席数を増やした。PLQは、前回の27議席から21議席に減らし、QSは、1議席増の11議席、PQは、前回の10議席からさらに減少し、わずか3議席となった。この選挙結果からは、カナダ連邦内での自治の拡大を前提とし、社会経済政策に関しては新自由主義的な方向性を採り、文化的には保守的な立場を採るCAQに州民の多数の支持が集まっているといえよう。

（荒木隆人）

21

ケベック主権運動の変遷

★ケベック・ナショナリズムの政治的表現★

ケベックの主権運動は、その背景として1960年代の「静かな革命」後のケベック・ナショナリズムの高まりがある。「静かな革命」では、ジャン・ルサージュ（1912〜80年）率いるケベック自由党（PLQ）が中心となり、州政府が主導して、教育制度の脱宗教化、電力の州有化、公的金融機関の設立などの近代化改革を行った。その結果として、社会・経済的にケベック州のフランス語系住民の自信が高まり、カナダ連邦に対して自らの政治的要求を表出するようになった。

1960年代後半になると、こうしたケベック・ナショナリズムの政治的実現の仕方を巡って州内で対立が生じる。その対立は、PLQ内での意見対立として反映されるようになった。1967年、PLQは、カナダ連邦内での自治権の拡大を求める「特別の地位」という構想を党の基本方針とすることを決める。これに対し、「静かな革命」期に天然資源大臣として電力の州有化事業に目覚ましい功績を遺したルネ・レヴェック（写真、1922〜87年）は、「主権・連合（souveraineté-association）」という国家連合構想を提示した。「主権・連合」構想は、ケベック州がカナダ連邦から分離し、政治的主権を獲得するが、共通通貨や関税政策などでカナダ連邦との経済連合を形成するという構想である。レヴェックは、この構想がＰＬＱ内で否決されると、ＰＬＱを離党し、「主権・連合」構想を軸に主権・連合運動という政治集団を結成した。１９６８年には、レヴェックは主権・連合運動を軸にケベック党（ＰＱ）を設立し、ＰＱの下に当時の左右の独立主義勢力を結集していった。

ＰＱは、徐々に州議会の議席数を伸ばし、１９７６年の総選挙で初めて政権を獲得する。その後、１９８０年には、ＰＱは選挙時の公約に掲げていた「主権・連合」構想に基づいて、連邦政府と交渉する権限の是非について州民投票を実施した。ケベック州の独立に反対する選挙運動を行ったピエール・トルドー（１９１９〜２０００年）連邦首相は、ケベック州の独自性と自治を認めるようにカナダ憲法を刷新すると約束した。州民投票の結果は、独立賛成が40・44％、独立反対が59・56％であった。

写真　ケベック州議会議事堂近くに立つルネ・レヴェックの銅像（ケベックシティ、2019年、筆者撮影）
右後方に写っている建物が州議会議事堂である。

州民投票における敗北の後、ＰＱ内において主権獲得への道筋を巡って対立が生じることになった。党首であるレヴェックは、主権独立に対する消極的な州民の意見を考慮し、主権独立構想を一時棚上げするが、これに対して、ジャック・パリゾー（１９３０〜２０１５年）など主権強硬派は不満を抱きＰＱを脱退した。

ケベック州の要求に適うようにカナダ憲法を刷新するとしたトルドーの約束は結局果たされず、憲法改正における拒否権や州権限の増大などのケベック州の要求を拒絶した形で、１９８２年に英国からの憲法移管が実施された。その後、ケベック州を憲法において「独自の社会」と承認することをはじめとして、ロベール・ブラサ（１９３３〜96年）ＰＬＱ政権による五つの要求を受け入れた形でミーチ湖憲法協定が１９８７年に連邦政府と州政府間で合意された。しかし、英語系の二つの州議会での否決により廃案となった。

こういった英語系の州によるケベック州の要求の拒絶に対して、ケベック州では再び、主権支持への機運が高まった。カナダ連邦政界では、進歩保守党政権によるミーチ湖憲法協定への対応に不満をもち、進歩保守党を脱退したルシアン・ブシャール（１９３８年〜）により、ケベック連合（ＢＱ）が結成された。１９９４年の州議会選挙では、１９８８年に党首として復党していた主権強硬派のパリゾー率いるＰＱが政権に復帰した。１９９５年には、ＰＱのパリゾーとＢＱのブシャールの提携により、2度目の州民投票が実施された。その際の憲法構想は、「主権・パートナーシップ（souveraineté-partenariat）」といい、政治的に主権を獲得するが、経済的にはカナダと連携するという、かつての「主権・連合」と類似した構想であった。この州民投票の結果は、賛成票が49・42％、反対票が50・58％の僅差であり、票数でいえば、わずか5万４２８８票差であった。パリゾーは州民投票後に、反対陣営が州民投票活動で使用した資金および移民の反対票によって敗北したと発言したことで批判され、ＰＱ党首の辞任に追い込まれた。

この州民投票の結果に危機感を覚えたジャン・クレティエン（1934年〜）連邦政権は、ケベック州の要求に対する妥協として1997年にカルガリーにケベック州を除くすべての州・準州の首相を集めて、ケベックを独特な性格をもつ州として宣言した。また、1998年にはクレティエン連邦政権はケベック州の分離・独立に関する権限の有無についてカナダ連邦最高裁判所に憲法照会として意見を求めた。カナダ連邦最高裁判所の見解は次の通りであった。ケベック州はカナダから一方的に分離・独立する権限を有しないが、ケベック州が分離・独立賛成について「明確な問い」に基づく「明確な多数」を獲得した場合、連邦政府および他州政府は誠実な交渉に当たらなければならないとの判決が下された。ケベック州の分離・独立自体は、カナダ憲法上違憲ではないとの判決であったが、この判決の直後、連邦政府は、1999年にクラリティ法を制定し、「明確な問い」と「明確な多数」を具体的に定義する権限は連邦政府側にあるとの見解を示した。その後、2006年には、スティーヴン・ハーパー（1959年〜）連邦政権が、ケベックは「統一カナダの中のネイションである」と連邦下院において決議を行ったように、カナダにおけるケベック・ネイションの独自性を憲法上ではないにしても、事実上（de facto）、公的に承認する姿勢を示した。

こうした過程を経て、2000年代以降、ケベック州内の主権主義への支持は低下し始める。2012年には、ポリーヌ・マロワ（1949年〜）率いるPQが再び少数与党政権として返り咲くが、主権独立を支持しない世論の動向に配慮し、3回目の独立州民投票の実施に関しては及び腰であった。

この主権支持の低下の傾向は、州議会選挙でもみられた。2018年のケベック州議会選挙では、ケベック党は前回の2014年の州議会選挙での30議席から10議席にまで減少し、直近の2022年の選挙ではさらに3議席という一桁台へと凋落した。それに対して、ケベック・ナショナリズムに基づきながらも、主権独立ではなく、カナダ連邦内での自治の拡大を志向するケベック未来連合（CAQ）が90議席と多数議席を獲得している。

このように、ケベックの主権支持は、２０００年代以降低下している。たとえば、２０２０年の世論調査会社の統計によれば、ケベック州民の54％がケベックの独立に反対しており、独立支持は36％にとどまる。とはいえ、独立支持が30％前後は存在していることを考慮すれば、ケベック州にとって主権独立は自らの自治権の要求の背後に存在する選択肢として依然、重要な意味をもっているといえよう。

（荒木隆人）

22

「独自の社会」

★ネイションとしてのケベック★

ケベックの人々の多くは、自分たちが築いている社会がカナダにおいて他とは大きく違う「独自の社会」だと思っている。カナダの大多数の人々は、それぞれの州が独自であってケベックだけが独自だとは思わないが、ケベックを異質だと考えているふしがある（準州、特にヌナブトなども異質だろうが、ここでは脇に置く）。英語系のメディアや研究者の間でＲＯＣ（Rest of Canada）、つまり「ケベック以外のカナダ」という言い方が一般に使用されることからもそれがうかがえる。

ケベックの独自性（異質性）で一番わかりやすいのは、「フランス語を話す人口が州人口の大部分である」という事実であろう。そして、ケベックだけがフランス語を州の唯一の公用語と定めているのである。

だが、それだけがケベックの独自性ではない。ケベックの多くの人々は、自分たちはカナダというネイションの中にあるもう一つのネイションなのだと考えている。ケベック州の議会はAssemblée nationale du Québecと名乗っている。そのまま日本語に置きかえれば、「ケベック国民議会」である。ケベックの人々のネイション意識はどこから来るのか。それを理解するために、歴史をたどってみよう。

17世紀初頭にフランス人がこの地に入植してからの約150年間、ケベックの前身であるヌーヴェル・フランス植民地はフランスのレプリカたらんとして、大革命以前のフランスの制度や文化を受け継いだ。しかし、新大陸という異なった環境に生きる人々の間には、この時代の末期1660年代に「新大陸に住むフランス人」ではない「カナダ人」という独自のアイデンティティが生まれた。1763年に英国領となり、政治経済的にはその支配下に入ったものの、文化的母国はなおフランスであった。そして、1774年のケベック法によってフランス系の特殊性が認められ、一定の権利（カトリック信仰の自由やフランス民法の使用）が認められたこととあいまって、フランス系の間に、支配者である英国系を「他者」とみなす独自のネイション意識の萌芽がみられるようになった。1837年の蜂起が武力で抑え込まれた後には、フランス系は英国への政治的忠誠とフランスとの文化的連続の並立を良しとする100年を過ごした。この間、自分たちはいつか滅亡するのではないかという強迫観念のもと、どうやって「生き残る」かが大きな課題であった。そして、1867年に成立したカナダ自治領で、フランス系が迫害されたりその権利が縮小されたりという事件が続いたことで、フランス系の間でネイション意識が活性化した。この時代に形成された「フランス系カナダ人」というネイション意識は、自分たちは栄光あるフランス文化の継承者であり、「英国系カナダ人」とは違うというものだった。

しかし、20世紀初頭から北アメリカ化が進み、第二次世界大戦頃から、文化面でのフランスからの独立が表明されるようになった。さらに、1960年代の急激な産業化により、多数の移民を受け入れた結果、フランス系カナダに代わる新しい「フランス語系ケベック」という意識が形成されるようになっていった。出自がフランスか否かを問わず、ケベック州内に住む、フランス語によってつながれた集合体のことを意味する。

以上のような歴史を踏まえると、ケベックの人々にとっては、ケベックはフランス語が支配的である点で独自なだけでなく、その形成の始まりから独自の社会として発展してきたという強い思いがある。もちろん、アイデンティティの転換はこの図式でとらえきれるほど単純ではなく、今なおケベックにはフランス系というエスニシティにこだわる人も少なくない。しかし、ケベックでは「カナダの他とは違う」という意識が広く醸成されているのも確かであり、世論調査でもカナダよりもケベックの方に強い帰属意識を持つ人の方が多い。

ただし、ネイションは人々の意識だけで支えられるものではない。それを裏打ちする実態を必要とする。豊かなケベックの文化も当然それにあたるが、ここでは、ケベック州議会で1977年に制定された「フランス語憲章」と2019年制定の「ライシテ法」（第17章参照）に注目したい。前者は、フランス語はケベック・ネイションが自らのアイデンティティを表現する手段だと述べている。後者は、ケベック・ネイションは、（フランス民法に由来する）ケベック民法、カナダの他とは違う社会的価値、固有の歴史といった独自の特徴を備えており、それらがケベックをライシテ（世俗性）へと導いたと言明している。この「ライシテ」もケベックをカナダの他と区別する、現代の重要なキーワードである。

この二つの法律はどちらもケベックの価値観を強く反映させたものであるが、両者ともが「ケベック以外のカナダ」からの批判にさらされた経緯を見ると、やはりケベックがカナダにあって異質であることがうかがい知れる。

ここで問題なのが、「ケベック・ネイションとは何か」ということである。当初は、ケベック・ネイションはフランス系（あるいはフランス語系）だけが構成していると考えられており、エスニックなネイションであったといえよう。ところが、20世紀終盤から、ケベック州内のすべての人々を含みこむシヴィックな（エスニシティを超えた）ネイションを志向するようになった。2003年ケベック州議会は「ケベックの民はネイションである」と全会一致で決議した。この場合「ケベックの民」はケベックのすべての構成員を意味しているとされた。また、カナダ連邦議会下院は2006年「ケベック人が統一カナダにおけるネイションをなしていることを認める」という動議を圧倒的多数で可決した。

このように、「ケベック人」というネイションがケベック内外で承認されたというのが現状であるが、これを実際の政治の場でどのように具体化するかというレベルにおいては、まだまだ課題が多い。カナダをマルチナショナルな連邦国家と認定すべきだという主張もあるが、それが現実味を帯びることがあるとしても、当分先のことのように思える。

（丹羽　卓）

23

ケベックと他州フランコフォンとの関係

★過去の連帯から新たな協力へ★

カナダの「フランコフォン（フランス語系住民）」といえば一般にはケベック州を思い浮かべる人が多いだろう。しかしカナダ連邦の公用語は英語とフランス語であり、フランス語を第一公用語とするカナダ人は、ケベック州に699万人、他州に92万人が存在する（2021年国勢調査）。ケベックとの関係を問う前に、他州フランコフォンとはどのような人々であるのかを確認することが必要だろう。

17～18世紀に築かれた北米フランス植民地「ヌーヴェル・フランス」は、セントローレンス川から五大湖を経て平原地帯へおよび、さらにミシシッピ川沿いにメキシコ湾岸へと至る広大なものだった。しかし、入植者の多くはセントローレンス川沿岸、つまり現在のケベック州を中心とする地域に集住した。プランテーション農業が展開されたメキシコ湾地域（現・米国ルイジアナ州）をのぞく大陸内部では、先住民向け布教施設、交易所、要塞が置かれたものの、入植者の数は少なかった。カナダ西部（現・マニトバ州、サスカチュワン州）では毛皮取引などを通じて先住民と交流をもったフランス系男性たちからメイティ（メティス）が誕生した。ルイ・リエルの反乱（1869年・18

85年）で知られる彼らの子孫は、今日も少数派共同体を形成している。

19世紀にはケベックから、主に経済的理由による人口流出があり、その数は100年間で100万人を超えるとされる。隣接する米国メイン州が主な移住先となったが、オンタリオ以西のカナダへも多数が移住し、カトリック教会が主導する中・西部開拓団に参加する者も少なくなかった。その後も、石油産業の人材需要などによる西部への移住は続いた。このため、各地のフランス系ディアスポラには、ケベックにルーツを持つ者が多いのである。

このほかにケベックの東に位置する沿海諸州（ニューブランズウィック州、ノヴァスコシア州、プリンスエドワードアイランド州）にはアカディアンと呼ばれるフランス系の人々がいる。ケベック植民地よりも一足早く入植が開始されたアカディ植民地の人々は、英国による強制追放という受難の歴史を持ち、ケベコワとは異なる独自のアイデンティティを持つ。

20世紀後半からは、ハイチ、北アフリカ、サハラ以南アフリカなどフランス語圏からの国際移民のフランコフォンが増えている。移民大国カナダにおいて、フランス語系の移民を受け入れ、各地のフランコフォン共同体を活性化していくことは必須の課題であり、連邦政府の「公用語アクションプラン」においてもフランス語を話す移民の受け入れが奨励されている。こうして過去には民族的同質性が高かったカナダのフランコフォン共同体には多様性が増している。

ケベックと他州のフランコフォンのあいだには、歴史的に「フランス系カナダ」というアイデンティティに基づく連帯が存在した。英系支配のもとでフランス語とその文化を存続させるという共通の目標のもとに、北アメリカのフランコフォン全体がネットワークを形成した。フランス系カナダ

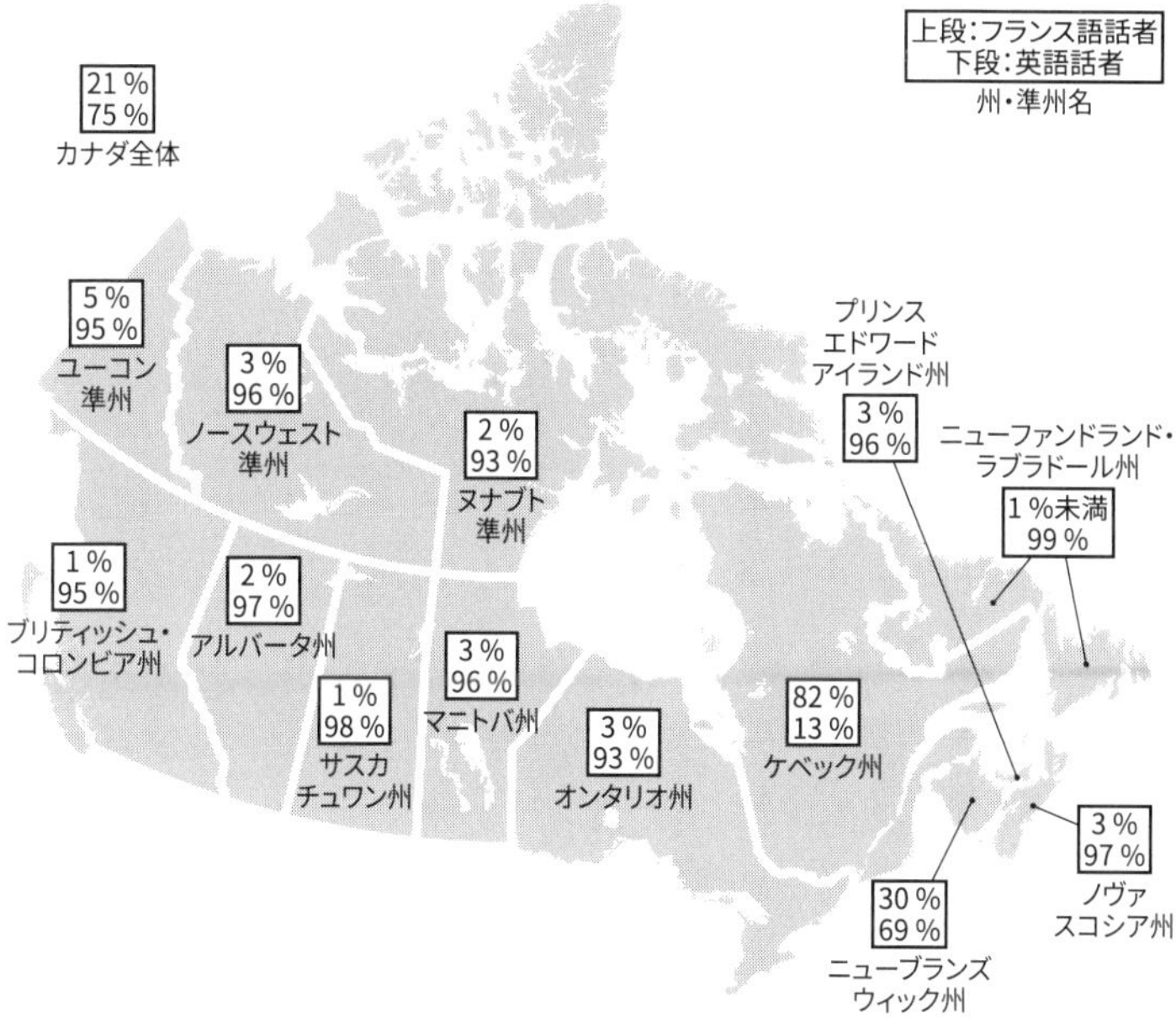

図　カナダの州・準州における第一公用語人口の割合（2021年）

出典：カナダ統計局（https://www150.statcan.gc.ca/n1/daily-quotidien/220817/mc-a001-fra.htm）の図を基に作成

の組織として、1834年に「聖ジャン・バティスト協会」がモントリオールで結成され、6月24日（聖ジャン・バティストの日、第10章参照）をフランス系カナダの祝日とし、フランス系カナダのシンボルには楓の葉とビーバーが採択された。また、1880年にはフランス系の愛国歌が作られ、これがのちのカナダの国歌「オー・カナダ」の原形となった。

フランス系カナダの組織は20世紀前半に発展を続け、1927年に「ジャック・カルチエ受勲者団体」が誕生し、「カナダ・フランス語大会」が開催された。さらに1937年には「アメリカ大陸におけるフランス系生活会議」の誕生により、大陸規模での組織ネットワークの強化が目指された。このような連帯において、ケベックがフランス系カナダの中心的役割を果たすことは共通の了解事項であった。大陸全土に広がるディアスポラとケベック社会は切り離せないものであったからである。

ところが1960年代にフランス系カナダの一体性が揺らぎ始めた。「静かな革命」を経験したケベックでは、もはや「フランス系カナダ人」ではなく、「ケベコワ」としてのアイデンティティが強まっていた。また、1967年のフランスのドゴール大統領のモントリオール訪問が台頭していたケベック州の独立機運をさらに激化させ、独立を標榜する政党が形成されつつあった激動の時代であった。そうしたなか、同年のフランス系カナダ総会において、ケベック州をフランス系カナダの領土（territoire national）する決議案が承認された。この総会の出席者の大多数をケベック州のフランコフォンが占めたからであった。これに対し、フランコ・オンタリアン（オンタリオ州のフランス系カナダ人）の出席者の過半数がこの決議に対して反対票を投じるなど、この決議は他州のフランコフォン出席者の反感を買ったのである。歴史家マルセル・マルテルはこの総会の成り行きを「フランス系カナダの終焉」と称した。

以後、各州のフランス系カナダ人たちは、各々に領土的なアイデンティティを確立することを余儀なくされた。フランコ・オンタリアン（オンタリオ州）、フランコ・マニトバン（マニトバ州）などの組織化が急速に進められ、1975年には「ケベック以外のフランコフォン連盟」が発足した。この組織は、1991年からは「フランコフォンおよびアカディアン共同体連盟（ＦＣＦＡ）」と名称を改め、9州・3準州の地域別組織と9の部門別全国組織から構成されている。

一時は引き裂かれた状況を経験したケベックと他州フランコフォンであったが、その後は協力関係の再建が模索されてきた。1980年代にはケベック州政府が他州フランコフォンを対象とする財政支援プログラムを開始し、FCFAも1988年にケベックシティに事務所を開設した。各州フランコフォン担当閣僚会議（CMAF、1994年〜）に、2003年からはケベック州が正式参加し、2005年にカナダ・フランコフォニー閣僚会議（CMFC）と改称された。2008年のケベックシティ建設400周年の目玉として「アメリカ大陸フランコフォニーセンター（CFA）」が創設されたことは、ケベック州が再び大陸全体のフランコフォニーを牽引する意志の表明となった。「静かな革命」以前の協力が、宗教界や民間ネットワークを基盤とする協力であったのに対し、以後の協力関係には政府主導が目立つという特徴がある。

（小松祐子）

24

ケベックの産業

―★地の利を活かして発展した製造業から創造性に基づく知識産業へ★―

約850万の人口を擁するケベック州の州内総生産（GDP）は約3813億米ドルであり（2021年）、カナダの国内総生産の約2割を占め、人口やGDPはたとえばニュージーランドを上回って一つの国家に匹敵する規模である。1人あたりGDPは4万ドルを超えて日本やイタリアを上回り、ケベック州の経済はOECD加盟国に準じて考えることができる。ケベック州の産業構造は、他の先進国・地域と同様に脱工業化が進んで第三次産業の就業者が全就業者の約8割に達し、サービス経済化が著しい。北アメリカ産業分類システム（NAICS）を採用している2021年のカナダ国勢調査によれば、ケベック州の全就業者（約434万人）のうち、最も大きな割合を占めるのが医療・社会福祉（14・2％）であり、小売業（11・8％）と卸売業（3・4％）からなる商業とほぼ同水準となる。それに対して、製造業は10・3％、建設業は6・8％であり、21世紀初頭まで2割を超えていた第二次産業就業者の割合は低下傾向が続いている。

とはいえ、ケベック州ではオンタリオ州と並んで早くから第二次産業が発展し、カナダ経済を牽引してきた。なかでも、地の利を活かして発展したのがアルミニウム工業である。アルミニウムの精錬には大量の電力が必要とされるが、地形の境界に存在する滝を活用した水力発電がそれを供給する役割を担った。水力発電によるエネルギー供給を背景に製造業が集積した都市としてショーウィニガンが挙げられる。ショーウィニガンは、カナダ楯状地に源を発するサンモーリス川がセントローレンス川に合流する手前にある滝近くに位置し、市域の約3分の1を工業用地に充てる都市計画にしたがって整然と開発され、かつてはその名もショーウィニガンフォールズと称していた。ショーウィニガンでは19世紀末に電力会社が設立され、カナダ初となったアルミニウム生産のほかにも、製紙・パルプや繊維、合金製造など多くの製造業が立地し、熟練工の養成機関も設立された。ショーウィニガンの繁栄は1950年代に最高潮に達し、1959年には州内で最も高給が支払われ、平均週給はカナダ全土で第9位に位置するほどであった。しかし、1960年代になると電力の公営化が州全域で進められ、水力発電の中心は新たに開発された北部に移り、ショーウィニガンの製造業も衰退した。1997年に開設されたエネルギー博物館（La Cité de l'énergie）では、電力公社イドロ・ケベックがかつて所有していた高さ115メートルの鉄塔が展望台として整備され、サンモーリス川沿岸に開発された水力発電所や旧工場、市街地などを一望できる。ちなみにショーウィニガンは、1993年から10年にわたってカナダ首相を務め、1995年にはカナダからの分離・独立を問う住民投票で反対派を率いたジャン・クレティエン（在任1993～2003年）の出身地であり、エネルギー博物館には彼の功績をたたえる博物館が併設されている。

ケベックを拠点とする製造業の企業で最も知名度の高いのはボンバルディエであろう。日本では英語風にボンバルディアと称されることが多く、2007年3月に高知空港で発生した全日空機の胴体着陸事故によって一躍その名を知られることになったが、もともとは雪上を走るスノーモービルの発明から始まった輸送機械メーカーである。創業者ジョセフ＝アルマン・ボンバルディエ（1907〜64年）は1937年にスノーモービルの特許を取得し、道路の除雪が一般化する以前のカナダの非都市地域を冬季の孤立から解放した。さらに1960年にはより小型で娯楽用にもなるスキードゥーの特許も取得した。その後、ボンバルディエは1970年代に鉄道車両製造に進出し、モントリオールの地下鉄車両をはじめ、世界各地の鉄道車両の製造に携わった。また、2010年ヴァンクーヴァー冬季オリンピックのトーチも製造した。しかし、近年は経営不振に陥り、小型航空機事業はエアバスに、鉄道車両事業はアルストムにそれぞれ売却され、現在はビジネスジェットの製造が中心となっている。ジョセフ＝アルマン・ボンバルディエの出身地である州南東部エストリー地方のヴァルクールには、彼が19歳で開業した自動車修理工場の跡地に博物館が設置されており、ボンバルディエが製造してきた各種の輸送機械について学ぶことができる（カバー裏袖写真）。

就業者人口の割合やGDPへの寄与度は2％程度にすぎないとはいえ、ケベック州では農業もさかんである。2021年のカナダ農業センサスによれば、ケベック州には約3万の農場があり、その総面積は約777万エーカー（約314万ヘクタール）に及ぶ。カナダにおいてメープルシロップを生産する農場の約9割がケベック州に集中するのが特徴的であるが、ほかに存在感があるのが酪農である。カナダの酪農場の半数近くがケベック州に位置しており、製造したチーズやアイスクリームの直売所もみられる。400万を超える人口を擁するモントリオール都市圏の周辺を中心に、イチゴやブルーベリーなどのベリー類の生産もさかんであり、夏季には自ら摘み取りを体験できる農場も多い（写真1）。

モントリオールの繁華街を歩くと、飲食店にしても衣料品店にしても米国をはじめとする諸外国のブランドの店舗が目立つが、なかにはケベックを本拠地とするものもある。たとえば、緑のロゴが印象的なサイモンズは１８４０年創業のケベックシティ発祥の衣料品店であり（写真2）、近年ではカナダの英語圏にも進出している。１９７２年創業で78年にモントリオールに最初の路面店をかまえた靴店のアルドは、90年代初めに米国への進出を果たして以来、そのネットワークは世界に広がっている。

上／写真１　ラノディエール地方のブルーベリー直売所（2022年、筆者撮影）
下／写真２　ケベックシティ発祥の衣料品店サイモンズ（モントリオール中心部、2022年、筆者撮影）

１９８０年にモントリオール郊外に1号店を開店したコンビニエンスストアのクッシュタールは２００３年のサークルKの買収などによって世界に広がるチェーンとなった。現在では食品スーパー大手メトロの傘下に入っている、１９６９年創業のドラッグストアのジャンクチュは、薬と日用品の販売を融合し、かつ長時間営業によって利便性を高めてドラッグストアという業態を定着させ、

写真３　ドラッグストアのジャンクチュ
（モントリオール中心部、2005年、筆者撮影）

北アメリカ有数のドラッグストアチェーンとなった（写真３）。

近年のケベック州はゲームをはじめとするマルチメディア産業の集積でも知られている。１９９０年代末以降、州税制における優遇を背景にフランスの大手ゲーム企業ユービーアイソフトがモントリオールに進出したのを皮切りにゲーム産業の集積が進み、日本企業もたとえば２０１７年に福岡を拠点とするサイバーコネクトツーがモントリオールにスタジオを設立している。クリエーターとビジネスを結ぶ動きも活発であり、なかでも非営利法人によって毎年３日間にわたって開催される国際会議Ｃ２モントリオールは50ヶ国以上から５千人を超える人々が集まる一大イベントとなっている。歴史的な経緯からフランス語と英語に堪能な人材が豊富で、19世紀にはＡＭラジオやピーナッツバター、１９８０年代にはシルク・ドゥ・ソレイユを生み出したケベックには創造性を尊重する風土があり、最近ではモントリオール大学の著名な研究者が率いる人工知能（ＡＩ）研究の拠点としても知名度を高めている。モントリオールを中心に集積し、発展を続ける知識産業には、今後のケベック経済、さらにはカナダ経済を牽引することが期待される。

（大石太郎）

コラム8

カンパニータウン

大石太郎

ケベック州中央部のサグネ・サンジャン湖地方にアルヴィダ（Arvida）という町がある。現在では、2002年にシクチミ、ジョンキエール、ラベーが合併して成立した同地方の中心都市サグネの1地区となっているが、かつては独立した自治体であった。その名は、20世紀初頭から半ばにかけて米国のアルミニウム大手アメリカ・アルミニウム社（アルコア）の社長を務めたアーサー・ヴァイニング・デーヴィス（Arthur Vining Davis）にちなみ、かつて北アメリカ各地にみられたカンパニータウンの一つである。カンパニータウンとは、産業の基盤をなす資源が見いだされた隔絶地域において企業が従業員の生活を支えるサービスまで提供した町であり、カナダだけでも200ほどのカンパニータウンが存在したという。過酷な気候条件に対応するため、カンパニータウンは緻密な都市計画に基づいて建設され、時代の先を行くものであった。企業は従業員とその家族向けに戸建てないしそれに準じた住宅を供与するだけでなく、学校や教会などを設立して教員や聖職者の給与をも負担し、さらにはスポーツ施設などを整備した一方、居住者の日常生活を管理する規則も導入した。20世紀後半に入ると、カナダのカンパニータウンでは連邦政府の住宅政策を背景に、企業が所有してきた住宅が払い下げられて居住者の持ち家となり、中産階級が出現する契機となった。

アルヴィダを例に、カンパニータウンの盛衰をたどってみよう。アルヴィダが位置する地域は19世紀半ばから農業開発が進んでいたが、20世紀に入るとサンジャン湖とそこから流れ出すサグネ川における水力発電の可能性に着目する人物が現れた。米国ノースカロライナ州に

写真　カトリック教会を転用したアルヴィダ歴史センター
（2022年、筆者撮影）

おいてタバコ栽培で財をなしたジェームズ・ブキャナン・デュークは、19世紀からサグネ・サンジャン湖地方において林業の発展に貢献してきたプライス家の協力をえて電力会社を設立し、1922年にサンジャン湖に浮かぶ島の一つでダムの建設を始めた。これにアルコアが加わり、アルヴィダにおいてアルミニウム精錬工場の建設と住宅地造成が始められ、工場は1927年までに本格的に稼働を開始した。なお、水力発電の可能性に注目して進出したのが米国の実業家であった点は第24章で紹介したショーウィニガンも同様であり、注目に値しよう。アルヴィダではフランス語系労働者のコミュニティに加え、アルコアの管理職や技師を中心とする英語系プロテスタントのコミュニティが形成され、カトリックとプロテスタントの教会や学校が建設された。また、第二次世界大戦以前に発行されていた現地紙でも二言語が用いられていた。

しかし、アルヴィダの発展は一筋縄ではいかなかった。1928年に米国の反トラスト法に基づいてアルコアのカナダ事業は分社化され、のちにアルカンとして知られることになるアルミニウム・リミテッド社は、変動するアルミニウム需要に振り回されて苦境に陥った時期もあった。第二次世界大戦前夜で興味深いのは日本との関係であり、1939年には1万8千トンのアルミニウムを日本はアルヴィダの精錬工場から調達したという。大戦が終わるとアルミニウムの需要は急回復し、アルヴィダは黄金期を迎えた。すでに1941年にはそれまで任命制だった市長が選挙で選ばれるようになっていたが、1950年代になるとアルカンの経営陣が市政に関わることが少なくなり、市民が市政運営の中心を担うようになったのも大きな変化であった。1950年には市の頌歌がつくられ、1952年には建設25周年が盛大に祝われた。

アルヴィダは1975年にジョンキエールに合併されて自治体としての歴史を終え、アルカンも2007年に世界的な資源大手リオ・ティントに買収された。しかし、1946年以来の歴史をもつ研究開発部門を含め、アルヴィダは現在もアルミニウム生産の拠点であり続けている。一方で、曲線が多用された都市計画をはじめ、カンパニータウンという特殊な環境はいまや遺産として認知されるようになり、アルヴィダは2012年にカナダの国史跡に指定され、2017年にはユネスコ世界遺産への登録をめざしてその暫定リストに掲載された。

25

日本とケベックとの経済関係

★航空やマルチメディア産業を中心に結びつきを強めるパートナー★

ケベック州にとって日本は重要なパートナーの1ヶ国であり、1973年に開設されたケベック州政府在日事務所は、ケベック州がアジアで唯一開設している代表部である。経済的な結びつきも強く、本章ではおもにケベック州政府在日事務所の資料に基づいて日本とケベックとの経済関係を紹介したい。なお、本章においてドルとはカナダドルを指し、近年は円安傾向が続いて2023年4月時点の為替レートでは1カナダドルあたり100円前後で推移している。

日本・ケベック間の貿易額はケベック州にとって第6位の規模であり、日本・カナダ間の貿易額の15%を占めている。ケベックからみた場合、2021年の日本への輸出額は約19億ドルで日本は第3位の輸出相手国であり、一方の日本からの輸入額は約26億ドルで日本は第9位の輸入相手国で、ケベック州にとって6億ドル以上の輸入超過となっている。貿易額は近年増加傾向にあり、ケベックから日本への輸出額は2017年から2021年にかけて41・2%、日本からケベックへの輸入額は同じ期間に12・9%、それぞれ増加している。

2021年におけるケベックから日本への輸出品目のうち

（表1）、最も金額が大きいのは約9億ドルの鉄鉱石で全体の47・2％を占める。それに続くのが豚肉（約3億ドル、16・1％）であり、以下、航空機関連の部品（約1億ドル、5・2％）、大豆（約7千万ドル、3・8％）、タービン類（約4千万ドル、2・2％）と続き、この5品目で輸出金額の全体の4分の3を占める。2020年には、ケベック州の全事業所の5・3％にあたる547の事業所が日本へ製品を輸出した。

表1　ケベックから日本への主な輸出品目とその金額（2021年）

品　目	輸出額（百万ドル）	割　合（%）	増加率（%、2017～2021年）
鉄鉱石	907.6	47.2	193.5
豚肉（くず肉を含む）	309.2	16.1	-15.2
航空機関連部品	101	5.2	52.7
大　豆	72.6	3.8	18.2
タービン	43.2	2.2	72.8
その他	490.9	25.5	-7.9
計	1923.5	100.0	41.2

出典：ケベック州政府在日事務所の資料により筆者作成

ケベックから日本に進出した企業には次のような例がある。日本への輸出品目にも現れているように、ケベックは航空分野に強みがあり、CAEやBRPが日本にも進出している。1947年にモントリオール郊外のサンチュベールで創業したCAEは、民間航空、防衛・安全保障、健康福祉の分野で技術支援を行う企業であり、日本には2006年に進出して東京・銀座に事務所を構え、航空分野の人材育成を手がけている。BRPはボンバルディエから2003年に分離された企業で、スキードゥーなどレクリエーション向けの乗り物製造を手がける。ボンバルディエ創業の地、エストリー地方のヴァルクールに本社を構え、日本では東京・品川に拠点がある。また、輸出品目において豚肉が大きな割合を占めているのが目を引くが、日本に進出している食料品分野の企業としてオリメルが挙げられる。農業組合を母体とし、食肉加

表2　日本からケベックへの主な輸入品目とその金額（2021年）

品　目	輸入額（百万ドル）	割　合（%）	増加率（%、2017〜2021年）
自動車	1411.6	55.3	20.8
土木機械	124.7	4.9	-5.9
自動車部品	96.2	3.8	90.8
ゴム製タイヤ	68.9	2.7	22.3
プリント回路	66.6	2.6	-3.2
その他	786.3	30.8	0.0
計	2554.2	100.0	12.9

出典：ケベック州政府在日事務所の資料により筆者作成

工を中心に食料品の多くのブランドを傘下にもつオリメルはセントローレンス川右岸のサンティヤサントを拠点とし、日本には１９９２年に進出して東京・高輪に事務所を置く。もちろん、輸出品目には現れない分野でも日本に進出している企業はある。たとえば、産業ロボットの制御システムを手がけるサーボロボはモントリオール郊外に本社を置き、日本では大阪府吹田市に拠点を構え、ほかに中国、ドイツ、メキシコ、米国にも進出している。同様に、輸出品目には現れないものの、近年のケベック経済はマルチメディア産業を抜きにして語ることはできず、一部の企業は日本にも進出している。東京の新宿駅東西通路をマルチメディアで彩るカラー・バスは、２００１年創業でモントリオールに本社を置くマルチメディアスタジオのモーメントファクトリーがソニー・ミュージック・ソリューションおよびＪＲ東日本とともに手がけた日本における代表的なプロジェクトであり、モーメントファクトリーは東京のほか、パリ、ニューヨーク、シンガポールにも拠点を構えている。

一方、日本からケベックへの輸入品目のうち（表2）、最も金額が大きいのは約14億ドルの自動車で全体の55・3％を占める。それに続くのがブルドーザーなどの土木機械（約1億２０００万ドル、4・

9％）であり、以下、自動車部品（約1億ドル、3・8％）、ゴム製タイヤ（約7千万ドル、2・7％）、プリント回路（約7千万ドル、2・6％）と続き、この5品目で全体のほぼ7割を占める。ケベックはもとより、カナダには完成車を製造するメーカーが存在しないこともあってトヨタをはじめとする日本車の人気は高く、州内の道路には米国やドイツをはじめとするヨーロッパの車に遜色ないだけの多くの日本車が走っている。

グループ企業や買収によって子会社化した例を含め、日本からの進出企業をみてみよう。海外進出日系企業拠点数調査によれば、2021年10月末現在、ケベック州および大西洋沿岸4州を管轄する在モントリオール日本国総領事館管内における日本企業の拠点総数は196であり、その多くは日本企業が100％出資した現地法人の支店等である。日本からケベックへの輸入品目ではゴム製タイヤが上位に位置しているが、タイヤ製造大手ブリジストンがセントローレンス川左岸ラノディエール地方の中心都市ジョリエットに工場を設けている。自動車関連ではほかに、豊田自動織機のゴム研究部門に起源をもつ豊田合成が1986年に現地企業と合弁で設立したウォーターヴィルTGがエストリー地方ウォーターヴィルでウェザストリップ製品を生産している。また、輸送機械部門ではモントリオール西郊に拠点を置く鉄道車両メンテナンスのキャド・レイルウェイ・インダストリーズが総合商社双日のグループ企業である。マルチメディア産業では、オーディオキネティックやヘイブンスタジオズ（いずれもモントリオール）がソニーの傘下にある。

近年話題となった企業として、折からの新型コロナウイルス禍において注目を集めたメディカゴにふれておきたい。1997年に創業し、ケベックシティに本社を置くメディカゴは田辺三菱製薬の完全子会社であり、植物由来VLP技術を用いた新規ワクチンの研究開発に特化したバイオ医薬品企業である。新型コロナウイルス感染症の予防に向けて開発したワクチンが2022年2月にカナダにおいて承認され、商用化を目指していたが、新型コロナウイルス感染症をとりまく環境の変化を背景に、2023年2月に商用化の断念と事業からの撤退が発表された。

ケベックはカナダの一州であり、統計に基づいて日本との人的交流を明らかにするのは難しい。在留外国人統計によれば、2022年6月末現在の日本在住カナダ人は1万260人であり、カナダ国内の出身地までは把握できない。一方のカナダ在住日本人は、海外在留邦人数調査統計によれば2022年10月末現在7万4362人であり、その約6割はヴァンクーヴァー都市圏とトロント都市圏に居住している。在外公館別に入手可能な最新の数値は2017年10月1日現在のもので、在モントリオール日本国総領事館管内に居住する日本人は5707人で全在外公館中52位であり、増加傾向にはあったものの、在バンクーバー総領事館（3万3584人、第12位）、在トロント総領事館（2万1618人、第19位）との差は歴然としていた。とはいえ、吉報もある。カナダ航空最大手のエアカナダは2018年6月から成田・モントリオール直行便を就航させ、新型コロナウイルス禍による運休を経て2022年夏スケジュールから運航を再開した。直行便就航の背景にはトロント・ピアソン国際空港の混雑緩和という意図もささやかれたが、利便性向上を機に、日本・ケベック間の今後のさらなる交流拡大を期待したい。

（大石太郎）

コラム9

駐在員の目で――1989〜93年

加藤 普

東京銀行（現・三菱UFJ銀行）に勤務し、ディジョン大学、パリ、サイゴン、テヘランに赴任、後半はマグレブやレヴァントなど旧大陸を飛び回ることになる私だが、1989年から4年間だけ新大陸はモントリオール、ドゥ・ラ・ゴーシュティエール通り西600番地27階のオフィスで支店長を務めた。妻と赴任当時7歳、5歳、3歳、1歳の4人の子どもを帯同し、ガスペからナイアガラ、時にフロリダへと、家族6人米車ダッジキャラバンで走り回る我が家の「黄金時代」だった。

住まいは西郊ウェストマウント市ランズドーン通りだった。丘の上にシーグラムのブロンフマン邸や各国総領事邸などが軒を並べる。古き良きアングロ・カナダを体現するウェストマウントには、子どもに英語教育を受けさせたい企業駐在員や留学医師らが家を求めたが、ようやくロズリン校のような英系公立校入学が認められても「駐在員泣かせのフレンチ・イマージョン教育」で、子どもたちは「同級生と英語で話しながら先生とはフランス語で話す」環境にいきなり適応を迫られ四苦八苦。フランス語の教科書や通信簿に親が耐えられず、何とか英語教育をとなれば、高い授業料を払ってセルウィンハウス校などバリバリの英系私立伝統校に転校させるしかない。金融や繊維、紙業、鉱業などビジネス言語が英語だった駐在員たちには、この苦い思い出は簡単に言い尽くせない。

土曜の日本語補習校の校長にもなった。小1から中3の90名、「レベル高く」国算（数）理社をビシビシ教えた。「君が代」斉唱だけの式典を、私は地元への感謝にカナダ国歌「オー・カナダ」も英仏交互で歌ってもらうようにした。

当時ビジネス界で1967年万国博覧会が絶

写真　ケベック＝ジャパン・ビジネスフォーラムで、N. ベルニエ初代州政府駐日代表と筆者（モントリオール、1992年、筆者提供）

頂期、76年夏季オリンピックが最後の線香花火だと囁かれたモントリオール、そのプレゼンス低下はケベック独立運動のせいだけではなかった。加米国境を跨いだ地域同士の結びつきの強まりや移民・投資の吸収でトロントやヴァンクーヴァーなどが急速な発展を遂げ、その分モントリオールから敷かれたＣＰ・ＣＮの大陸横断鉄道が支える「東西に細長いカナダ経済圏」の意味が薄まったこと、そして旧宗主国英国の欧州共同体加盟でカナダが英国経済の枠から外れ「女王陛下のカナダ連邦」自体の一体感が失われたことも打撃だった。

政治的には、楓の新国旗で強力な連邦構築を目指した１９８２年カナダ憲法にケベック州が参加していなかった状況を、ブライアン・マルルーニー進歩保守党連邦政権とロベール・ブラ

コラム9
駐在員の目で

サ州自由党政権が手を組んで打開しようとしていた。ソシエテ・ディスタンクトゥ（独自な社会）条項を盛り込みケベック州の顔を立てて策定された「ミーチ湖憲法協定」（87年）の各州議会の批准期限が直前に迫る90年6月、連邦および全州首相によるオタワでの徹夜会議のテレビ中継を見て、私はマルルーニー連邦首相による英仏両語の名優のようなパフォーマンスが奏功し、改憲案が成立したかと何度か錯覚した……が、土壇場でマニトバ州とニューファンドランド州（現・ニューファンドランド・ラブラドール州）が反対、改憲案は結局不成立となった。面目が潰れたブラサ州首相、独立標榜のケベック党を押さえ込んでたどり着いた連邦憲法参加の門が、いま一瞬にして閉ざされる。「英系カナダに売られたケンカは買わねばならぬ」、これがモントリオール市民多数の偽らざる気持ちだった。

家族はアイスホッケーやスキー、バレエに忙しい日々を送った。1993年のモントリオール離任の際、地元ラ・プレス紙が「サヨナラ、ムッシュ・カトー」の記事を書いてくれて感激した。以来30年、次女がモントリオールで大学を出たが、私は一度も戻っていない。

26

社会保障と保健・社会福祉サービス

★普遍主義と地域主義を担う多職種チームの横断的サービス★

ケベック州では、「静かな革命」期に年金制度、医療保障制度、保健・社会福祉サービス組織等の改革が行われ、この時に構築された理念、政策モデル、保健・社会福祉サービスの概念等は現在にも継承されている。本章では、ケベック州の年金制度、医療保障制度および保健・社会福祉サービスについてみていく。

カナダの公的年金は連邦政府が所管する税財源の老齢所得保障（OSA）と社会保険方式のカナダ年金（CPP）がある。ケベック州民もカナダに10年以上居住し、65歳以上で受給資格が生じ、2023年10月現在年収13万4626ドル未満が支給対象で、支給額の上限は65～74歳で約708ドル、75歳以上で約778ドル、年収が8万6912ドルを超えると一部または全額を返却する。

ケベック州はカナダのなかで唯一CPPに加入せず、独自の基金でケベック年金（QPP）を運営している州である。保険料は所得の10・8％を被用者は雇用主と折半で、自営業者は全額を負担する。支給開始年齢は65歳、給付内容はCPPと類似し、被保険者が障害を負うと障害年金が、被保険者が死亡すると配偶者やその子に遺族年金が支給される。ＱＰＰやＯＳＡが支給されても所得が低い場合、これらに上乗せされ最低所得を保障する意味合いがある補足所得保障（ＧＩＳ）がある。

医療保障制度は税財源であり、ケベック州健康保険庁が管理・運営している。一時的居住を含む居住者は、健康保険証であるメディケアカードを取得すれば、出産、一部の歯科治療と検眼を含める医療サービスを自己負担なく利用できる。患者は登録した家庭医に予約して受診し、家庭医が必要と判断すると、専門医に紹介し手術等治療が受けられる。ケベック州の医療は最前線での対応を原則とし、家庭医登録を促し、登録患者を複数の家庭医が担当する家庭医グループ制度（ＦＭＧ）も導入したが、家庭医登録は順調とはいえなかった。その上、新型コロナパンデミックで、コロナ患者用のベッドの確保、救急外来患者の過密等によって、手術等の待機状況が悪化した。手術待機者は２０２２年1月に15万６０００人、うち2万人は1年以上待機したこと等を同年2月のＣＢＣニュースが医療システムの問題だと報じた。州政府は救急外来の過密解消に向け、家庭医がいない人に、予約不要のスーパークリニックの利用の促進や同年10月には既存の健康相談の電話回線を活用して診療予約もできるようにした。また、同年12月に医師の指示なく病気の診断、特定の検査・投薬ができる週7日営業のナースプラクティショナー（ＳＮＰ）の診療所を開設した等プライマリケアの具体的な対策を講じた。

保健・社会福祉サービスは、公衆衛生、健康増進、治療等医療を含む保健サービスと子どもや障害等脆弱な状況にある人への社会福祉サービスが一体化することで、これらのサービスは縦割りではなく、分野を超え、多様な専門職のサービスが相互に作用して統合する一体化である。サービスの統合によって、地域住民が家族や地域社会等における役割遂行ができ、社会的存在としての人間であり続

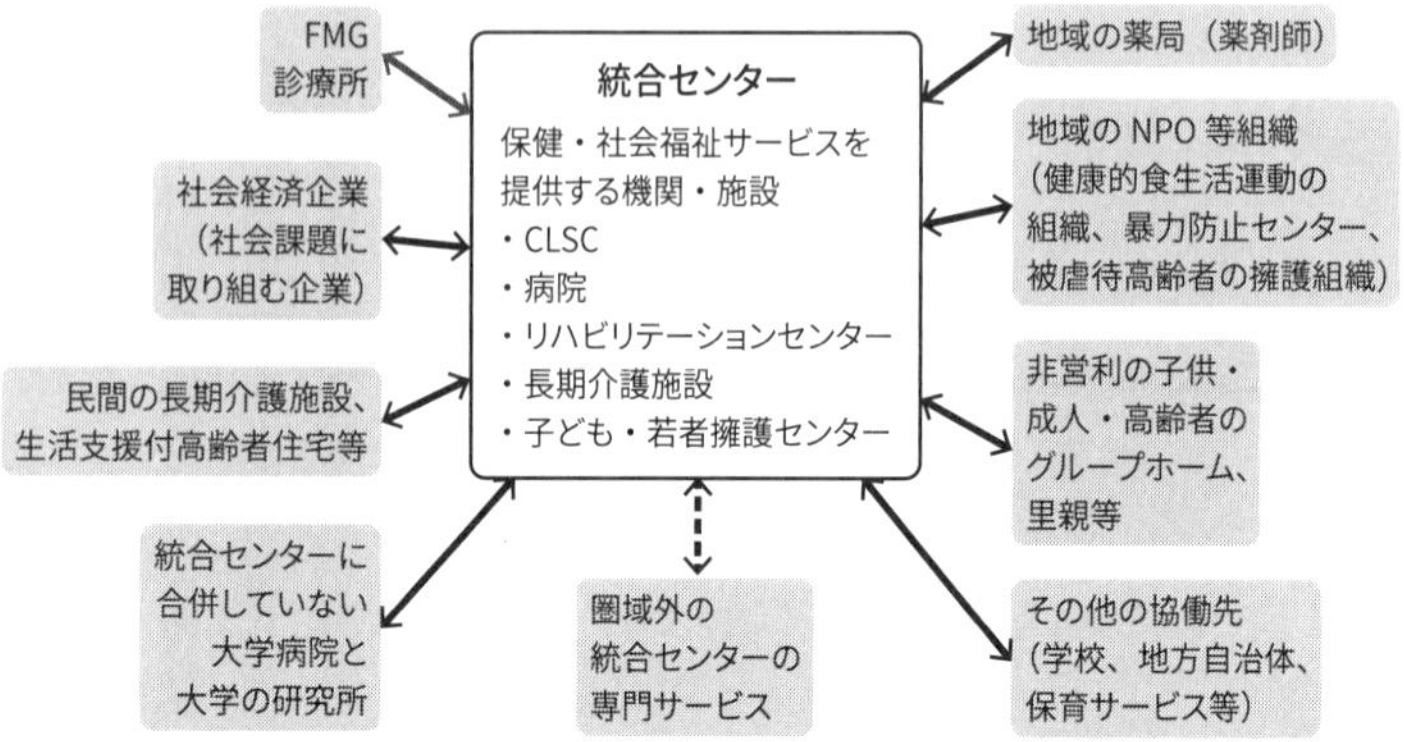

図　統合センターの保健・社会福祉サービスネットワークの主な関係先

出典：ケベック州保健社会福祉省（2016）*Glossaire Definition de termes relatifs au reseau de la sante et des services sociaux,* 13頁に加筆）

けられることを目指している。

保健・社会福祉サービスの組織として、公立公営の保健・社会福祉サービス統合センター（以下「統合センター」）が州内22の保健福祉圏域に設置されている。各統合センターは、「静かな革命」期の改革で創設されたケベック州独自の機関で、人口3～10万人に1ヶ所設置し、最前線で生涯にわたる保健・社会福祉サービスを提供する地域保健福祉センター（CLSC）、病院、要介護の高齢者・障害のある人が生活する場である長期介護施設、身体・知的等障害、ギャンブル等依存症等の人の社会参加のためのリハビリテーションセンター、子ども・若者擁護センターを擁している。機関・施設ごとに看護師、医師、ソーシャルワーカー、理学療法士、管理栄養士等が配属され、多職種チームとしてサービスを提供している。また、統合センターの組織に属さないFMG、NPO組織、長期介護施設等官民の組織等と保健・社会福祉サービス網を構築し、これらと連携・協働してサービスを提供する役割が課されている（図）。

統合センターの一つ「モントリオール中西部統合センター」の体制をみると、管轄人口約37万15００人、CLSC５ヶ所、病院４ヶ所、長期介護施設６ヶ所、リハビリテーションセンター２ヶ所とFMGがあり、医師、看護師、ソーシャルワーカー等1万1750人以上の専門職が配属されている。以下、この統合センターの一つのCLSC（写真）のサービスを中心にみる。CLSCのサービスは無料で、個々のサービス内容はCLSCにより異なる。

一般住民向けサービスに、血液検査等健診、各種予防接種、医師等多職種チーム対応のFMG、個別ニーズに基づく禁煙支援、夫婦間暴力等家族問題の予防・対応等がある。

写真　ショッピングモールの建物内にあるモントリオール中西部統合センターのCLSCの一つ
（2018年、筆者撮影）

学童期の子どもと家族に対しては、ソーシャルワーカーや看護師等が学校に出向き、虐待、いじめ、教師と生徒と家族の関係や発達過程で生じる危機等心理社会的問題に、子ども・家族のカウンセリングや教員へのコンサルテーション等のサービスを提供している。

要介護高齢者については、高齢者と家族介護者向けに高齢者自立支援プログラム（SAPA）が実施されている。内容はホームケア、虐待が疑われる高齢者と加害者への心理社会的サービスや法的サービス等による虐待予防や介護者支援等である。

ホームケアはCLSCの主要サービスで、多職種チームによるニーズ評価の下、家庭訪問等により、ソーシャルワーク、看護、理学・作業療法、身体介助、緩和ケア等のサービスを提供している。複数のサービスが必要な場合に、ソーシャルワーカー等既存の専門職がケースマネジャーとしてケースマネジメントも提供する。一定割合のケースマネジャーが、毎日管轄内の病院に派遣され、院内のカンファレンスに参加する等病院チームと協働し、退院可能な高齢者にはホームケアへの移行準備に着手する。また、入院による医学的治療は不要だがリハビリテーションが必要な人に、SAPAで、民間の生活支援付住宅のフロアーを借り上げ、CLSCの看護師、理学療法士等がリハビリテーションを、この住宅の生活支援サービスで洗濯や食事等を提供し、これを中間施設と位置づけていた（2018年10月筆者調査）。タイムリーで継ぎ目ない、連続性のある高齢者ケアを、保健・社会福祉サービス網の構築とケースマネジメントの活用で具現化しようとしている姿がうかがえた。

2022年初頭に救急外来・入院、緊急手術、中間施設を経て、現在、生活支援付住宅で暮らす80歳代の友人が「入院中の支払いは食事を含めて一銭もなかった。最近、室内で転倒したが、救急外来に連れていってもらい、異常なしとのことで家に戻れた。一人暮らしでも安心して生活ができる」と語った。医療システムの問題が露呈された最中に経験した友人の語りから、ニーズへの対応に着目した普遍主義、脆弱な状況になっても地域の構成員としての生活が継続できるような保健・社会福祉サービスに対する州民の信頼が覗きみえる。

（髙橋流里子）

27

国際社会のなかのケベック

★国際主体としてのケベック★

ケベックはカナダ連邦の一州でありながら、1960年代以降、独自の対外政策を追求し、世界各地でユニークかつ活発な外交活動を展開している。2022年の時点で、ケベックは東京を含めて19ヶ国に34の代表事務所を構えている。とりわけフランスとの関係は特別で、パリの州政府代表事務所には外交特権が与えられ、大使館並みの待遇を受けている。

グローバル化する世界において、国際関係は主権国家の独占場ではなくなっている。自治体などが独自の対外政策を策定し外交活動を行うことも珍しくない。ケベックの対外政策は、北アメリカ唯一のフランス語系社会としての利益を守り、増大させることを目的とする。その背景には、カナダ政府の対外政策が、多数派である英語系社会の利益を代弁する傾向が強いという認識と不信感がある。

では、ケベックが独自の対外政策を追求できるのはなぜだろうか。その答えはカナダの憲法にある。カナダ連邦を成立させた英領北アメリカ法（BNA法）は、連邦と州の権限分割を定めているが、対外政策に関する言及はない。これは、カナダが大英帝国の自治領として発足し、英国が対外政策を担っていたためである。1931年のウェストミンスター条例により、対外政策に関する権限はカナダに移ったが、BNA法の曖昧さは残された。ケベックは、この憲法上の曖昧さを利用しながら、州の権限が及ぶ範囲で独自の対外政策・外交活動を発展させてきた。

この方針を確立したのが、ポール・ジェラン＝ラジョワである。ジャン・ルサージュ政権で副首相兼教育相を務めた彼は、BNA法に定められた州の権限が対外政策にも適用されると考えた。教育は州の権限であることから、学術交流に関するフランスとの協定締結交渉を進め、1965年、外交主権を唱える連邦政府の介入にもかかわらず、フランス政府との調印に成功した。その直後、モントリオール駐在の各国外交団を前に「ジェラン＝ラジョワ・ドクトリン」と呼ばれる対外政策指針を宣言し、次のように述べた。

ケベックはカナダ連邦の一員で、あらゆる分野において主権を有しているわけではない。しかし、政治的に見ると、ケベックは領土、人民、自治政府を有しており、国家たる要件を満たしている。さらに、ケベックは北アメリカの英語系共同体とは様々な面で趣を異にする人民の政治的表現である。（中略）今後ケベックは、その権限が完全、もしくは部分的に及ぶ範囲において、その人格と権利を行使するためにより直接的な役割を果たしたいと考えている（Stéphane Paquin, dir., *Histoire des relations internationales du Québec*, 2006, pp. 31–33に引用）。

この歴史的な宣言は現在でもケベックの対外政策の支柱となっている。この原則に基づき、教育、文化、社会保障、経済、移民などの分野で積極的に対外政策を展開している。

ケベックの国際関係を二者間関係と多者間関係に分けてみていこう。まず、二者間関係については各国にある代表事務所を通じて維持しているが、ケベックがとりわけ重視しているフランスと米国との関係をみておきたい。

フランスは、ケベックが特別な外交関係を樹立している国である。１９６１年に代表事務所をパリに開設して以降、カナダ政府を介さない直接的な外交関係を築くことに成功した（写真）。連邦政府は、フランスに対して自分たちを通じてケベック州政府と接触するように求めたが、当時のドゴール大統領は聞き入れず受け入れざるを得なかった。その後、ケベックの独立を掲げるケベック党が政権を獲得すると、両者の関係はより密接になった。１９７７年に首相同士の相互訪問による定期的な首脳会談の開催に合意し、現在まで続いている。

写真　ケベック州政府パリ代表事務所
(Credit: Polymagou - CC-BY-SA)

一方、フランスはカナダに対する一定の配慮も見せ、１９７７年に「不干渉、非無関心」の原則を立て、現在まで対ケベック政策の柱としている。つまり、カナダの主権を尊重する（内政不干渉）が、独立も視野に入れたケベックに対してもある程度の注意を払う（非無関心）としたのである。

一方、対米関係は経済面を中心としている。米国は、米国・メキシコ・カナダ協定（USMCA）による自由貿易圏の構成国であり、輸出の70％を占める（2020年時点）最大の貿易相手国である。現在、ケベックは米国内に九つの事務所を構えている。最初の事務所がニューヨーク市に開設されたのは1943年だったが、対米関係を本格的に発展させたのは、ケベックの経済発展を政権の最大目標に据えた第1次ロベール・ブラサ政権時（1970～76年）であった。

1976年にケベック党政権が誕生すると、独立による政情不安や、社会民主主義的な立場に対して、ケベックが「北のキューバ」になるのではという懸念が米国内で高まった。これを払拭するため、ルネ・レヴェック政権は広報戦略「対米作戦」を立ち上げ、独立は民主的に行われること、独立した場合にも対米同盟を堅持することを伝えた。

米国は、ケベックの独立問題に関して、①統一されたカナダの存続を望む、②カナダの内政問題なので関与しない、③カナダ人の民主的選択を尊重する、という態度である。

ケベックは、多者間外交の場でも自らの立場を積極的にアピールしている。その中でも最も重要なのがフランコフォニー国際組織である。フランスの後押しもあり、カナダ政府の承認のもと、1970年の設立当初から「参加政府」（カナダは加盟国）として加盟しており、首脳会議にも出席している。教育、医療、文化など州に権限がある会議では、カナダ政府との協議を通じて独自の立場で参加することが多い。また、2006年にはユネスコにおけるケベックの位置づけに関する協定をカナダ政府と締結し、カナダ代表事務所内に州政府代表を派遣している。これにより、ケベックは、カナダ政府の立場を補足するという形で自らの意見を表明することが可能になった。また、ユネスコにおける投票など、カナダ代表団の意志決定にあたってはケベックとの意見調整が必要とされ、その同意がない場合にはその旨が注記される。

ジェラン＝ラジョワ・ドクトリンが誕生してまもなく60年。国際主体としてのケベックは、ますますその円熟味が増し、国際社会の中での独自性を高めていくであろう。

（古地順一郎）

28

フランコフォニー国際組織におけるケベック

★主権国家並みの存在感★

加盟規模の大きさとその多彩な活動から、「ミニ国連」と揶揄されることも多い「フランコフォニー国際組織」（ＯＩＦ）であるが、その資金を拠出するヨーロッパ諸国や、その支援を得ているアフリカ諸国においても、本組織の知名度はさほど高くない。日本では、２００３年３月以降、本組織の設立を記念して、例年同時期にフランコフォニー・フェスティヴァルが開催され、ケベック、ハイチ、カメルーンなどフランス語圏諸国の文化に触れる機会があるが、フェスティヴァルの趣旨のみならず開催自体、広く知られているとは言い難い。

組織設立の中心的役割を果たしたセネガル初代大統領のレオポール・セダール・サンゴール（在任１９６０～80年）が当初目指していたのは、フランスと旧フランス植民地諸国間の連帯の維持と、独立したアフリカ諸国の国際的認知である。英国と主に旧英国領の諸国から成るコモンウェルス（英連邦）をモデルにしながら、政治的共同体ではなくフランス語という言語を基盤とした文化的共同体とする旨が強調された。

もっとも、フランスが早くから文化的影響力の大きさを意識していたように、言語・文化はそれを通して政治理念や世界観を浸透させ、それと知らぬうちに支配力を行使するソフトパワーとなりうる。サンゴール的見方をとどめていたポストコロニアル期を経て、今あるフランコフォニー国際組織が称揚するのは、「諸言語間の連帯」や「言語・文化的多様性」である。同時に、「英語によるネオリベラルな均質化」や「モノリンガルな見方」を強く批判している。

本組織は今なおフランス語を共有することを核として構成されており、フランス語教育やフランス語書籍の普及などに力を注ぐ。しかし、フランス語が公用語であることは加盟の絶対条件ではなく、非フランス語圏諸国の加盟も多い。２０２２年12月現在、国連加盟国数のほぼ半数にあたる全88メンバーが5大陸から加盟している。なお、メンバー数には、54の全権加盟メンバーの他に、準加盟メンバー（アラブ首長国連邦、セルビアなど）とオブザーバー（メキシコ、韓国など）を含む。

また、民主主義が確立されておらず政治的にも不安定な諸国や発展途上諸国をメンバーに多く抱えるフランコフォニー国際組織において、政治・経済面の議論と活動は欠かせないものとなっている。具体例としては、国連と連携した平和維持や選挙監視などの活動が挙げられる。

ケベックにとって重要な本組織の特徴は、主権国家ではない地域もメンバーの一員として加盟が可能であり、国家メンバーと対等に位置づけられることである。現に、カナダのみが加盟するコモンウェルスと異なり、フランコフォニー国際組織のメンバーには、ケベックとニューブランズウィックが、カナダ連邦政府とは別に名を連ねている。そして、主権国家ではない地域メンバーも、カナダ、フランスといった諸国メンバーと対等な発言権を有している。同時に、加盟メンバー負担金もそれぞれ別に拠出している。ケベックは、フランス、カナダ、スイス、ワロニー・ブリュッセル（ベルギー）などに次ぐ負担上位のメンバーであり続けている（２０２２年10月末時点）。

しかし、ケベックの本組織における存在感はそれにとどまらない。ここで思い起こすべきは、「主要な白人たち（Grands Blancs）の争い」（サンゴールの言葉）である。それはケベック独立をめぐる、カナダの連邦政府とケベック、フランス間の対立を指している。１９６７年７月に、フランスのシャルル・ドゴール大統領がケベックを訪問しているが、彼がケベック独立を支援するとともにフランス語圏諸国共同体の実現を望んだのは、世界政治におけるフランスの影響力拡大のためである。翌68年2月、ガボンでフランス語圏教育相会議が開催された際には、カナダ連邦政府は招待されず、ダニエル・ジョンソン州首相率いるケベック州政府のみが主権国家並みの扱いで招待された。そこには、ガボン政府が経済的に依存していたフランスによる介入が大きく働いていた。１９７０年には、21ケ国・地域が参加するフランス語圏諸国の国際協力機関として「文化技術協力機構」が、実質的にフランコフォニー諸機関の事務局としてパリに設立されたが、初代機構長に任命されたのは、ケベック出身の分離主義者ジャン＝マルク・レジェであった（存命の世論調査会社社長は同姓同名の別人）。

フランコフォニー・サミット開催案に至っては、ケベックの参加形態をめぐる対立があったために遅々として実現しなかった。カナダはケベック州ベ・コモ生まれのブライアン・マルルーニー首相、フランスはフランソワ・ミッテラン左翼政権下において、ようやく合意が成立し、１９８６年にフランスのヴェルサイユで初回開催となった。そして、翌年の第2回および２００８年の第12回フランコフォニー・サミットの開催地はケベックであった。また、エネルギー・環境問題をめぐる国際交渉に関わるフランコフォニー補助機関の本部は１９８８年からケベックに置かれている。

このように、国際舞台におけるさらなる可視化、すなわち存在感の強化を望むケベック外交が、フランコフォニー国際組織の発展に大きな影響を与えた、と言っても過言ではない。

写真　ケベック開催の第12回国際フランス語教授連合（FIPF）世界会議（2008年、筆者撮影）　中央の男性は第2代フランコフォニー国際組織事務総長で元セネガル大統領のディウフ。

近年において、さらにケベックの存在を強くアピールするのに一役買ったのが、黒人として初めてカナダ連邦総督に就任した後、第3代フランコフォニー国際組織事務総長を務めたミカエル・ジャン（在任2015～19年）である。1代目、2代目とアフリカ出自の男性が続いたため、ハイチ系カナダ人の女性が選出されたことは大いに注目された。ハイチ生まれの彼女は、独裁政権を逃れるためにカナダに渡り、モントリオールで難民として受け入れられた。そのためケベックに対する思い入れは格別である。「世界に開かれたこの街が好き」と彼女によって表現されるモントリオールは、南北アメリカ大陸国際経済フォーラム開催（2017年6月）を機に、コモンウェルス事務総長、イベロアメリカ事務総長（SEGIB）、ポルトガル語圏諸国共同体（CPLP）事務総長、そしてフランコフォニー国際組織事務総長の彼女を含め、4人の女性トップが初めて一堂に会する場ともなった。

（鳥羽美鈴）

V

言語と教育

29

ケベック・フランス語の歴史

★独自のフランス語はどのように進化したのか★

ケベック州で話されるフランス語は、ヨーロッパで話されるフランス語とは異なる。フランス領ヌーヴェル・フランス植民地の建設以来、新たなフランス語の歴史が新大陸に誕生した。本章では、このケベック・フランス語（le français québécois）の歴史について概観したい。

ヌーヴェル・フランス植民地ではどのようなフランス語が話されていたのだろうか。初期の入植者たちの多くはフランス西部の出身であり、また当時すでにフランス語が普及していた都市部からやってきた人が大半であったようだ。彼らが話すフランス語の方言に、パリやパリ周辺からやってきた人々の話すフランス語が混じり、徐々に彼らの共通語が形成された。フランスには存在しない動植物の呼び方（たとえば、caribou〈トナカイ〉、atoca〈クランベリー〉）や地名（Chicoutimi〈シクチミ〉、Gaspé〈ガスペ〉）は先住民の言語から借用された。入植者の出身地の語彙がケベック・フランス語の中に定着する場合ももちろんあった。そのような語彙の例として、achaler（邪魔をする）、garrocher（投げる）が挙げられる。17世紀半ばから18世紀半ばにかけてフランスからの旅行者が、興味深い記述を残している。当時ケベックで話されたフランス語には「訛り」がなく、パリで話されるフランス語と遜色ないというものである。ところが、1763年のパリ条約でケベックが英国領となったことからフランスとの交流が途絶え、ケベックのフランス語は独自の道を歩み始める。また、フランスのフランス語もフランス革命以降、急激に変化していったため、二つのフランス語の隔たりは大きくなっていった。

19世紀以降、農村から都市部に働きに出る人々が増えるにつれ、都市で話されるフランス語には英語からの借用語（アングリシスム）が入り込むようになる（例：boss〈ボス〉、job〈仕事〉、brake〈ブレーキ〉、tip〈チップ〉、running〈スポーツシューズ〉）。19世紀初頭にはケベックにおけるフランス語の質の低下を嘆く声がエリート層に広がり、フランス語の正しい用法を指導するためのマニュアルや辞書の作成が行われるようになった。アングリシスムの排除、そしてケベックの人々の語彙を豊かにするという名目で、フランスで出版された辞書が参照された。「ジュアル」という蔑称を付けられたモントリオールの労働者階級の話し方に対して、特に1960年代に行われた批判は非常に厳しいものだった。このように、エリート層がフランスのフランス語を理想とする一方で、一般の人々は自分たちが話すフランス語に対する劣等感を強めていったのである。1960年代にウォレス・E・ランバートらによって行われた心理学実験は、ケベックの人々がフランス語に対して抱く言語不安を明らかにした。このような言語不安は、「静かな革命」以前のケベック社会では社会的・経済的な成功が英語と結びついたことが一因である。また、20世紀以降のマスメディアの発展によってフランスのフランス語を耳にする機会が増え、自分たちの話すフランス語とフランスのフランス語との間にある隔たりを知り、ケベックの人々は愕然とした。しかし、1960年代の「静かな革命」や1977年のフランス語憲章の制定を経て、ケベックの人々の言語意識も徐々にではあるが変化し、自分たちのフランス語を好意的に捉えるようになっていった。そのような態度は、1977年にケベック州教員協会が定義した「標準ケベック・フランス語」という概念にも表れており、「フランス語話者であるケベコワがフォーマルなやり取りで用いる社会的価値のある変種」であると定義された。しかし、ケベック州におけるフランス語の規範は、国際的なフランス語なのか、それとも標準ケベック・フランス語なのかについては、現在でも専門家の間に意見の一致がみられるわけではなく、また標準ケベック・フランス語の全体像が明文化されているわけではない。文法についてはケベック・フランス語の規範は基本的に国際的なフランス語と同様であり、国際的なフランス語と異なる独自の規範を持つとすれば、それは特に発音と語彙であることが多くの研究で指摘されてきたことである。

ケベック・フランス語の発音の規範は、カナダ放送協会フランス語総合チャンネル（Radio-Canada）のニュースキャスターの話し方であるという考えも一般的に普及しているようだが、カナダ放送協会は「カナダにおいて使用される正しいフランス語」を使うという方針を示しつつも、放送での発音は他のフランス語圏で用いられるものにできるだけ近づけるという方針も示している。ただし、最近の研究ではカナダ放送協会のニュースキャスターの発音に、1990年代頃から徐々に変化がみられ、ケベック・フランス語特有の発音の使用も確認されるようになったことが指摘されている。たとえば、/t/ や /d/ が $[t^{s}]$ や $[d^{z}]$ となる発音、子音で終わる音節で /i/, /y/, /u/ が唇の緊張を伴わずに発音されること、鼻母音 /ɑ̃/ や /ɛ̃/ が口の開きが狭く発音されることは、現在ではケベック・フランス語の標準的な発音であるとも考えられている。

語彙の規範化は、当初は民間レベルで進められたが、1960年代からは行政レベルで進められるようになった。1961年に設立されたフランス語局〈現在のケベック州フランス語局の前身〉は、ケベックのフランス語の質を向上させるという名目で国際的なフランス語を規範とし、当初はケベック特有の語彙〈ケベシスム〉については一部しか認めなかった。しかし、ケベックで定着しており、誰もが使用するような語彙を、次第に標準ケベック・フランス語の語彙として認めるようになった。たとえば、mitaine〈ミトン〉という語彙はフランスでは廃れてしまっているという理由から代わりにmoufleという語彙が推奨されたが、mitaineがケベックで広く普及している語彙であったことから再評価され、再び推奨されるようになったようだ。ケベック州フランス語局が作成し、ケベックで使用が定着した語彙がフランス語圏で推奨されることも増えた〈例：courriel〈電子メール〉〉。また、ケベック州政府の助成金を活用しシェルブルック大学の研究者が中心となって作成したオンライン辞書Usitoは標準ケベック・フランス語の語彙を記述する試みの成果であり、それぞれの語彙やその意味がケベック特有のものなのかどうか、またその語彙が標準的なものなのかどうかを教えてくれる。

ケベックの人々のフランス語に対する認識は、20世紀後半の社会変容とともに、大きく変化した。フランスのフランス語のみを妄信的に理想とすることもなくなり、ケベック・フランス語も標準性を持つという認識も生まれた。ただし、フランス語圏における相互理解という観点から、今後も国際的なフランス語に規範を求める姿勢も存在し続けるだろう。そして、他のフランス語圏の影響からケベック・フランス語が変化していく可能性もあれば、逆にケベック・フランス語が影響を与えることもあるだろう。

〈近藤野里〉

30

フランス語憲章

——★フランス語を死守する「永遠に油断しない」言語政策★——

今日のケベック州は、カナダのフランス語圏として知られる。しかし、現在の言語状況は、多数派の言語であるフランス語の社会的、経済的地位を上昇させた言語政策の成果である。

ケベック州最大の商業都市モントリオールでは、従来、経済界の上層部は英国系などの英語系、中・下層はフランス系という社会構造があった。英語系が都市部で経営する大規模な企業で働くフランス系は、昇進を望むなら経営者の言語である英語を仕事言語とした。また、1970年代後半までのモントリオールの主要な商業看板や広告は英語で表示されることが多く、州内の多数派はフランス系であるにもかかわらず「街の顔」は英語だった。さらに、主要デパートや格式あるレストランでは接客の言語も英語だった。また、ケベック州にやってくる移民は英語を習得し、アングロフォン（英語を普段の生活で話す人々）人口が増加する傾向があった。「静かな革命」による意識改革の影響でフランス系の出生率が低下するなか、この状況はケベック州の総人口に占めるフランコフォン（フランス語を普段の生活で話す人々）の比率低下に拍車をかけていた。

こうしたフランス語の劣勢状況を改善するために言語法が

導入されることになったが、最初に制定された1969年の「フランス語推進法」(63号法)と1974年の「(ケベック州)公用語法」(22号法)の法的拘束力は十分ではなく、より強力な言語法が望まれた。1976年11月、ルネ・レヴェック率いるケベック党はケベックの主権達成を究極の目的としてケベック州政権の座に就いた。同政権は、ケベック社会のフランス語化の強化を優先課題の一つとしていた。翌77年8月、同政権によって採択された「フランス語憲章」は214もの条項から成り、ケベック社会におけるフランス語の優位性を明確に規定する、世界でも類稀な拘束力をもつ言語法であった。また、ケベック州政府は、フランス語憲章担当大臣職とともに、同法の施行を監督し、違反を取り締まる使命を持つ言語機関(現在は「ケベック州フランス語局〈OQLF〉」と呼ばれる)を設け、ケベック社会の徹底的なフランス語化を進めた。

制定時のフランス語憲章(101号法)は、法的拘束力と適用範囲の両面において比類なき貫徹性を特徴としていただけに、それがケベック社会にもたらした変容と波紋はきわめて大きかった。特に、教育言語、商業看板を含むサイン表示言語、仕事言語という三つの分野については、連日マスコミで騒がれるほど物議を醸し、訴訟に発展することもあった。

フランス語憲章は教育言語に関し、「(公立の)幼稚園、小学校、中等学校においては、教育はフランス語で行われなければならない」(第72条)と規定した。英語系の学校に通学を許可されるのは、親の少なくとも一人あるいは兄弟姉妹がケベック州内において義務教育を受けた子どもたちに限られた。この条件を満たさない子どもたちは強制的にフランス語系学校に転校させられた。移民の子どもたちは、母語が何であれ、フランス語系の学校に通学することを義務づけられた。英語もフランス語も家

表1　フランス語憲章制定前と後のサイン表示

変更前	変更後	意　味
STOP	ARRÊT	止まれ
Mountain St.	Rue de la Montagne	マウンテン通り
The Bay	La Baie	ザ・ベイ百貨店
Eaton's	Eaton	イートン百貨店
Jackson Bros.	Frères Jackson	ジャクソン兄弟商店
Lou's Hardware	Quincaillerie Lou	ルー金物店
Brown's Shoes	Browns	ブラウン靴店
John the Barber	John Mon Coiffeur	理髪師ジョン
Kentucky Fried Chicken	Poulet frit Kentucky (PFK)	ケンタッキー・フライド・チキン

庭内で使わない移民、いわゆるアロフォンの子どもたちは、フランス語憲章制定以来、フランス語系学校に通学するようになり、フランス語を習得している。

フランス語憲章の効果を最も容易に知覚することができるのは、外を歩けば否が応でも目に入ってくる商業看板などのサイン表示である。制定時のフランス語憲章では、公共掲示物、標識、商業看板・掲示物、社名はフランス語で表示されねばならない（第58条、第63条）と規定されていた。そのため、外で目にするあらゆるサイン表示がフランス語に書き換えられた（表1）。英語表示の看板や広告は「違反サイン」としてケベック州政府の言語機関の検査員――アングロフォンに「言語警察」と揶揄された――に摘発され、経営者はフランス語表示に変えるか、罰金を払うかの選択を迫られた。それでも頑なに英語表示を続けるアングロフォン経営者も存在し、「表現の自由」を求めて訴訟にまで持ち込むケースも相次いだ。

フランス語憲章が最も重点を置いたのは民間企業における仕事言語のフランス語化である。中規模（社員数50名）以上の民間企業は、フランス語を業務言語としない場合、社員のフランス語教育や社内文書のフランス語への翻訳作業などを内容とする徹底したフランス語化プログラムが実施された。一定の期間を経て、フランス語が定着したことを認定する「フランス語化証明書」の取得が義務づけられたため、多くの企業ではフランス語が仕事言語としての地位が確立され、管理職全体に占めるフランコフォンの比率が上昇した。他方で、フランス語憲章を敬遠して、ケベック州外に転出した、あるいは本社を移転させたアングロフォン企業経営者も多く存在したことにも注目したい。

制定当時のフランス語憲章は、その法的拘束力の強さと当初の強引な施行のためにケベック州内外

上／写真１　ケベック州におけるケンタッキー・フライド・チキンのロゴ（2023年、筆者撮影）

フランス語憲章制定直後、ケンタッキー・フライド・チキンは、ケベック州では看板の表記をフランス語化してPoulet Frit Kentucky（PFK）に変えた。

下／写真２　アポストロフィを社名から外したティム・ホートンズ（ブリティッシュコロンビア州、2019年、筆者撮影）

ホッケー選手ティム・ホートンが1964年にオンタリオ州で開業し、今やカナダ最大のコーヒー・ドーナツのチェーン店となったティム・ホートンズ（Tim Horton's）は、フランス語憲章が制定されたとき、罰金を払うより規則を遵守した方が良いと考え、所有を示す英語のアポストロフィ（'）を社名から外し、ケベック州だけでなく州外でもTim Hortonsとした。

から批判を受けた。また、多くの訴訟でケベック州政府は敗れ、度重なる改定を余儀なくされた。そのなかでもケベック自由党政権が成立させた1993年の修正法（86号法）は、問題となっていた多くの点の規定を大幅に緩和した。この修正法によって、教育言語に関しては、ケベック州以外の州で英語による初等教育を受けたカナダ人の子どもたちも、ケベック州に移住した場合、英語系学校に通学できるようになった。また、ケベック州に短期滞在する子どもたちに関する例外事項も設けられた。しかし、新しく移民としてやってきた子どもたちは、母語が何であれ、公立学校に行く場合はフランス語系の学校への通学を義務づける点は譲っていない。また、86号法によって商業サイン表示に関してはバイリンガル表示が認められるようになったが、フランス語の文字の方が英語（あるいは他の言語）よりも大きく表示されることが規定されている。他方で、民間企業のフランス語化については規定を緩和する措置は取られなかった。

近年、フランス語憲章によってフランス語使用がケベック州の様々な領域において定着している。しかし、州民の言語選択と州内の言語状況をよく観察すれば、国際共通語である英語の力は強く、油断すればたちまち社会に侵入してくる。そのため、ケベック州フランス語局は多面的かつ詳細な調査によって英語の侵入を阻止している（第31章参照）。2022年、96号法によってフランス語憲章はさらに厳格化する方向で修正され、企業のフランス語化のさらなる強化、商業用看板の表記の厳格化、英語系セジェップ（第33章参照）への入学数の制限、仕事言語への規制の強化のほか、移民の徹底的なフランス語化を盛り込み、「永遠に油断しない」言語政策に生まれ変わろうとしている。（矢頭典枝）

31

ケベック州フランス語局（OQLF）

★英語の侵入を徹底的に監視する「言語の番犬」★

世界で最も成功した言語政策の事例といわれるフランス語憲章が制定されて45年以上経た現在、ケベック社会のフランス語化が定着したことは明白な事実である。この状況が実現したのは、「ケベック州フランス語局 Office québécois de la langue française」（以下、ＯＱＬＦ）という言語法の施行を監督する使命をもつケベック州政府の言語機関が、相当な用心深さ、計画性、忍耐力をもって、ケベック社会に英語が侵入している可能性を示す言語状況を探知し、それに対抗するために一層厳格なフランス語化政策を策定してきたからである。

フランス語憲章は１９７７年に制定されたが、ケベック州の言語機関はそれより前の１９６１年に「フランス語局」（Office de la langue française）という名称で設立された。当初のフランス語局はケベック・フランス語の質の向上を使命とし、その規範化に努め（第29章参照）、１９７０年代よりフランス語の専門用語の整備と開発に着手した。その後の改組によって２００２年に現在の名称となったＯＱＬＦは、近年、ウェブサイト上であらゆる業種と分野のフランス語専門用語を掲載した「用語大辞典」を公開し、文法や書法などフランス語に関するあらゆる情報を無料で提供している。

現在のOQLFの最も重要な使命は州内におけるフランス語の社会的、経済的地位の向上であり、フランス語憲章制定以降は、職場における仕事言語、商業用サイン表示言語、学校教育の言語を主な分野としてフランス語化が進められてきた。フランス語憲章第3章「検査と調査」によってOQLFは同憲章への違反の疑いに対して「捜査」をする権限をもち（第166条）、違反者がOQLFの改善命令に従わない場合はケベック州検察庁に告訴する権限をもつ（第177条）。こうして商業用看板（サイン）表示の違反には罰金刑が科されるなど厳しい規制がみられ、訴訟に発展することもある。OQLFは使命に満ちた高度な専門家集団を抱え、ケベック州政府が大きな予算を投じる役所である。また、OQLFの仕事は民間の協力に支えられている。一般市民はフランス語憲章が遵守されていない状況を発見した場合、オンライン、文書、電話によってOQLFに苦情を申し立てることができる。

OQLFは、フランス語憲章第160条によって、ケベック州における言語状況の変化を監視し、フランス語憲章担当大臣に少なくとも5年ごとにその状況について報告する義務を持つ。そのためOQLFはケベック社会の言語状況とフランス語化の進行状況について綿密な調査を行い、その結果を随時公開し、それらに基づいて州政府刊行物を数多く刊行し、OQLFのウェブサイトでも公開するとともに、マスコミを通してケベック州民に言語状況を周知している。OQLFはフランス語が支配的になってきた近年の言語状況を楽観視せず、英語の侵入と考えられるあらゆる兆候を突き止め、警鐘を鳴らしている。以下では、メディアで取りざたされた最近の主な事例をみてみよう。

まずOQLFが最も問題視したのは商業施設の屋外の「英語の商標看板」の増加だった。第30章でみたように、1993年より商業サイン表示に関してはバイリンガル表示が認められるようになった。これと同時に、登録された商標（フランス語版が登録されていないもの）は、フランス語以外の言語での一言語表記の商業用看板として認められた。そのため、米国から進出してきた大手小売店や飲食店が社名を商標登録して英語のみの看板で営業するようになった。これを受けて、2012年、OQLFは英語のみの商標看板を出して営業している企業に対して警告を発したが、Walmart, Costco, Best Buy, Gap, Old Navy, Guess, Toys "R" Us, Curvesの8社がケベック州政府に対して訴訟を起こし、ケベック州上級裁判所に訴えを認められ、勝訴した。こうした動きを受け、2016年、ケベック州政府はフランス語憲章に付随する「商業とビジネスの言語に関する行政規則」を改訂し、英語のみの商標看板には事業の内容を示すフランス語の語句を併記しなければならないとする新規則を打ち出した。この新規則を遵守しない場合、フランス語憲章第177条により、OQLFは当該事業主をケベック州検察庁に告訴し、1500〜2万カナダドルの罰金を科すことができる。フランス語憲章をさらに強化する目的で2022年に発効した96号法では、この新規則がフランス語憲章第58条に組み込まれることが明記された。2023年現在、Costcoは« Entrepôt（倉庫型店舗）», Walmartには« supercentre（スーパーセンター）»など、英語のみの商標看板にはフランス語の語句が併記されている状況が観察される（写真1、2）。

OQLFが最も力を入れている「企業のフランス語化」も96号法によってさらに規制が強化された。フランス語憲章制定当時から、50名以上の社員数を有する企業には、社員のフランス語教育、社内におけるフランス語使用の定着化などを内容とする「フランス語化プログラム」の実施が義務化されていたが、ＯＱＬＦの調査により、中小企業においても英語の使用が上昇していることが判明した。このため、96号法は、25名以上の社員数を有する企業にも「フランス語化プログラム」の実施を適用する方向でフランス語憲章を強化した。さらに、ビジネスの分野では「接客時の挨拶の言語」も問題視された。モントリオール中心部の商業施設の店舗において、フランス語と英語のバイリンガル挨拶“Bonjour. Hi.”が広まっていることが度々メディアで取りざたされ、一般市民から多くの苦情がＯＱ

上／写真１　フランス語の « Électronique Électroménagers » を併記した Best Buy の店名表示
（モントリオール郊外、2022 年、筆者撮影）
下／写真２　フランス語の « Supercentre » を併記した Walmart の店名表示
（モントリオール郊外、2022 年、筆者撮影）

LFに寄せられた。英語のみの挨拶とバイリンガル挨拶が増えていることを突き止めたOQLFの詳細な調査結果を受けて、96号法によって、消費者がフランス語でサービスを受ける権利が尊重されるという文言がフランス語憲章に顕著に明記された。現在では、フランス語のみの挨拶“Bonjour.”が奨励されている。

教育の分野では「英語系セジェップへの入学制限」が挙げられる。フランス語憲章は初等教育と中等教育に適用され、高等教育機関であるセジェップ（第33章参照）には従来適用されなかった。それゆえ、英語を母語としない生徒が英語系のセジェップに入学する傾向が強まり、この状況をOQLFは問題視した。OQLFは2019年の報告書のなかで、2015年に英語系セジェップに入学した生徒の割合は、英語を母語とする生徒が38・5％、英語とフランス語以外を母語とする者が33・2％、フランス語を母語とする生徒が28・2％だったと報告している。また、モントリオール島に限れば、2020年度に大学進学希望者向けのセジェップに入学した8万7560人のうち、53・6％がフランス語系セジェップ、46・1％が英語系セジェップに入学したことがわかった。2016年国勢調査でモントリオール島の英語母語話者の割合が16・1％であったことに鑑みれば、英語系セジェップへの入学率は高すぎるとOQLFは警鐘を鳴らした。OQLFの勧告を受け、ケベック州政府は96号法にフランス語憲章をセジェップにも適用する新規定を盛り込んだ。

2022年の96号法の発効以降、フランス語憲章は「永遠に油断しない」言語政策に変容している。ケベック州の言語政策の策定は、このように「言語の番犬」たるOQLFによる言語状況の徹底した監視と分析に始まるのである。

（矢頭典枝）

コラム10

アカデミー・フランセーズ、ついにケベック式の言語政策に屈服！

立花　史

　フランス語には、文法上の性別が存在する。男性名詞と女性名詞が存在し、たいていの場合、人間の女性や生物のメスには女性名詞が、男性やオスには男性名詞が用いられる。それにしたがって、冠詞や形容詞も変化する。そう聞くと、ではノンバイナリー（男にも女にも分類されない性認識）の人はどうするの？という疑問を抱く人もいるだろう。至極まっとうな疑問だが、待ってほしい。フランス語ユーザーは、それ以前のところでジェンダーに関する大きな問題に直面する。

　その問題とは、男性名詞と女性名詞は対称的ではないという点だ。あとで具体的にみてゆくが、伝統的に男性が就くことの多い職業や活動に従事する人を指す名詞には、男性形しか存在しないことが多い。その場合、女性に対しても男性形が用いられてきた。さらに言うと、男性名詞は、とりわけ複数形の場合、男性だけの集団を指すこともあれば、男女混成の集団を指すこともある。日本語で「学生」といえば、男子学生も女子学生も含むが、「女子学生」といえば、女性しか含まない。「学生」と「女子学生」のような非対称的な関係が、フランス語では、男性名詞と女性名詞に振り分けられている。

　もちろん、こうしたフランス語の特性は、古典語から引き継いだ特性に由来する部分もあって、たいていのヨーロッパの言語にみられる。しかしまた、それが、伝統的に、女性の社会参加の少ない社会における言語使用によって強化されてきた側面も否めない。そのため、ケベックでは1970年代から、フランス語の慣用が見直され、州政府とその管轄下にあるケベック州フランス語局によって、職業名詞の女性形化が推進されてきた。男性形しかない職業名詞に女性形の語尾をつけて女性名詞を作ることがよくある。たとえば、教員を指す professeur が pro-fesseure に、市長を指す maire が mairesse になる。また、男性の冠詞 le をつけて使われてきた男女同形の〝通性名詞〟である職業名詞（大臣を指す ministre）には、女性の冠詞 la をつけたりするようになった。こうした改革は、英語圏の影響もあるだろう。北アメリカが、伝統のしがらみが少ないゆえに先進的な議論が進みやすいことや、英語が、文法上の性別のマーカーをいち早く失った言語であることも無関係ではない。

フランスでも、１９７０年代からケベック式の提案が検討されたものの、伝統のしがらみゆえに反発も根強かった。その一翼を担ったのが、アカデミー・フランセーズである。これは、17世紀の絶対王制下で創設され、フランス語の規範化を推し進めて来た国王直属の組織で、革命もどうにかかくぐり抜け、今日でも国立の機関として、フランス語の使用に関して大きな権威を有する。フランス政府の方は、１９９９年に、職業名詞の女性形化を促進するため、ガイドラインを策定した。ガイドラインは、女性形化は、新しい動向であるだけでなく、フランス語の規範化が進む以前の12～16世紀には行われていたやり方を踏まえているのだが、アカデミーは、依然として職業名詞の女性形化に抵抗しつづけた。しかし２０１０年代に、左派政権下の諮問機関がいっそうラディカルな〝包括的書法〟を提案し始めると、アカデミーは、激しい抵抗を見せながらも、ようやく２０１９年2月28日、女性形化だけは「原理的障害がない」と認めるに至った。ケベック州フランス語局の方はすでに、ノンバイナリーの人たちが使いやすいように、性別そのものにいちいち言及しないフランス語表現を検討する段階に入っていることを考えれば、アカデミーの女性形の承認は画期的なことなのだろうか。

表　ケベック州が提唱する人の呼称の女性形

男性形の語尾	男性形	女性形	備考 －：基本的には e を付加
-e	un diplomate（外交官）	une diplomate	通性名詞（冠詞や形容詞で区別）
-é	un député（代議士）	une députée	－
-er	un boucher（精肉店の店員）	une bouchère	－
-ieur	un financier（資本家）	une financière	－
-eur (-teur 以外)	un danseur（舞踊家） un professeur（教授）	une danseuse une professeure	揺れ
-teur	un chanteur（歌手） un directeur（ディレクター）	une chanteuse une directrice	揺れ
-or	un major（幕僚）	une majore	－
-c	un syndic（組合員） un clerc（聖職者）	une syndique une clerc*	* 語尾の -c が無音の場合、通性名詞
-d	un marchand（商人）	une marchande	－
-f	un natif（～生まれの人） un chef（シェフ）	une native une chef*	*chef の女性形には une chef, une cheffe がある。
-l	un consul（領事）	une consule	－
-n	un écrivain（作家）	une écrivaine	－
-s	un marquis（侯爵） un commis（事務員・店員）	une marquise une commise*	*commis の女性形には une commis, une commise がある。
-t	un avocat（弁護士）	une avocate	－
-x	un époux（配偶者）	une épouse	-x → -se
女性形が -esse になるもの	un prince（王子） un défendeur（被告）	une princesse une défenderesse	高位の肩書 法律用語

出典：OQLF, Banque de dépannage linguistique, https://vitrinelinguistique.oqlf.gouv.qc.ca/21905/la-redaction-et-la-communication/feminisation-et-redaction-epicene/feminisation-des-appellations-de-personnes/liste-dappellations-de-personnes/liste-dappellations-de-personnes

32

言語的多様性とケベック州民の言語使用

――★モントリオールにはフランス語と英語のバイリンガルが多い★――

２０２２年現在、カナダ全体では移民を年間40万人以上受け入れ、そのうちの15・３％がケベック州に定着している（２０２１年国勢調査）。世界中からやってくる彼らの母語は多様である。ところで、「母語」という語の定義は国によって異なる。カナダ統計局は母語を「子ども時代に最初に家庭で身につけ、国勢調査回答時にまだ理解できる言語」と定義している。このように定義したのは、子どもの頃にカナダに到着する移民は、学校に行き始めると英語圏では英語、フランス語圏ケベック州ではフランス語の方が母語よりも強くなっていくからである。

２０２１年の国勢調査によると，総人口約８５０万のケベック州では、複数回答を含めてフランス語を母語とする州民は76・２％、英語を母語とする州民は８・２％である。また、フランス語と英語以外の言語を母語とする州民は増加し続け、14・０％に上っている。これに加えて、フランス語と英語の両方を母語とする州民が１・８％存在する。移民が集中するモントリオール島ではこの傾向が顕著であり、同様にフランス語母語話者が46・４％、英語母語話者が17・９％、フランス語と英語以外の言語の母語話者は32・８％にも上り、さらにフランス語と英語両方の母語話者が3・0％存在する。フランス語と英語以外の母語の内訳は、多い順に、アラビア語（19・2％）、スペイン語（15・0％）、イタリア語（7・9％）、マンダリン（標準中国語）（4・7％）、ハイチ・クレオール（4・4％）、ポルトガル語（3・5％）、ギリシャ語（3・0％）、ルーマニア語（2・9％）、ロシア語（2・7％）、ベトナム語（2・4％）、パンジャビ語（2・1％）、広東語（2・0％）、タガログ語（1・9％）、イラン・ペルシア語（1・8％）、アルメニア語（1・5％）などである。

冒頭で触れたように、移民の子どもたちはカナダに長く住むにつれて学校で使う言語の方が母語よりも強くなる。やがて家庭内でも子どもたちは家族と英語またはフランス語を話すようになる傾向がある。カナダ統計局は「母語」と区別して、「現在、家庭で最も話す言語」と定義される「家庭言語」も国勢調査の質問項目としている（複数回答あり）。カナダでよく耳にする「アングロフォン」、「フランコフォン」、「アロフォン」という語は一般的には「母語」よりも「家庭言語」に基づく用語だと解釈され、アングロフォンは英語を、フランコフォンはフランス語を、アロフォンはそれ以外の言語を普段の生活で話す、という意味合いで使われることが多い。

「家庭言語」の変遷を示す表1が示すように、フランス語のみを家庭言語とする州民の割合が近年低下し続け、2021年の国勢調査ではケベック州民全体では77・5％、モントリオール島では48・3％となっている。フランス語以外の言語との併用を含めると、それぞれ81・0％と55・0％である。これに対し、英仏両言語を家庭で使用する割合が上昇し、特にモントリオール島では2021年には英語のみの割合が24・2％となり、英語使用の割合は、英語と他の言語の併用の割合を含めると30・0％に達している。この言語状況はケベック州フランス語局（ＯＱＬＦ）（第31章参照）の懸念材料の一

表1　ケベック州全体とモントリオール島の家庭言語の変遷（%）

家庭言語　　年	ケベック州全体 2011	2016	2021	モントリオール島 2011	2016	2021
フランス語のみ	80.0	79.0	77.5	50.3	49.8	48.3
英語のみ	9.8	9.7	10.4	23.4	22.8	24.2
先住民の言語のみ	0.5	0.5	0.4	0.0	0.0	0.0
英仏以外の言語のみ	6.6	6.8	7.5	18.9	18.3	18.7
フランス語を含む複数言語	2.6	3.3	3.5	5.7	7.1	6.7
フランス語と英語	0.9	1.1	1.6	1.5	1.8	2.7
フランス語と英仏以外の言語	1.3	1.7	1.4	3.2	4.0	2.9
フランス語と英語と英仏以外の言語	0.4	0.5	0.5	1.0	1.3	1.1
フランス語を除く複数言語	0.6	0.7	0.8	1.7	2.0	2.1
英語と英仏以外の言語	0.6	0.7	0.7	1.7	2.0	2.0
複数の英仏以外の言語	..	..	0.0	..	..	0.1

出典：Répartition de la population selon la langue parlée le plus souvent à la maison, régions métropolitaines de recensement (RMR) du Québec, 2011, 2016 et 2021 (Institut de la statistique du Québec, 2022)

つとなっている。

他方で、2021年、英仏以外の言語のみを家庭言語とする州民の割合はケベック州全体では7.5%、移民が多いモントリオール島では18.7%となっている。モントリオール島では、英仏以外の言語がフランス語と英語と併用されている状況も表1から観察される。英仏以外の言語が家庭言語である割合は、それが母語である割合よりも低い。フランス語憲章の規定によって（公立の）初等・中等教育ではフランス語の学校への通学が義務づけられるため、フランス語以外の言語をもつ移民の子どもたちは、次第に家庭内でも母語よりもフランス語の方を話すようになるのである。さらに、ケベック州フランス語局の詳細な調査では、フランス語憲章の効果が出始めた1980年代以降にケベック州に移住してきた、英仏以外の言語を母語とする移民たちの多くは、英語よりもフランス語を家庭言語にする場合が多いことがわかった。なかには英語も習得し、さらに家庭では母語も話し、いわゆるトライリンガルになる移民も多く、2021年の国勢調査ではモントリオール都市圏の労働人口の28.0%がトライリ

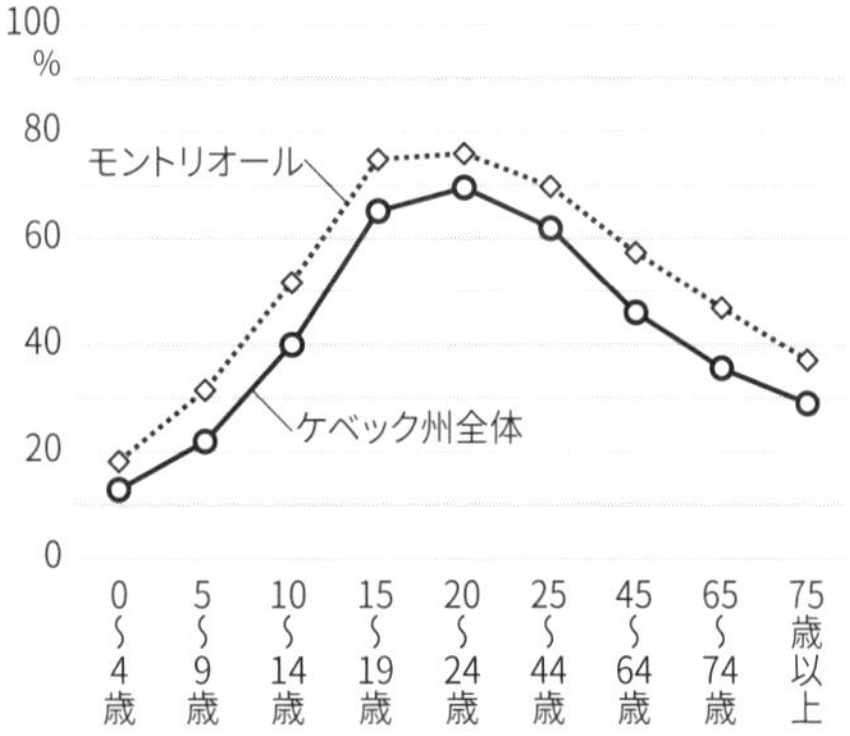

図　年齢層別にみたケベック州全体とモントリオール都市圏の英仏バイリンガル率（2021 年）
出典：*Knowledge of official languages by age: Canada, provinces and territories (Census 2021), Table: 98-10-0222-01* (Statistics Canada, 2022) より筆者作成

ンガルだということがわかった。

ケベック州民の言語使用について特筆すべきは、フランス語と英語の両方を話せるバイリンガルが多い点である（図）。カナダの英仏語バイリンガルの59・2％がケベック州に集中している（２０２１年国勢調査）。フランス語憲章が制定される前の１９７１年の国勢調査ではケベック州民のフランス語と英語のバイリンガル率は27・6％であったが、２０２１年カナダ国勢調査では、46・6％に上り、カナダ全体の18・0％を大きく上回った。ケベック州のなかでもモントリオール都市圏のバイリンガル率は極めて高い。年齢層別にみれば、すべての年齢層でモントリオール都市圏はケベック州全体を上回り、20歳から24歳の年齢層で最も高く、75・9％となっている。バイリンガル率が高い現在の40歳代前半以下の年齢層は、フランス語憲章制定以降に学校教育を受けた、いわゆる「フランス語憲章の申し子たち」のなかでも、フランス語憲章の効果が表れ始めた１９９０年代以降に学校教育を受けた州民である。この年齢層では、少数派である英語母語話者がフランス語を習得し、移民がフランス語を習得するだけでなく英語も習得する場合も多い。他方でフランス語母語話者の多くがフランス語憲章によってフランス語が守られているという安心感に包まれ、英語を積極的に学習して自由に使う態度を身につけているのである。

ケベック州政府はフランス語のみを州レベルの公用語とし、フランス語憲章によってフランス語の

表2　フランス語と英語を仕事言語として使う割合（2021年、%）

仕事で最も使う言語	カナダ全体	ケベック州全体	モントリオール都市圏	モントリオール島
フランス語	19.9	79.9	70.0	56.7
英語	77.1	5.4	8.3	31.3
フランス語と英語	1.7	14.0	21.0	10.3

出典：*Speaking of work: Languages of work across Canada, Census of Population, 2021* (Statistics Canada, 2022) および *Répartition des travailleuses et des travailleurs selon la langue utilisée le plus souvent au travail, régions métropolitaines de recensement (RMR) du Québec, 2011, 2016 et 2021* (Institut de la statistique du Québec, 2022).

保護と地位向上に努めているが、特にモントリオールではビジネスの言語として英語もかなり使われている。２０２１年カナダ国勢調査の「仕事言語」の統計によれば、ケベック州全体においては、フランス語を仕事で最も使うと回答したケベック州民は79・９%であり、２００１年の81・８%より低下していることが報告されている。表２が示すように、モントリオール都市圏に焦点を絞れば、２０２１年には仕事で「フランス語を最も使う」の回答が70・０%、「英語を最も使う」が８・３%、「フランス語と英語を同等に使う」が21・０%となっている。さらに、商業活動が最も活発な都市圏の中心部モントリオール島では、仕事で「フランス語を最も使う」の回答が56・７%、「英語を最も使う」が31・３%、「フランス語と英語を同等に使う」が10・３%となっている。

より詳細な調査では、言語集団別にみれば英語を仕事で使う傾向が最もあるのはアングロフォンであり、業種別では、情報・文化産業、金融・保険業、科学技術系でフランス語使用の低下が報告されている。ビジネスに強い国際共通語としてケベック社会に浸透する英語に対して多くのケベック州民は懸念をもち、ケベック州フランス語局はフランス語憲章のさらなる強化に乗り出しているのである。

（矢頭典枝）

ケベックのアングロフォン

コラム11

大石太郎

2021年のカナダ国勢調査によれば、フランス語を州の唯一の公用語とするケベック州において英語のみを母語とする住民は約64万人である（母語の定義は第32章参照）。このほかに、複数の言語を母語として回答した人のうち、「英語とフランス語」、「英語とフランス語に加え英仏以外の言語」、「英語と英仏以外の言語」を母語とする人があわせて約20万人存在する。また、フランス語や英語を母語としない人も日常生活ではそのいずれか一方または両方を話すのが一般的であることから、カナダ統計局はいくつかの指標から統計学的に算出した第一公用語というデータも公表している。それによると、ケベック州において英語を第一公用語とするのは約109万人、英語とフランス語の両方が約33万人である。これらを勘案して最も大きく見積もれば、州の人口の約15%が英語を日常的に用いるアングロフォンといえる。

アングロフォンはケベック州内に均等に分布しているわけではなく、第一公用語を英語ないし英語とフランス語の両方とする人の約8割はモントリオール都市圏に居住し、なかでもウェストアイランドと呼ばれるモントリオール島西部には英語を母語とする人口が多数を占める自治体もある。また、オンタリオ州との境界をなすオタワ（ウタウエ）川をはさんでカナダの首都オタワの対岸に位置するウタウエ地方もアングロフォンが少なくない。古くからの居住者に加え、オタワに勤めるアングロフォンが生活コストの低いケベック州側を居住地に選択するからである。見逃せないのが、コートノール地方の最東端にあたる地域である。この地域は、ケベック州に属しているものの実質的には隣接するラブラドール地方（ニューファンドランド・ラブラドール州の本土部分）の続きであり、人口規模はごく小さいものの、住民のほとんどがアングロフォンという、ケベック州では異色の土地である。

写真１　英語を教育言語とする公立学校にみられる標識（モントリオール市内、2011年、筆者撮影）　アングロフォン向けの施設でも標識には英語表記の前にフランス語が併記されている。

モントリオールは19世紀初頭以来カナダ経済の中心として繁栄し、その中枢を担ったアングロフォンが多く居住してきた。モントリオールでは、数の上ではフランコフォンが多数派であっても、たとえば百貨店は１９７０年代まで顧客が英語を話すべき場所であった。しかし、１９７６年にケベック党が州政権に就き、翌77年にフランス語憲章が制定されると、他州に拠点を移す企業が出始め、それに伴ってアングロフォンの州外への流出も相次いだ。現在では、アングロフォンはケベック州がフランス語の地域であることを受け入れており、多くはフランス語を流暢に話す。州内各地に英語を教育言語とする公立学校は存在するものの（写真1）、それらの学校でも一部の教科はフランス語で教えられている。また、モントリオール以外の地域では英語を教育言語とする公立学校に通おうとすると長時間の通学を余儀なくされる場合があり、アングロフォンの家庭であってもフランス語を教育言語とする近くの学校に子どもを通わせることも珍しくない。

写真2　モントリオール・ガゼットの社屋（2004年、筆者撮影）現在は中心市街地《ダウンタウン》の別の場所に移転している。

とはいえ、州内には1821年創立の名門マギル大学をはじめ、英語を教育言語とする高等教育機関が存在するほか、1778年創刊の英語日刊紙モントリオール・ガゼット（写真2）など英語メディアも充実しており、モントリオールを中心に官公庁や多くの商業施設で英語が通用する。したがって、ケベックのアングロフォンは、彼らと同様にカナダの公用語少数派に位置づけられるケベック州外のフランコフォンより恵まれているといえるかもしれない。というのは、ケベック州外のほとんどの地域では、フランス語を教育言語とする学校といった特定の施設をのぞくとフランス語がほぼ通用しないのが現実だからである。

ただ、2022年にケベック州で96号法が成立してフランス語憲章がさらに厳格化されたのに続き、連邦レベルでも2023年に改正公用語法が成立し、ケベックのアングロフォンをとりまく環境は新たな局面を迎えている。

33

教育制度

――★政教分離を経て未来の人材を輩出する教育へ★――

ケベックの義務教育は6歳から16歳で、日本と同じく小学1年生から始まる。しかしたいていの子どもは、その前年のマテルネルと呼ばれるゼロ学年に入学する。日本の幼稚園の年長にあたる年が小学校についている形である。一部マテルネルを2年にする動きもあるが、0～5歳向け施設が不足している地域の需要を補うのが主な目的だ。0～5歳児はCPEと呼ばれる公立の保育園もしくは私立の保育園や家庭保育所（日本でいう「家庭的保育事業」）に通う。CPEが作られたのは1997年ブシャール政権下、のちに初の女性ケベック党党首・州首相となるポリーヌ・マロワが教育大臣の時で、「家庭と労働の調和をはかり、あらゆる子どもたちへの保育施策を拡充し、皆に平等な機会を与える」という三つの目的があった。そして、保育費（給食と2回のおやつ込み）は1日一律5ドルとされた（2022年現在は1日8・35ドル）。これは近年、州外でも評価されるようになったケベックの誇る政策である。実際にカナダの他州の保育費はこの数倍から10倍ほどかかる。ケベックでは育児支援もさることながら子どもの最善の利益を考え、就学前児童教育が大切に考えられているためである。

このようにケベック州は就学前児童に対する教育に関してはカナダのなかでも一歩進んだ政策を行っているが、「独自の社会」としてのケベック州の教育政策の歴史は浅く、1960年代に始まった。ケベック州政府が1961年に設置した教育調査審議会（通称「パラン審議会」）は教育行政における政教分離を勧告し、それに基づいて1964年にケベック州教育省が設置された（第9章参照）。カトリックとプロテスタントに分かれていた教育委員会が一元化されたことは画期的であった。

それ以前の教育は宗教と切り離して考えられないものであった。歴史を紐解けば、そもそもヌーヴェル・フランス期の移住者はカトリックであることが条件であり、初の学校（男子校1635年、女子校1639年）の開学も宣教師によるものであった。植民地統治の最高評議会には教会の最高責任者が制度上含まれており、教育と福祉は教会の権限が特に強い分野であった。教会は、司教の任命等を通して絶対王政の権限下に置かれる一方、教育を無償で行うことができた。しかし1763年に英国植民地となる頃には、戦争で教会活動は不安定になり学校教育運営も難しくなった。この頃、英国系住民のための学校が開校し始めた。その後1774年のケベック法、1791年の立憲法、1801年の教育法、1824年の教育法、1841年の新教育法を経て、カトリックとプロテスタントの分離教育が制度化されていった。この経緯から1867年英領北アメリカ法（現在の1867年憲法）で教育が州の専管事項とされ、ケベック州が翌年に公教育省を設置した後も、教育委員会は二つの宗派に分かれていた。オンタリオ州ではプロテスタントが、ケベック州ではカトリックが優勢であり、それぞれの州でもう一方の宗派は少数派として存在することとなった。これがケベック州では宗教から言語間問題に置きかわっていった。

１９６４年のルサージュ政権下の改革で、教会は公立学校運営からは切り離された。しかし、教育委員会が宗教別ではなく言語別制度に完全に再編されたのは、１９９８年である。１９９７年にケベック州の要請により、連邦政府との間で、教育に関する１８６７年憲法第93条について、序文の州自治のみをケベック州に適用し、宗教に関係する残りの第１号から第４号条項を適用しないという取り決めが行われたからである。こうして学校教育と宗教が切り離されたため、初等中等教育ではカトリック・プロテスタント・道徳いずれかの科目選択を行うこととなり、生徒は当該科目時間帯に別々の教室に分けられた。２００８年にはついに倫理とともに教養として宗教を学ぶ科目に再編成され、公教育の場での宗教による分離は廃された（第34章参照）。もちろん公立学校と設立経緯の異なる有償の私立学校はこの限りではなく、二つの宗派によらずに生徒を受け入れるものが多かった。このため今日私立学校は、国際コースやスポーツ等特化されたプログラムや施設をより多く有している。

写真　モントリオール市内における公立小学校の朝の授業風景
(2022年、筆者撮影)

小中等教育で学年暦は８月末に始まり、６月24日のケベックの日を前に終わる（写真）。子どもたちは月曜日から金曜日まで、午前８時または８時半から午後３時または３

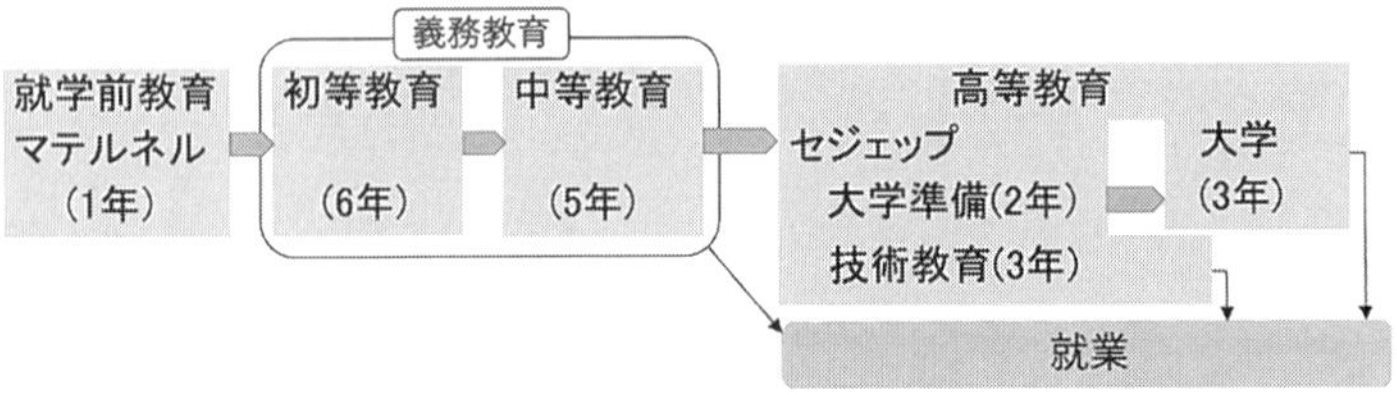

図　ケベック州の教育制度の模式図（筆者作成）

時半まで学校に通う。夏に2ヶ月間の休暇、クリスマスに2週間の休暇、3月に1週間の中休みがある。小学校低学年の1学級の人数は上限が22人で、学年ごとに増えて中等教育の3、4、5年生の上限が32人である。教科別進級制が導入されており、生徒に寄り添った進み方ができるようにいくつかの教科を違う学年の生徒と一緒に受けることも可能である。

大学入学前までの教育の無償化も1964年に実現した。歴史的経緯で複雑になった制度体系に統一性をもたせ、教育の機会の平等と質の向上が目指された。この時期に導入されたケベックの教育制度の特徴は、高等教育機関として設置されたセジェップ（CÉGEP）である（図）。大学を3年の専門教育とし、5年の中等教育と大学の間にセジェップが位置づけられた。セジェップには2年の大学前基礎教養課程と3年の技術教育課程があり、後者は専門性のある職業に就く人材を養成する。日本の短大のように高等教育であるが、大学入学前であるため無償の対象課程である。また、学生は州の貸与奨学金を受けて学生生活をおくることも可能である。州内には現在48のセジェップ（うち六つが英語系）があり、130種の職業に就くための様々な技術教育課程がある。

ケベック州には連邦国防省が管轄するサンジャン国立軍事大学を除いて、州が管轄する大学が18校あり、その多くはフランス語を教育言語としている。最も学生数が多いのはモントリオール大学である。また、ケベックシティにはカナダ最古の高等教育機関であるラヴァル大学がある。英語を教育言語とする大学もあり、なかでもモントリオールにあるマギル大学は、ノーベル賞受賞者を12名輩出した有数の名門校として知られる。これらの伝統校に対して、1968年にケベック州政府によって設置されたのがケベック大学群の10校であり、そのうち最も学生数が多いのはケベック大学モントリオール校（UQAM）である。ケベック大学群は、ケベックの発展を促進することを使命として、広い州内の多くの人が通えるように地域に分散して設立された。そのため、地域特性を活かしたプログラムが組まれている。たとえば、リムスキー校では海事科学が、アビティビ・テミスカマング校では森林開発や先住民学生対象プログラム等が設けられている。また、ケベック大学群は1960年代の教育改革や、冒頭で述べたCPEの設置および拡充に伴う教員養成の需要に応える目的を果たした。

教育が州の管轄で財源も州民の税金（固定資産税）であるため、高等教育の学費は州民・他州民・外国人の三つのカテゴリーに明確に分かれている。このため外国人留学生の学費は高額になるが、フランスおよびベルギーのフランス語話者の学生は政府間協定に基づき、他州民と同じ学費となる。ただし、ケベック州最大都市モントリオールは北アメリカで最も学生の多いまちであり、外国人留学生もカナダ最多の1万5000人に上り、世界中から集まってくる。その中から優秀な人材を確保するために大学院生にはケベック州民との学費の差額を免除する奨学金を設けたり、修了証を取得した留学生が州に残って貢献できるよう移民政策がとられたりしている。

（神崎佐智代）

34

「倫理・宗教文化」教育

★社会のライシテの動きを象徴する学校の科目★

ケベックの「倫理・宗教文化」教育とは何だったのか。これはもはやこのように過去形で問われるべきものなのだろうか。2008年にケベックの公立・私立を問わずすべての小中学校で、統一必修科目として新設された「倫理・宗教文化」は、ケベック未来連合（CAQ）政権が2020年に廃止を発表したことを受けて、別の科目に置き換えられようとしている。

ケベックにおいて教育の権限は長らくカトリック教会が握ってきた。教育制度を特徴づけていたのはカトリックとプロテスタントの二元性だったが、数では前者が多数派、社会階層的には後者のほうが高かった。1960年からの「静かな革命」のなかで1964年に教育省が創設されると教育の権限は州政府に移るが、宗教教育の実権はカトリックとプロテスタントの委員会が握っていた。子どもたちは学校で「カトリックの宗教・道徳」か「プロテスタントの宗教・道徳」を選ぶことになっていた。社会の多様化と世俗化に伴い、1984年からは三つ目の選択肢として「道徳」が設けられた。

ケベックでは1990年代に「政教分離」や「世俗主義」を意味する「ライシテ」という言葉が広まり、2000年前後から教育のライシテ化が進む。世俗化は一般に社会における宗教の漸次的な後退を意味するのに対し、ライシテ化は公的な制度を宗派や宗教の影響力から解放することを意味する。1997年にそれまで宗派別だった教育省のカトリックとプロテスタントの委員会がフランス語と英語の言語別の委員会に改められると、1999年のプルー報告書はそれまでの「宗派教育」に代えて「宗教文化教育」を導入するよう提言した。こうして「倫理・宗教文化」は、2008年の新学期からケベックの学校で全面的に教えられるようになった。

この新設科目は三つの柱に支えられていた。第一に、倫理的問題についての省察である。「道徳」は普遍的に妥当するとされた一般的な善悪を教えるものだったとすれば、「倫理」はいちがいに善悪の判断がつかない物事を具体的な状況のなかで考えるように誘うものである。

第二に、宗教現象についての理解を深めることである。多様化するケベック社会において共生を実現するには、複雑な宗教現象についての理解が欠かせない。この時点でのケベックのライシテを特徴づけていたのは、フランスのライシテのように公教育の場から宗教そのものを遠ざけるのではなく、文化としての宗教を学校で教えることは可能との考えが主流だったことである。

第三の柱は、対話の実践である。倫理問題にせよ、宗教問題にせよ、異なる考え方や生活態度をしている相手との対話が欠かせない。対話によって、違いを認め合いながら、同じ社会の成員として将来を展望することができる。

こうして「倫理・宗教文化」という科目は、共通善の追求と他者の承認の二つを目的に掲げていた。社会統合と多様性の承認は現代民主主義の大きな課題である。ケベックには、マジョリティである主

写真　コレージュ・レジーナ・アスンタにおける「倫理・宗教文化」の授業風景（2011年、筆者撮影）

文化とマイノリティである副文化がフランス語による対話を通じて、伝統を保持しつつおもに外部からもたらされる新しさを触媒とする変化にも開かれた政治哲学ないし社会思想として間文化主義《インターカルチュラリズム》という考え方がある。「倫理・宗教文化」は、高等教育への進学などの観点から見れば必ずしも教育カリキュラムにおける最重要科目ではないが、間文化主義の理念を共有する象徴的な科目といえる。

筆者はモントリオールにある名門私立のコレージュであるレジーナ・アスンタで「倫理・宗教文化」の授業を見学したことがある（写真）。この科目の教員が、２００８年の授業開始に備えて授業負担を軽減してもらい、自前の教材作成の時間を確保したということもあって、質の高い授業だった。個々人には違う考えがあること、宗教およびその他の世界観によってものや社会の見え方が違ってくること、対話によって互いの考えを豊かにしうることが実感できた。

だが、間文化主義が、伝統的な保守派からは、マイノリティの権利保障に傾きすぎており、そのような多文化主義は社会を分断に導くと言われ、市民権を重視する左派からは、マジョリティ文化とマイノリティ文化の区別と実体化は、マイノリティ差別につながると批判されたように、「倫理・宗教文化」は様々な立場からの反対にもさらされてきた。

カトリック保守派は、学校で多様な宗教を教えると、家庭での宗教教育と矛盾するうえ、子どもが価値相対主義にさらされて何が正しいのかわからなくなると訴えた。これに対し、ケベック・ライシテ運動のようなフランス流のライシテから着想を得ている市民団体は、そもそも宗教は公教育から排除すべきと主張した。保守的なナショナリストは、ケベックの歴史的遺産としての宗教が軽んじられ、「他者」の宗教の学習に多くの時間が割かれていると批判した。一部のフェミニスト団体は、宗教には男女不平等の教えが含まれており、それを学校で教えると生徒がその思想を内面化してしまうと指摘した。この科目の擁護者も、教員養成が課題と言い続けてきた。

「倫理・宗教文化」は2件の裁判の対象にもなった。1件目は、ドリュモンヴィル在住のカトリックの両親が、子どもにこの授業を受けさせる義務は良心の自由と信教の自由に反すると主張した裁判である。2件目は、モントリオールの英語系私立男子校ロヨラ・ハイスクールが独自の宗教教育プログラムを「倫理・宗教文化」の代替科目として認可を求めた裁判である。どちらも連邦最高裁までもつれ、1件目は原告の敗訴となったが、2件目は原告の勝訴となった。ロヨラ・ハイスクールが勝訴を勝ち取ったのは、「倫理・宗教文化」の目的自体には同意したうえで、カトリック私立校としてのカラーをアピールできたことが大きい。

これらの裁判に加え、2013年にはケベック党（PQ）がライシテを謳って「ケベック価値憲章」こと60号法案を提出し、2019年にCAQがライシテの名を冠した21号法によって教員のヴェール着用を禁止した（第17章参照）。このように、学校のライシテは社会の議論の争点であり続けてきた。

そうしたなかで、ＣＡＱ政権の教育大臣ジャン＝フランソワ・ロベルジュは２０２０年1月、倫理と対話の部分は残すが宗教の部分を削って市民教育として再編すると宣言した。宗教の代わりに性教育やデジタル時代に対応した教育などが重視される。新プログラムは２０２２年から導入されるとの触れ込みだったが1年延期、さらに1年延長となり、現在では２０２４年秋から「文化とケベックの市民権」という科目が実施されることになっている。宗教教育をどのような形で残すのか、残さないのか、教員養成はどうするのかなどが議論の的になっている。

（伊達聖伸）

コラム12

意外と異なるフランスとケベックの大学

西川葉澄

ケベックとフランスではフランス語で大学の授業を受講ができるが、大学のシステムは似ているようで様々な違いがある。しかし、両者を単純に比較することはできない。フランスの大学も地方都市の大学とパリ市内にある大学とは異なる事情も多いし、ケベックでも英語系の大学とフランス語系の大学では同じではないからだ。たとえばモントリオールには、フランス語系の大学が二つ（モントリオール大学とＵＱＡＭという名前で親しまれているケベック大学モントリオール校）、英語系の大学が二つ（マギル大学とコンコルディア大学）と、全部で四つの大学があるが、教育言語はもちろんのこと、授業時間なども異なる。ここではモントリオール大学とパリの大学を例に、筆者の経験から知り得た事柄を述べてみよう。

まず、ケベックとフランスの大学の一番の違いは授業料だ。フランスの大学は基本的には国立なので学費は安価だが、２０１９年以降の改革で非ＥＵ圏出身の学生には登録料が高額になる制度の変化があった。パリ・ナンテール大学のように外国人学生に対する値上げに反対している大学もある。一方モントリオール大学では、ケベック州内在住のカナダ人およびケベック州の永住者の学費はそれほど高価ではないが、同じカナダ人でも他州出身だと学部生の学費は約３倍となる。フランスとフランス語圏のベルギー出身の学生の学費は、協定によりこれと同様となる。それ以外の外国人学生の学費は、様々な学費免除の奨学金等は用意されているものの、２０２０年以降は非常に高額となっている。

新年度はフランスもケベックも秋から始まる。モントリオール大学では、米国映画でよく見た

写真１　モントリオール大学（2023年、佐々木菜緒撮影）

ような学部新入生が並ばされてケチャップやマスタードを頭からかけられるような「イニシエーション」と呼ばれる通過儀礼の催しが以前は学生の間で行われていたが、２０１８年頃から人権に抵触するとして大学主催のものは廃止されている。

　学期に関しては、フランスではsemestre（6ヶ月の学期の意）の2学期制、ケベックではtrimestre（3ヶ月の学期の意）の3学期制である。つまりフランスでは一般的に9〜12月の1学期と1〜5月の2学期、ケベックでは秋学期（9〜12月）、冬学期（1〜4月）、夏学期（5〜8月）となる。モントリオール大学の夏学期にスペイン語初級クラスを履修してみたが、様々な所属の友達ができて非常に楽しい経験だった。パリでは大学院でさえ学生数が非常に多いため、クラスという概念はあまりなく、自然と友人ができるという雰囲気ではなかったが、モントリオール大学では大学院の入学式典こそないものの、学科主催のパーティーが学科の学生ラウンジで催され、新入生が歓迎された。大学院では同期入学の学生数があまり多くなく、留学生で

もすぐにケベックの友人ができた。また、大学の留学生対応オフィスでは、りんご狩りツアー

写真2　ケベック大学モントリオール校（2023年、佐々木菜緒撮影）

など留学生のための様々な企画がされていた。思い起こせば、モン・ロワイヤル公園の施設に市内の大学の留学生が招待されるモントリオール市主催の大歓迎パーティーがあった。

授業時間に関しては、フランスでは1~2時間など授業によってまちまちだが、モントリオール大学では1回の授業が学部でも大学院でも3時間となる。最初はさすがに長く感じられたが、1回の授業である程度まとまった学習ができる利点があるという。

モントリオールの大学では、大学間協定により他大学の図書館から本の貸出ができるなどの仕組みがあるため、普段はフランス語の環境で勉強していても、英語系の大学に行く機会がたまにある。英語系大学のキャンパスでは使用言語が英語になるため、市内でもさらなるミニ留学のような体験ができることがとても新鮮だった。

35

移民のためのフランス語教育

★フランシザシオンと移民の言語不安★

ケベック州政府は、1960年代に直面した劇的な出生率低下に対応するため、非フランス語話者の移民も多く受け入れるようになった。彼らがケベック社会にうまく溶け込み、よりよい仕事についたり、学業で成功を収めたりするために、移民省や教育省、労働省など様々な政府関連機関は、フランシザシオン（francisation）の政策に取り組んでいる。フランシザシオンは「フランス語化」と訳されるが、ケベック州では、「フランス語が母語ではない移民が、フランス語をケベック社会の様々な場面で常用する言語として受け入れ、習得していくプロセス」と捉えられている。

ケベック州における今日のフランス語教育は、移民省や教育省が2011年に定めた独自のフランス語能力指標に従って展開されている。それによると、話す、聞く、書く、読む、それぞれの技能において、12のレベルが設けられており、レベル1〜4が初級、5〜8が中級、そして9〜12が上級に振り分けられている。四つすべての技能においてレベル8に達することが、フランシザシオン政策のめやすである。このレベルは、ヨーロッパ共通参照枠（CEFR）のB2レベルに相当し、大学の

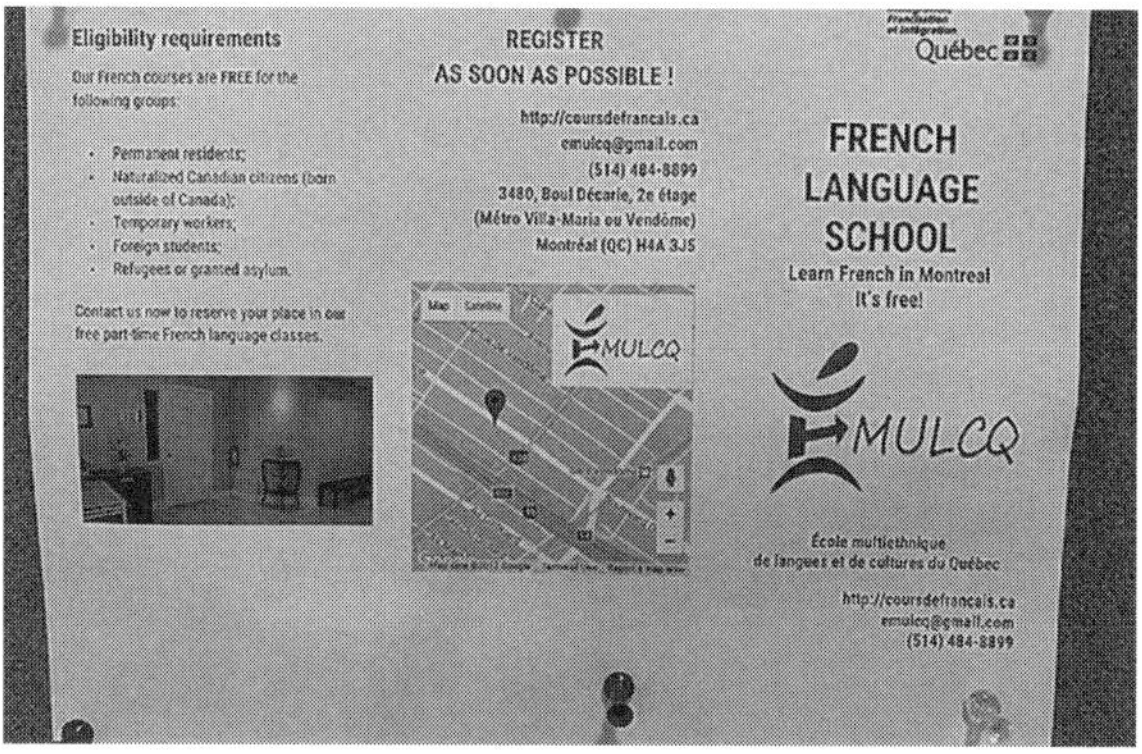

写真　モントリオール市内にある移民のためのフランス語教育を行っているコミュニティセンターの掲示物（2022年、矢頭典枝撮影）

学部レベルの授業についていくのに十分なフランス語能力を証明する。

フランシザシオンのクラスは、移民省直轄のセンターやコミュニティセンターといった施設や、大学やセジェップといった各教育機関で提供されている（写真）。総合的なフランス語クラスの受講には、フルタイムとパートタイムの区別がある。フルタイムの場合、週に30時間の授業がある。一つのコースには11週あるため、フルタイムの合計受講時間数は330時間となる。初級（レベル1〜4）のコースが一つあり、さらに中級（レベル5〜8）に対応したコースが二つある。つまり、フランス語初心者の移民が、合計990時間でレベル8に到達するようなカリキュラムになっている。パートタイムによる受講の場合、1日に受ける授業時間は最低で3時間で、1週間の総授業時間数は4〜25時間である。また受講者それぞれの生活スタイルに合わせてオンラインでの受講も可能である。この枠組みでは、移民の労働市場への参入を促進するために、様々な職業分野に特化したフランス語のクラスも提供されている。対象となるレベルは、中級と上級である。たとえばケベックシティにあるラヴァル大学では、「管理・法律・ビジネスのフランス語」というクラスが週に2回、1回3時間で開講されている。

フランシザシオンの枠組みで提供されるフランス語のクラスの受講は無料であるだけでなく、経済的支援も用意されている（表）。2022～23年の支援を見てみると、フルタイム・パートタイムいずれの場合も受講手当に加えて保育・介護費の援助を受けることができ、フルタイムでの受講では、通学で発生する費用もカバーされる。さらに海外の語学学校でも、ケベック州政府と提携していれば、ケベック州に来る前に受けたフランス語レッスンの授業料の返金を受けられる。これらの経済的支援は、2018～19年と比べると、より手厚くなっている。

今日、このフランシザシオンのサービスを受けられるのは、16歳以上でフランス語能力指標のレベル8以下の移民である。旅行者やケベック州に滞在を許されていない者、亡命申請をしている者はこのサービスの対象外となる。2018年までは、一時滞在の労働者や外国人留学生も対象外であった。このようにケベック州政府は、より多くの移民に経済的な負担なくフランス語を学んでもらうための環境整備に力を注いでいる。この成果は、フランシザシオンプログラム受講者数の増加に現れている（図）。だが、フランシザシオンに携わる教師数は不足傾向にあるため、今後は教員養成が課題になるだろう。

語学留学では、授業の中だけでなく、教室外でも現地の言葉を使って現地の社会に積極的に関わることがよりよい学習につながる。それは、商店や駅の窓口といった文脈でのやり取りだけではなく、現地の人と良い関係を築くという社会的経験が言語習得や社会統合を促進する。しかしながらモント

表　フランシザシオンの受講者への経済的支援

		手当の種類	2022〜2023 年の額	2018〜2019 年の額
海外での受講		※ケベック州移民局が発給するケベック州受入証明書（CAQ）または永住許可証（CSQ）を取得してから 2 年以内にケベック州政府と提携する海外の語学学校で受講したフランス語の授業料を返金する。	最大 1800 カナダドル	最大 1500 カナダドル
ケベック州での受講	フルタイム	受講による手当	週に 205 カナダドル	週に 141 カナダドル
		交通費	一律で週に 25 カナダドル	利用する公共交通機関に応じて変化する
		交通機関を伴わない通学	1 日 1 キロあたり 0.170 カナダドル	1 日 1 キロあたり 0.145 カナダドル
		保育・介護費	子どもまたは障がい者 1 人あたり 1 日最大 25 カナダドル	子ども 1 人あたり 1 日最大 25 カナダドル（保育費のみ）
	パートタイム	受講による手当	1 日あたり 26 カナダドル	−
		保育・介護費	子どもまたは障がい者 1 人あたり 1 日最大 9 カナダドル	子ども 1 人あたり 1 日最大 7 カナダドル（保育費のみ）

出典：Programme d'aide financière pour l'intégration linguistique des immigrants 2018–2019, 2022–2023 を基に筆者作成。

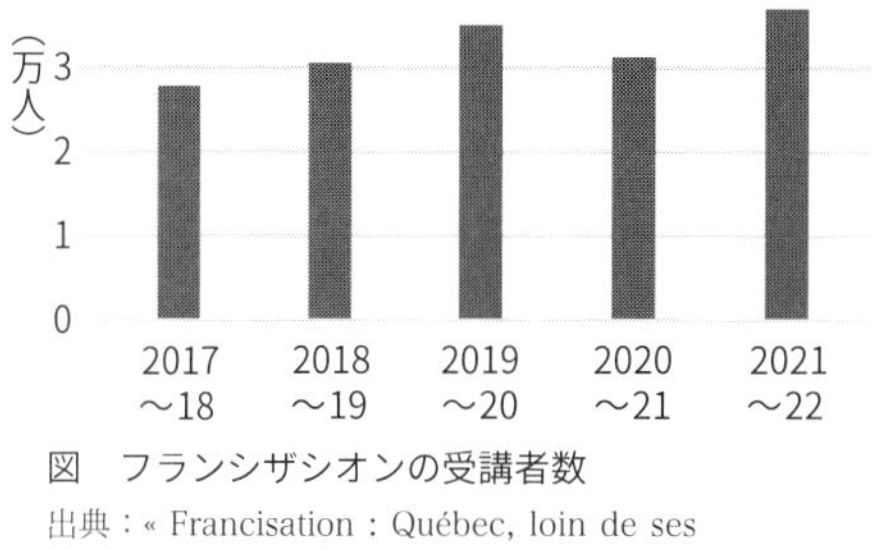

図　フランシザシオンの受講者数
出典：« Francisation : Québec, loin de ses objectifs (LaPress.ca) » より筆者作成。

リオールでは、クラス外でケベック人とフランス語で話そうとしても、相手から英語で返答されたり、不快感を示されたりする経験から、教室外でフランス語を使うことに不安を感じてしまうケースが報告されている。学習言語によるコミュニケーションの意欲は、言語習得に影響を及ぼすため、移民が臆することなくフランス語を使えるような雰囲気を社会で作っていくことが求められる。

ケベック州の大学では、ケベック社会に直接関われるようなフランス語教育の取り組みが行われており、その成果が報告されている。たとえばケベック大学モントリオール校では、授業の枠組みで非フランス語話者の学生とケベック人学生がペアになって協働で課題に取り組む異文化間交流が20年ほど前から行われている。非フランス語話者の学生は、フランス語を実践しながらケベック社会についてよく知ることができる。その一方で、ケベック人学生は移民がフランス語を習得する難しさや多民族社会の実情について意識を高めることができる。ケベック人が移民についてよりよく理解することも、移民の社会統合に貢献しうる。

ケベック社会の基盤ともいえるフランス語の繁栄に必要な移民のためのフランス語教育は、ケベック州政府にとって重要な位置づけであり、これまで様々な改革が行われてきた。これは、ケベック州政府が掲げる「より早い、より広い、よりよいフランシザシオン」という3原則に則った結果である。ケベック州政府や教育機関の今後の取り組みに注目したい。

（松川雄哉）

36

ケベック・フランス語を教える教科書

★ケベックのことばと暮らしを映す教材★

ケベック州に留学生として、また移民としてやってきた人々は、どのようなフランス語を学ぶのだろうか。ケベック州に来たのであれば、当然ケベック・フランス語を学ぶものだと考えるのは自然なことだが、実際の状況は少々複雑なようだ。残念なことに、ケベックでフランス語を学ぶ人々の中には、ケベック・フランス語に対して否定的なイメージを持つ者も少なくない。この否定的なイメージは、多くの場合、ケベック・フランス語が間違った話し方で、「正しい」フランス語の話し方はフランスのフランス語であるという大きな誤解から生じている。教師の中にも、フランス語を教えることに対して保守的な態度を取り、普段の生活ではケベック・フランス語を話していても、フランス語教師としては国際的なフランス語を教えることを選ぶ場合もあるようだ。また、フランス語を学ぶ人々の考え方も様々であろう。ケベックに永住することをそれほど真剣に考えていないのであれば、世界中で通じるフランス語を習いたいという人もいるだろうし、ケベックへの愛着心からケベック・フランス語を話せるようになりたいと考える人もいる。ただし、ケベックの人々が話すフランス語が理解できることや、ケベック特有の語彙を使いながら話せることは、ケベック社会に適応するための近道になることは間違いないだろう。

フランス語学習者がケベック・フランス語に抱く否定的な態度の一因に、ケベック・フランス語がしばしば大衆的な話し方しか持たないという間違った考えを持ってしまうこと、そして、標準ケベック・フランス語を教える教材が不足していたことがある。しかし、2010年代に入ってからはケベック・フランス語の特徴や文化背景を反映した教科書の出版も続き、積極的にケベック・フランス語を教えるための教材も増えているようだ。そのような例として、ケベック州でのフランシザシオン（第35章参照）の授業用に作成された『パーリシ（Par ici）』シリーズ（MD社、全5巻）や、コンコルディア大学の教員チームが中心となって作成した北アメリカ版『レコー（L'écho）』（Clé International社、全2巻）が挙げられる。後者の教科書は、フランスの出版社から出ている同名のフランス語教科書の内容をベースに、一部をケベック州や北アメリカの言語文化的現実に合わせて書かれたものである。

本章では特に『パーリシ』の中にみられるケベック・フランス語を特徴づける発音と語彙、そしてケベック文化について紹介したい。この教科書の面白さは、言語的側面に関していえば、標準的なケベック・フランス語の発音や語彙が反映され、会話文ではくだけた話し方の特徴も知ることができることである。ただし、文法面では国際的なフランス語の規範から外れることはほとんどない。

まず、発音については、/t/ や /d/ が [tˢ] や [dᶻ] と発音されたり（petit〈小さい〉は「プティ」ではなく「プツィ」と発音される）、長母音が発音されたり（côté〈側面〉が「コテ」ではなく「コーテ」と発音される）、といったケベック・フランス語の特徴を聞くことができる。

ダイアローグでは、je suis（私は〜だ）が「ジュスイ」だけではなく「シュイ」と発音されることもあり、il y a（〜がある）が「イリヤ」ではなく「ヤ」と発音されることもあるが、これはケベック・フランス語に限らず、フランス語のどの変種にも共通するインフォーマルな会話の発音特徴である。また、疑問文マーカーとして動詞に付加される-tuの使用もみられる（例：Il joue-tu de la guitare ?）。ただし、je vais（私は行く）を「ジュヴェ」と発音する代わりにje vas「ジュヴァ」を用いるような、大衆的な印象を与える表現は避けられている。

語彙については、食、衣服、冬の生活、日常品など、多岐にわたってケベック特有の表現が使用されている。また、教科書にみられるケベック・フランス語の語彙の大半は標準的なものであるが、よりくだけた会話で使用される語彙や英語からの借用語であるアングリシスムも、少数ではあるが使用されている（次ページの表）。語彙によっては、取り立てて説明される場合もある。フランスでは古語（アルカイスム）とみなされ、フランスとケベックで意味がずれてしまった語彙にはdéjeuner（朝食、フランスではpetit-déjeuner）、dîner（昼食、フランスではdéjeuner）、souper（夕食、フランスではdîner）があり、それぞれ朝、昼、夜の食事を指すことが強調されている。また、séraphin / séraphineという語彙は１９３３年に出版されたケベックの作家クロード・アンリ＝グリニョンの小説『ある男と罪（Un homme et son péché）』に登場する守銭奴の主人公セラファン＝プードリエ（Séraphin Poudrier）の名前が語源であることが説明されている。この作品は、ラジオ、テレビドラマ、映画、漫画などに何度もアダプテーションされ、主人公のセラファンはケベックの人々の印象に残り、ついにはその名前が金品を惜しむケチな人のことを指すようになったのである。

表　教科書にみられるケベック・フランス語の語彙の例

食	déjeuner（朝食），diner（昼食），souper（夕食），beigne（ドーナツ），beurre d'arachide（ピーナッツバター），crème glacée（アイスクリーム）
衣　服	bas（靴下），chandail（セーター），espadrille（スポーツシューズ），foulard（マフラー），mitaine（ミトン），soulier（靴），tuque（毛糸の帽子）
冬の生活	déneigeur / déneigeuse（除雪を担う人），déneigeuse（除雪車），poudrerie（雪煙）
日常品	cellulaire（携帯電話），chandelle（ろうそく），chaudron（鍋），sécheuse（ドライヤー）
場　所	buanderie（コインランドリー），cabane à sucre（メープルシロップ小屋），dépanneur（コンビニエンスストア），nettoyeur（クリーニング店）
お　金	cent (cenne*)（セント），dollar / piastre* (piasse*)（ドル）
教　育	cégép（一般職業教育学校），baccalauréat (bac)（学士号）
動　詞	clavarder（チャットをする），magasiner（買い物をする），jaser*（おしゃべりをする），placoter*（おしゃべりをする），barrer*（鍵をかける）
形容詞	achalandé（混みあった），ennuyant（うんざりするような），séraphin（ケチな），plate*（つまらない），quétaine*（つまらない），tanné*（飽きた）
その他	fin de semaine（週末），courriel（電子メール），maringouin（蚊），blonde*（女性の友人、恋人）
アングリシスム	char*（車），chum*（友人、恋人（男性）），condominium（condo）（コンドミニアム），bienvenue*（どういたしまして），le fun*（楽しい），médium*（ミディアム、M サイズ），party*（パーティー），vente de garage*（ガレージセール），job*（仕事）

* 印がついた語彙は、くだけた会話で用いられるものである。

文化的な側面については、ケベックの生活文化について短く解説するコーナーも設けられている。フライドポテトにチーズとソースがかかったケベックの名物料理プティーン（poutine）やケベックでよく見かけるコンビニエンスストア（dépanneur）、祝日や漫画、ケベコワに多い名字のランキングなど、様々な文化情報がちりばめられている。教科書の各課では、ケベックで生活する上で経験する可能性が高いテーマも扱われる。たとえば、住居探しがテーマとなっているレッスンでは、大家に聞いたらよい質問（「誰が暖房費を払うのか？」、「誰が冬に雪かきをするのか？」）のリストや、住居見学の際にチェックするべき項目（玄関のドアの開閉、鍵がかかるかどうか、蛇口からお湯が出るかどうか）などもあり、このような実生活に密着した内容は、ケベックに定住したいと願う学習者を助ける狙いもあるのだろう。また、7月1日はケベックで多くの人が引っ越しをする日であることや、その日は簡単に食べられる食事としてピザを選ぶ人も多いことなども説明されている。

ケベック・フランス語の特徴が反映された教科書が出版されるようになった背景には、言語学者たちによって標準ケベック・フランス語の客観的な記述が進んだことや、ケベックの人々が抱いていたケベック・フランス語に対する言語不安が解消されてきたこともあるだろう。また、このような教科書の存在は、世界中にいるフランス語の多様性に興味を抱くフランス語教師や学習者に対しても、ケベック・フランス語をより正確に理解するための一助となるだろう。

（近藤野里）

VI

文　学

VI

文学

37

ケベック文学の誕生と変遷

★郷土文学からフランス系アイデンティティの開花へ★

ケベック文学はいつ頃生まれたのだろうか。それは時代とともにどのように変遷してきたのだろうか。ヨーロッパ人で初めて北アメリカ大陸に足を踏み入れたのは、フランス・ブルターニュ地方出身の探検家ジャック・カルチエ（1491〜1557年）だったとされる。彼は1534年、セントローレンス川河口を探検し、翌年さらにセントローレンス川を現在のモントリオールまで遡ることに成功している。その経緯を記した『航海の記録』は一種の「旅行記」として読むことができる。また、17世紀になると新大陸にフランス国王直轄の植民地ヌーヴェル・フランスが形成され、布教のために送りこまれたイエズス会士たちが毎年本国に詳細な『イエズス会士の報告書《ルラシオン》』を送っている。これらはどちらもじつに興味深いものだが、ケベック「文学」の出発点とみなすにはやや無理があるだろう。

カナダのフランス系住民が自分たちの状況を意識的に表現するようになるのはむしろ、フランスが英国との抗争に敗れ、1763年のパリ条約によって北アメリカにおけるほぼすべての植民地を英国に譲渡したあとだ。ごく少数の英系住民に対して圧倒的多数（約7万人）だったフランス系住民はそれ以後、いわば「孤児」として英系の支配に抵抗しながら「生き残る」決意をする。彼らはカトリック聖職者たちの教えに従い、農村共同体に留まり、伝統的価値を守りながら必死に生き延びる。

そのような心性は文学作品にも如実に反映される。フィリップ・オベール・ド・ガスペ（1786～1871年）の『かつてのカナダ人』（1863年）では、強い友情で結ばれていた二人の幼なじみ――フランス系のジュールとスコットランド系のアーチボルド――が、1759年、フランス系住民の運命を決したアブラハム平原での戦いで、敵味方に分かれて戦わなければならなかった。その後、ジュールは英国人女性と結婚するが、妹のブランシュはずっと好意を抱いてきたアーチボルドからの求婚を断る。兄の親友とはいえ、英系男性との結婚は同胞への裏切りだと感じたからだ。この作品はケベックにおける「郷土文学」の誕生を告げる作品となる。

とはいえ、現実には、フランス系住民がみな農村に留まったわけではない。カトリックの家庭は子沢山だったので、人口が増えて農村がそれを支えきれなくなると、19世紀後半から都会や他州、さらには米国への人口流出が始まる。しかし、そのような現実があればこそ、逆に文学は伝統の継承を説くことになる。

「郷土文学」として世界的に最も知られた小説は『マリア・シャプドレーヌ（白き処女地）』だろう。そこに登場するロランゾもまた、米国の都会で働く青年だった。作者のルイ・エモンはケベックに一時滞在していたフランス人だが、外からの視線によるだけにいっそう、当時のフランス系カナダ人の生活が活写されている。舞台は、ケベックシティから200キロ以上北に行ったサンジャン湖畔。小説の中には、雪解けとともに始まる開墾作業、教会でのミサ、夏の森でのブルーベリー摘み、キリス

ルイ・エモン『マリア・シャプドレーヌ』
（筆者撮影）

ト降誕祭など、四季折々の村人たちの生活ぶりが描かれている。適齢期の娘マリアの周りには3人の求婚者が現れる。森を駆け巡り、先住民が捕まえた動物の毛皮をフランスから来た毛皮商人たちに売る仲介人のフランソワ、先述のロランゾ、そしてマリアの父親と同じ開拓者のウトロップである。マリアがいちばん惹かれていたフランソワはクリスマスに森から一時帰省する途中で吹雪に遭い、凍死してしまう。失意のマリアは、恋人を奪った厳しい自然を恨み、一時はロランゾについて米国に行ってしまおうか…とも考えるが、結局、「ケベックの土地の声」に耳を傾け、ウトロップと結婚して「ここに留まる」決意をする。彼女はいわば、伝統を守り続けるケベック女性の象徴的存在なのだ。この小説は1914年にパリの日刊紙『ル・タン』に連載されたあと、1916年にモントリオールで、次いで21年にはフランスでも出版されて世界的な成功をおさめた。日本でもこれまでに数種類の翻訳が出ている。

　このほかにも、同時代の重要な作品として、フェリックス＝アントワーヌ・サヴァール（1896～1982年）の『筏師親方ムノー』（1937年）、ランゲ（1895～1960年）の『三十アルパン』（1938年）、ジェルメーヌ・ゲーブルモン（1893～1968年）の『不意の来訪者』（1945年）などを挙げておこう。

　しかしやがて、フランス系住民は「生き残る」ことから、より強い自律性を獲得するようになる。20世紀の2度の世界大戦にはカナダも参戦するが、そのときの徴兵問題がきっかけとなってフランス系の独立国家建設への志向が強まり、文学も政治化する。1944年から1959年はユニオン・ナシオナル党がカトリック教会と手を携えて「大暗黒時代」とも呼ばれるきわめて保守的な政治を展開した時期だが、芸術分野はすでに党首モーリス・デュプレシの急逝とともに訪れる1960年代の「静かな革命」を準備していた。1948年にはポール＝エミール・ボルデュア（1905～60年）が『全面拒否』を発表して、既存の価値との訣別を宣言する。『シテ・リーブル』や『リベルテ』といった自由と解放を主張する雑誌も相次いで創刊される。また、マリスト会修道士のジャン＝ポール・デビアン（1927～2007年）は『某修道士の無礼言』（1960年）で教育制度を硬直化させていたカトリック教会を告発し、標準ケベック・フランス語の質の低下を嘆いている。こうした異議申し立てが「静かな革命」以降のケベック社会の急速な近代化と解放へとつながるのである。

詳しくは次章以降に譲るが、1960年代、人々は「フランス系カナダ人」から「ケベック人（ケベコワ）」という新たなアイデンティティを獲得し、1977年には「フランス語憲章」を制定してケベック社会のフランス語化を徹底した。マリー＝クレール・ブレ、ニコル・ブロサール、モニック・プルーといった女性作家たちが目覚ましい活躍をするようになる。また、ケベコワとしてのアイデンティティの確立に伴い、多様な他者を受け入れる精神的余裕が出てくると、1980年代からは移民作家が活躍し始める。フランスから移住したユダヤ系のレジーヌ・ロバン、ハイチ出身でアカデミー・フランセーズ会員になったダニー・ラフェリエール、中国出身のイン・チェンなどの活躍こそは、多様な出自の人間が共存することに自らのネイションの将来像を思い描く現代ケベックの特徴である。

（小倉和子）

38

ケベック詩と「静かな革命」

★ミロンとラロンドを中心に★

ケベックの詩人たちは、その文学のみならずケベック社会の確立において独自の存在感を放ち重要な役割を果たしてきた。ケベックの歴史についてはすでに他章で詳しく述べられているが、フランス系の人々は、18世紀に植民地抗争で英国に敗北を喫して以来、少数派である英系に支配され二級市民として抑圧されてきた。19世紀、英国人行政官であったダラム卿が、この地の人々は「歴史も文学もない人々」と評したことはよく知られている。しかしこの言葉はフランス系の人々の反骨精神を呼び起こし、英国の植民地下における衰退と同化に抗い、フランス語による歴史と伝説、そして詩や小説などの文学までを力強く構築していくこととなる。そのなかでも詩はケベック文学の中心にあり、黎明期から現代にいたるまでその文学のダイナミックな変遷を牽引していった。

ケベックの詩が初めて独自性をもったのは、19世紀末に彗星のように現れたエミール・ネリガンの登場によってであった。ネリガンは、それまでの愛国的な詩から脱皮した個人の内奥からの憂愁を帯びた、夢想し苦悩する内面の声を響かせた。代表作には「黄金の船」や「酒のロマンセ」などがあり、フランスにおけるアルチュール・ランボーのように、作品の大部分は20歳になる前に創作され、以後40年近くも精神を患い病院に幽閉された。

一方、サン＝ドニ・ガルノー（1912～43年）は、ケベックの詩に本格的な近代化をもたらした最も重要な詩人とみなされている。ガルノーは、それまでの古典的な詩の形式を刷新し研ぎ澄まされた自由詩の探求のうちに、自らの疎外感や死への傾倒を鋭く映し出した。『空間へのまなざしと戯れ』は、わずか31歳で夭折したガルノーが生前に出版した唯一の詩集である。「鳥籠」では「私は一つの鳥籠である／骨でできた／そこに一羽の鳥が住まう／私の骨の籠の鳥／それはそこに巣くう死なのだ［……］」と謳い、そこにはつきまとう死の影とともに、英系のみならずカトリック教会にも支配される二重の内的疎外に苦しむフランス系住民の苦悩と閉塞感が投影されている。また小説家として知られるアンヌ・エベール（1916～2000年）は、ガルノーの遠縁にあたり詩人として出発した。『釣り合った夢想』から、代表作『王の墓』に至るまで聖書や神話に深く影響を受け、神秘的な文体のうちに人間の無意識や内面世界を描き、同時にケベック社会の閉塞感や疎外を鋭く告発した。

ケベックの詩が個人の内面の解放を表現するにとどまらず社会と歴史を反映し大きな影響を与えてきたとしても、とりわけ1960年代におきた「静かな革命」の時代に、詩と歴史が切り結んだ関係ほど特筆に値するものはないであろう。ケベックの近代化を一気に推し進めた行政改革である「静かな革命」については他章での詳しい解説に譲るが、それまでフランス系カナダ人と呼ばれていた人々が自らの主権を掲げて立ち上がり、ケベコワとして固有のフランス系の社会と文化を開花させていった改革である。その過程においてケベック詩は極めて重要な役割を果たした。詩の言葉に民衆を結集

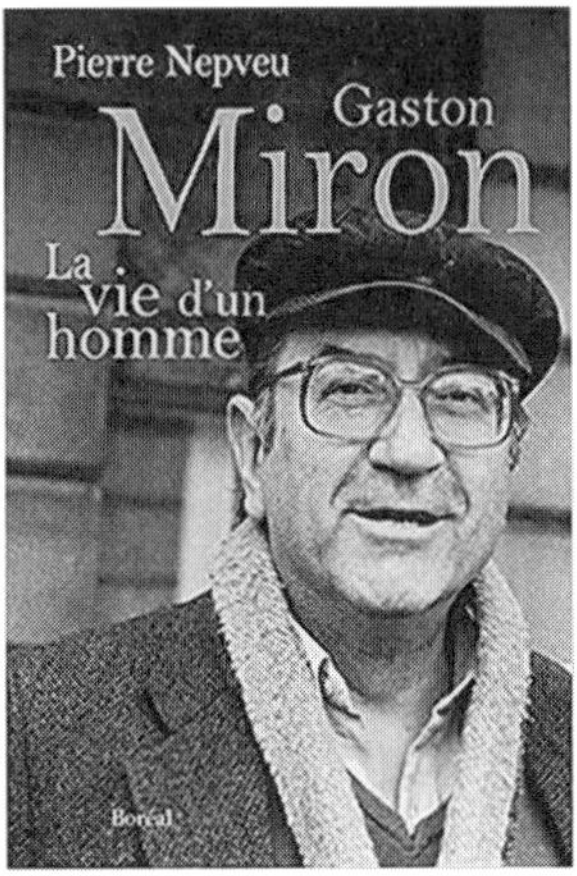

伝記『ガストン・ミロン』
(P. ヌヴー著、Boréal, 2012 年)

させ神話を創成していく力があることを見抜き、それに変革を導く力を吹き込んだのは伝説の詩人ガストン・ミロン（1928～96年）に他ならなかった。ミロンはその時代の大多数のケベコワのように、モントリオール郊外のローランティッドの貧しい家庭に生まれた。ミロンが1953年に設立した詩の出版社レグザゴン社には、「静かな革命」の時代に多数の知識人が集い高揚感に包まれ、ケベックにおけるアイデンティティの考察と構築の場となった。詩人であると同時に編集者で政治的な活動家でもあったミロンが、生前に出版した唯一の詩集は『寄せあつめの男』（1970年）だけであったが、それはケベックにおいて最も読まれている詩集である。ミロンの詩の卓越した力強さは、個人的な苦悶とケベックという共同体の運命が重なり合い、親密な内面の声と大いなる叙事詩が響き合うことにあった。ミロンは愛の詩人であり、この詩人にとって女性は郷土への愛が重なり合う神聖なテーマであった。「君に手紙を書いている／愛していると言うために／毎日旅をするわたしの心が／名残の雪のなかに旅立った心が／……／夜には、傷ついた獣のように舞い戻る／……」愛にはぐれ、寒さと孤独の中で彷徨う男は再生を誓い祖国への帰還を果たさんとする。「わたしは旅したことなど一度たりとない／おまえ以外の国に、わが祖国よ／……」ミロンの詩は、個人的な物語から集団的な運命を喚起し、長い試練の後に再生を果たす「未来の伝説」を創造するものに他ならなかった。またミロンが喚起する抑圧された人々の尊厳の回復と再生の物語は、エメ・セゼールらが唱えたネグリチュード（ニグロ性）運動と深く呼応していた。それを示すように、ミロンの『寄せあつめの男』がフランスのプレイヤッド版から出版された折、エドワール・グリッサンが序文を寄せている。

一方、ケベック詩が社会に与えた影響を語る上で、ミシェル・ラロンド（1937〜2021年）のSpeak Whiteくらい象徴的なものはないであろう。Speak White!「スピーク・ホワイト（白人の言葉をしゃべれ！）」とは、フランス系住民が公共の場で英語以外の言葉で話すことに対して投げつけられた侮蔑の言葉であったが、1968年にラロンドはこの詩を発表し、政治的な集会で朗読した。「スピーク・ホワイト／あなた方が話していると／その素晴らしさに聞き惚れます『失楽園』について／シェークスピアのソネットについて［……］／……／私たちは無教養な吃音の民／でも言葉の精霊に聞き入る耳をもたないわけではありません／……」と始まるこの長詩は、英系への抵抗とフランス系の結束を力強く鼓舞し、独立運動に向けて70年代に沸騰したケベックナショナリズムを象徴する詩となった。

その他、シュールレアリズム運動の影響を受け、「静かな革命」時にケベックの転換点を表した詩集『言葉の時代』を出版した版画家で詩人のロラン・ジゲール、ケベックにおけるポストモダンとフェミニズムの旗手として知られるニコル・ブロサールなど数々の多彩でダイナミックな詩人が輩出した。ミロンと並びケベックの国民的な詩人と仰がれるジャック・ブローは、哲学的な思索からさり気ない日常のかけがえのなさまでを謳ったが、東洋の文学にも傾倒し、日本の詩歌に深く影響を受けた詩集『はかない瞬間』を発表した。一方、現代ケベックを代表する批評家で詩人のピエール・

ヌヴーはR・マイヨとともに、アンソロジー『ケベックの詩――起源から今日まで』を編纂している。近年は様々な出自の移民作家や先住民作家の活躍も注目され、ケベック詩は北アメリカにおいてフランス語で表現するという困難と独自性をその創作の源泉としながら、極めて多彩で力強い輝きを放っている。

（真田桂子）

エメ・セゼールを読むケベック詩人たち

コラム13

福島　亮

1990年11月15日、モントリオール。老舗大衆食堂ケ・デ・ブリューム（写真1）は、朝のやわらかな陽光に照らされ、店内では、男女9人がテーブルを囲んでいる。彼らの打ち解けた雰囲気に、こちらまで微笑みそうになるその瞬間、「独立へ！」という耳慣れぬ乾杯の掛け声が響きわたる。

じつはこの会合は、ジャン＝ダニエル・ラフォン（1944年～）が監督したドキュメンタリー映画『ニグロの流儀、あるいはエメ・セゼール、道の途上』の一場面だ。画面中央に座るのは、詩人ポール・シャンベルラン（1939年～）。彼はこの会合の数ヶ月前、カリブ海を訪れ、ある人物と対談していた。マルティニックの詩人・政治家、エメ・セゼール（1913～2008年）である。ラフォンの映画は、シャンベルランとセゼールの対話の記録だ。

写真1　モントリオールのレストラン、ケ・デ・ブリュームの外観
（2023年、大石太郎撮影）

セゼールは、ネグリチュードという概念の発案者として知られる。ネグリチュードを直訳すれば、「ニグロ性」となる。「ニグロ」という差別語を逆手に取ることで、植民地主義、人種主

義、奴隷制、そして同化主義のなかで奪われてきた黒人としての主体性を取り戻すこと。すなわち、差別の構造そのものを意識化し、そこから脱却しようとすることがネグリチュードの精神である。したがって、その本質は、肌の色というよりも、むしろ自らが置かれた歴史的状況に対する認識にある。

だからこそ、1950年代半ば、セゼールの詩はケベックの若い詩人たちに強い衝撃を与えた。英語話者が大多数を占めるカナダにおいて、文化的にも経済的にも疎外されていたケベックのフランス語話者たちは、ネグリチュードの精神を我が事として受け止めたのである。それは、『アメリカの白いニグロ』（1968年）というピエール・ヴァリエール（1938～98年）のエッセイのタイトルによく表れている。ヴァリエールは、ケベックのフランス語話者が置かれた状況を「被植民者」の状況と捉え、彼らを「白いニグロ」と表現したのである。

セゼールを読み、その影響を受けた詩人のなかには、ガストン・ミロン（1928～96年）や、先のシャンベルランがいたのだが、彼らは1963年に雑誌『パルティ・プリ（parti pris）』を創刊した。この雑誌において、セゼールの詩と思想は、ケベコワとしてのアイデンティティを意識化するためのモデルとして機能した。また、1967年のモントリオール万国博覧会では、ハイチを舞台とするセゼールの戯曲『クリストフ王の悲劇』（1963年）が上演され、1972年にはラヴァル大学でセゼールの講演会が開催された（写真2）。1960年代のケベックでは、「静かな革命」と呼ばれる一連の社会改革が進行していたのだが、セゼールの受容は、この「静かな革命」のなかで高揚するケベック・アイデンティティの精神的支柱の一つだったのである。

ケ・デ・ブリュームに集まった9人は、人生のある時期、セゼールの言葉を心のよりどころにして、闘争や投獄を潜り抜けてきた者たちだ。そこには、シャンベルランやヴァリエールだけでなく、デュヴァリエ独裁下のハイチからケベックに移住し、当時ジャーナリストでのちにカナダ総督を務めたミカエル・ジャン（1957年〜）や、作家ダニー・ラフェリエール（1953年〜）の姿もある。ケベック・アイデンティティが「生粋の」ケベコワだけのものではなく、様々な背景を持った者たちの複合的意識であることが、この顔ぶれからもうかがえよう。ケ・デ・ブリュームの午前の会合《マチネ》は、モントリオールやマルティニックで疼くナショナルなものの潜勢力を示している。この会合から5年後の1995年、ケベックの分離・独立は住民投票によって僅差で否定されることになるのだが、ケベック・アイデンティティの高揚の背景にいかなる情熱と対話があったのかを、ラフォンのドキュメンタリー『ニグロの流儀、あるいはエメ・セゼール、道の途上』は証言している。

写真2　エメ・セゼールが1972年に講演したラヴァル大学
（2012年、大石太郎撮影）

　なお、ドキュメンタリー『ニグロの流儀、あるいはエメ・セゼール、道の途上』は、次のDVDボックスにおさめられている。Jean-Daniel Lafond, Vérité et controverse / Truth and Controversy, 2006.

39

ガブリエル・ロワとアンヌ・エベール

★ケベック社会の周縁への眼差し★

ガブリエル・ロワ（1909～83年）は、マニトバの州都ウィニペグ近郊にあるフランス系の町サンボニファスで生まれ育った。中等教育修了後、数年間マニトバの複数の町や村で教職に就くが、28歳の時ヨーロッパに留学する。1939年、戦争への懸念から帰国し、モントリオールでジャーナリストとして生活の糧を得る道を選ぶ。ジャーナリスト時代には、ケベックを含むカナダの様々な地方へ赴き記事を執筆した。ロワの作品には地方を舞台にしたもの、そこに生きる人々の暮らしを扱ったものが多いが、そうした彼女の作品世界にみられる地方への眼差し、つまり中心の外へと向かう眼差しは、教職時代やジャーナリスト時代を通して養われたものといえるだろう。ただし、その視線は、ロワ自身が絶えずよそ者であるという感覚の中に生きた作家であることとも深く関わっている。

ロワの出身地マニトバは19世紀末以降の西部開拓の波の中で英語系社会として発展した地域である。そのためフランス系は少数派としてしばしば肩身の狭い思いをしながら生きなければならなかった。ロワの最高傑作とされる自伝『絶望と魅惑』（1984年）は、社会の周縁者として生きてきた彼女自身の経験が紡がれた物語である。

マニトバ社会の少数派に属するロワは、彼女の両親が生まれた土地であり、フランス系にとって象徴的な故郷であるケベックに対して憧憬を抱きながら育った。ヨーロッパからの帰国時、そのような憧れのケベックを知りたいとの思いからマニトバに帰らずケベックに留まった。1945年に発表された『束の間の幸福』は、彼女が実際に歩いて発見した、モントリオールの労働者地区サンタンリが舞台の小説である。主人公のフロランティーヌの恋模様を軸に、大家族やカトリック信仰といったフランス系カナダの伝統的な主題が扱われている。また、第二次世界大戦を背景に、裕福な英系住民と貧しいフランス系住民という社会格差が描かれており、後の「静かな革命」の時期に問われた変革すべき社会構造が書かれた作品として、ケベック文学初の社会派リアリスム小説とみなされている。『束の間の幸福』の成功により、ロワはフランスの文学賞フェミナを受賞し世界的に知られる作家となった。

『束の間の幸福』によってケベック文学を代表する作家となるが、マニトバ出身のロワはケベックにおいてどこかよそ者であるという感覚を持っていた。また、当時の文壇が男性・エリート知識人で成り立つ中で、彼らの文学言説の枠組みに入れられていくことにも違和感をおぼえていく。そのような中で、いわば一からやり直すかのように『ラ・プティット・プール・ドー』（1950年）を書いた。同小説では、マニトバの辺境の地を舞台に、貧しくも支え合って生きるフランス系の共同体の姿が描かれている。以後、自伝的な作品を中心に、ロワは自身を含めて人生に関わった様々な社会の周縁者、つまり社会の「小さき人々」を描いていく。戦後の高度経済成長の波から取り残された人間が主人公の『アレクサンドル・シュヌヴェール』（1954年）や、白人文明の影響を受けるイヌイット社会を描いた『休息なき川』（1970年）。伝統的な家父長社会における女性の生き様を問いかける『デシャンボー通り』（1955年）や『アルタモンの道』（1966年）。カナダ西部にやってくる移民たちの姿を描いた『世界の果ての庭』（1975年）や『わが心の子らよ』（1977年）。ロワは、カナダでもケベックでもよそ者である自分自身の居場所を問うかのように、社会の片隅に生きる「小さき人々」を描き続けた。彼らを通して、人間条件に関わる普遍的な主題を喚起したのである。一方、ロワとは生まれ育った環境は異なるものの、同じようにケベック社会に対して第三者的視点を持ち、社会の周縁に目を向けた作家がアンヌ・エベール（1916〜2000年）である。

エベールはケベックシティ近郊のサントカトリーヌ・ド・フォサンボー（現・サントカトリーヌ・ド・ラ・ジャック・カルチエ）で生まれ、主にケベックシティで育った。文芸批評家の父親と領主家系の出である母親をもち、ブルジョワ階級の環境で成長した。母方の親戚に、20世紀前半のケベック詩を代表する詩人エクトール・ド・サン＝ドニ・ガルノーがいる。この詩人が携わっていた文芸雑誌『ラ・ルレーヴ』をはじめ様々な新聞や雑誌に、40年代からエベールは短編や詩を発表する。しかし、短編集『激流』（1950年）と詩集『王の墓』（1953年）の出版にあたり、その内容が暴力的すぎるがゆえに出版拒否という状況がつづき、保守的なケベック社会に息苦しさを強めていく。50年代半ばパリに滞在し、出版面でより自由なフランスの環境に魅せられる。1965年以降パリを生活の拠点とし、1997年に帰国するまでケベックとフランスを頻繁に往来しながら過ごした。エベールは、フランスに暮らしながらケベックについて書き、いわば他者の眼差しでケベック社会の有り様を問うたのである。

フランス移住が自由を得るためであったように、エベールの作品世界は様々な種類の解放を主題としている。彼女が描き出すケベックは往々にして「静かな革命」以前のカトリック教会を中心に成り立つ伝統社会である。1970年の小説『カムラスカ』は、19世紀のブルジョワ社会を舞台に、自由を得るために夫を殺害した女性エリザベットの欺瞞と偽善に満ちた生き様を描いた物語である。エベールは、自由になりたいと思いながらも体裁や名誉のために自ら体制に加担する人間の姿、つまりケベックの伝統社会に内在されていた体制順応主義という実態を、精神分析的かつ多層的な語りの手法を用いて描き出している。

エベールの作品は、伝統社会への一人ひとりの共犯関係を暴き出しながら、いかに解放が可能なのか、自由であることとは何かといった人間社会が抱える問題を普遍的に問いかけている。それと同時に、家父長社会における女性の立場、フランス系社会であるケベックの中心においてその存在を排除されていた英系やメティス、あるいはブルジョワ社会において異質なものとされたアメリカ大陸的な風景を、ケベックの社会的、文化的空間の重要な構成要素として浮き彫りにしている。教会文化と民衆・魔女文化の境界線を解体していく『魔宴の子どもたち』（1975年）や、フランス系社会の寓意として英系コミュニティを描いた『シロカツオドリ』（1982年）。ヌーヴェル・フランス史を女性の視点で再構築していく『最初の庭』（1988年）や、ケベックの森や川を主人公の生の一部として描いた『夢を背負った子』（1992年）および『オレリアンとクララ、先生《マドモワゼル》、イギリス人中尉』（1995年）など。ケベックの一部であるにもかかわらず社会の周縁に位置づけられ、長い間可視化されてこなかったケベック社会の「内なる他者」を書くことを通して、エベールはケベックとは何かといった問いを独自の視点で掘り下げたのである。

ガブリエル・ロワとアンヌ・エベールは、どちらもケベックの中心から一歩距離をとりながら、人間社会の有り様を普遍的な眼差しで問うた作家なのである。

（佐々木菜緒）

40

ケベック文学における内なるアメリカの光と影

★ゴドブー、プーラン★

1534年以来新大陸に根を張るケベック人にとって、アメリカとは何だろうか。英国に次ぐカナダ連邦の英語圏支配に対して、故国の言語と文化を死守してきたフランス人入植者にとって「アメリカ」は、忌むべきアングロサクソン的な世界観の体現者でしかないのか。あるいは多文化社会の理想を実現する約束の地なのか。そして現代作家はこの複雑にして豊饒なケベックの現実をいかに描いてきたのか。

20世紀中葉、60年代の政治社会改革「静かな革命」を待つまでもなく、ケベックでは解放と創造を謳う文化革新の気運が高まりつつあった。ヨーロッパという硬直した過去と決別し「ヌーヴェル・フランス」のありのままの現在を語りたい、北アメリカ大陸におけるフランスというケベック独自の存在感を発信したい、新しい表現の可能性を追求したいというアイデンティティの覚醒があった。ケベックにおけるアメリカ的なものへの憧憬は、こうして芽生え培われていった。

歴史家ジェラール・ブシャールが「アメリカ性」を「ヨーロッパとの断絶と差異化のプロセス」と定義したように、アメリカ的なものが本来意味するのは、開拓民が新世界との邂逅を通じて、対立と摩擦を超克し精神的な変容を経験することだ。しかし一方で、この肯定的な含意を持つアメリカ性に対して強い反発が起こったのは、米国が冷戦を経て世界の警察として覇権を確立する中で、アメリカ性が狭義の米国的な価値観に収斂してしまった背景がある。行き過ぎたリベラリズムの歪み、暴走する資本主義の裏面、アメリカンドリームの虚妄が顕在化するにつれてアメリカナイゼーションは、経済的な脅威への追従と圧倒的強者への不本意な隷属という否定的な文脈で捉えられるようになった。こうして米国からの思想的離反が相次ぐ中、アメリカ性を米国の専売特許とせず、中南米も含む南北アメリカ大陸の多様性とハイブリッド性に焦点が当たり始めた。安易な未開礼賛、若さと新しさの神聖化といったステレオタイプに陥っていたアメリカ性は、内向的で脆弱な個の彷徨と、他者との相剋と和解を通じた自己の確立という元来の意味に回帰したのだ。

こうした両義的なアメリカ性に着目したケベック作家としては、まずジャック・ゴドブー（1933年〜）が挙げられる。ケベック州首相を歴任したアデラール・ゴドブー（在任1936年、1939〜44年）を大叔父に持ち、政教分離の理念の下育ったゴドブーにとって、「アメリカ」はまさに自由への切符だった。しかし実際に彼が出会った「アメリカ」は、代表作『アメリカ物語』（1986年）が示すように、ユートピアには程遠い、犯罪の渦巻く暗黒世界だった。ケベックでのキャリアを捨て、期待に胸躍らせ名門カリフォルニア大学バークレー校に赴任した助手グレゴリー・フランクールは、図らずも不法移民取引に巻き込まれ、FBIの脅迫を受けた挙句、人違いで収監される。本作には、ケベック独立が否決された1980年の住民投票が深い影を落としている。政治的指針を失った当時の知識人が「アメリカ」に託した新たな希望が、米国の富と繁栄の象徴である西海岸に「幸福」

をテーマに研究調査に赴くという人物設定によく表れている。Have a nice day! を捩《もじ》った主人公の台詞 Have a nice war! は、大国による卑怯な代理戦争を繰り返す米国への痛烈な皮肉である以上に、新天地の裏切りと大きな挫折を物語っている。

また主人公が拘留中に、哲学教師としてエチオピアに赴任する往年の記憶が蘇るくだりは、ケベック人がいわば陸の孤島を脱し世界へと拓く瞬間を映し出している。南北問題という第三世界の遠い現実のみならず、身に迫る危機として米国主導のグローバリゼーションの功罪に気付かされ、一州の独立という局所的な問題以上に喫緊の国際問題に目を向けるようになった証だ。

ゴドブーは「ケベック初のエコロジー小説」を自認する『竜の島』（1976年）でも、自然豊かな架空の島セントローレンス島の核開発を断行する巨大米国企業の暴挙を糾弾しているが、米国批判以上に透徹した現状認識と、変革期の時代の大きなうねりに翻弄される人々への共感のまなざしが読み取れる。また『双頭のパピノー氏』（1981年）で描かれた2頭の怪物は、フランスと「アメリカ」という世界の二大文化の威光に引き裂かれたケベック人の懊悩を、そのままに「ケベック性」として引き受けんとする作家の矜持を象徴しているのではないだろうか。

ゴドブーが負の遺産も含めて米国化する世界を見定めるとすれば、米国に集約されない広義のアメリカ性を精査するのがジャック・プーラン（1937年～）だ。『フォルクスワーゲン・ブルース』（1984年）は米作家J・ケルアック『路上』の影響を受けたロードノベルであり、ゴドブーの作品と同様、楽園幻想に囚われた人類の業の深さを描いている。終着点がサンフランシスコなのは同じだが、プーランは理想郷を目指す旅の過程により重きを置いている。主人公の作家ジャック・ワテルマンは一枚の絵葉書を頼りに、ヒッチハイクで出会った先住民の混血娘を伴い生き別れた兄弟テオを探す旅に出る。作中プーラン自身が敬愛する米作家ソール・ベローが意味深な微笑みで示唆するように、寄る辺なき人々がアメリカ史の聖地巡礼を通して、ジャック・カルチエをはじめケベックの英雄、ゴールドラッシュなどの建国神話を掘り起こしながら、自らのアイデンティティを模索する物語だ。この自分探しの旅から浮かび上がるのは、ゴドブーにも通ずるフランスと「アメリカ」の狭間で揺れる人々のジレンマだが、ゴドブー以上にプーランは「フランス性」の復権を試みている。旅の終局ようやくテオに巡り合うが、その変わり果てた姿、車椅子生活の耄碌《もうろく》した男を前に、ジャックは「アメリカ」が今もなお、先住民迫害に留まらない暴力の温床であることを痛感する。内なる半身との再会がもたらしたのは、文明人による開拓と啓蒙という名の侵略と支配の歴史の読み直しだった。つまりノマド的な野蛮性というアメリカ性の批判的再考であり、定住民的な共生の叡智というフランス精神の再発見だったのだ。

プーランのようにアメリカ文学を継承するケベック作家は枚挙に暇がない。処女地開墾の雄々しさと孤高の闘いを描く見事な筆致でE・ヘミングウェイに比肩するイヴ・テリオー、W・フォークナーに倣い、禁欲と贖罪というキリスト教的問いを作品に昇華したマリー＝クレール・ブレなどだ。プーランは漫画にも通暁しており、大衆文化も含めアメリカ文化を貪欲に吸収する姿勢は、伝統の忘却と非難する向きもあるが、それは決してケベックのフランス性を否認することではなく、アメリカ性というケベックの知られざる一面を見出しその豊かさを味わうことではないだろうか。

（村石麻子）

コラム14

アカディとアントニーヌ・マイエ

大矢タカヤス

昔、北アメリカ大陸東海岸の片すみにアカディと呼ばれる地域があった。フランスからの移住者が住みついて、主に農業をなりわいとし、フランス語を話し、本国の風習を保ちながらも、ケベックとはまた異なる独特の集団を形成しつつあった。

それが1713年、ヨーロッパで長い間抗争を続けていた英仏両国がユトレヒトで結んだ条約によって、この地域の大部分が英国領とされてしまう。当然、住民たちには英国王への忠誠宣誓が要求されるが、宗教をはじめとする様々な思惑から住民たちは宣誓を避けながら、独自の生き方を守り続ける。

ところが、再びヨーロッパで英仏両国の対立が激化すると、1755年、現地の英国軍司令官はこれらの敵性住民の土地・財産を没収し、彼らを根こそぎ、主に北アメリカ東海岸の北はマサチューセッツから南はジョージアまでの英国植民地に、強制的に移住させてしまう。これがいわゆる「大迷惑」(le Grand Dérangement)で、普通ならば exile (流刑) とか déportation (追放) という語に値する史実であるが、のちのフランス系住民は英国支配層に対する気兼ねからであろう、このような婉曲な表現を用いざるを得なかった。

そして理不尽に追放された人々が願うことはただ一つ、故郷への帰還である。だが、信じられないほどの苦労を重ねて戻ってみても、彼らの土地はすでに英国の有力者、あるいは彼らの募った移住者たちに分け与えられており、取り戻すことはできない。それでも彼らはその周辺に少しずつ戻って再び根を下ろし、自分たちの言葉、フランス語を守りながら生き永らえる。そして「大迷惑」から174年後、東海岸の小

写真　アントニーヌ・マイエ（右）と筆者（2008年、筆者提供）
マイエ文学活動50周年記念国際シンポジウム（モンクトン大学）にて。

さな村に生まれた一人の女性がこの言葉の力によって、かつてアカディという土地が存在し、アカディアンと呼ばれる人々が生きていたこと、そして一度はすべてを奪われ追放された彼らが、不屈の意志を持って少しずつ故郷に戻り、蘇ったことを世界中に知らせることになる。

アントニーヌ・マイエは1929年にブクトゥッシュに生まれ、ニューブランズウィック州のあちこちでフランス語を教えながら1950年頃から創作活動を始めた。彼女の名が広く知られるようになったのはカナダ放送協会フランス語総合チャンネル（Radio-Canada）の放送用に書いた『ラ・サグインヌ』（La Sagouine）によってであろう。20世紀初頭のアカディに暮らす、一人の老婆が自分の日常を、英語の影響を受けたアカディアンの言葉、いわゆる「シアック」で軽妙に、かつ独特の皮肉をこめて語る。そして1979年に『荷車のペラジー』（Pélagie-la-Charette）がゴンクール賞を受賞したことで、作者の名だけでなく、アカディの歴史そのものが世界中に知られることになる。1755年にアメリカ南部のジョージアに流されたアカディアンの家族がペラジーという肝っ玉おっかあに率いられ、陸路、牛車で故郷へ戻る苦難の旅の物語である。彼女は、私の知る限り、これまでに20篇ほどの小説とそれ以上の数の芝居の脚本を発表している。大部分は、ブクトゥッシュに似た東海岸の小村を舞台に、その近隣に居ついたアカディアンの末裔たち、特に女性たちの逞しい生きざまを描いている。彼女の創作活動の原点は最初からずっとアカディであり、それがぶれることはない。ただ2019年には、珍しくromanというジャンル指定のない回想記を出しており、さらに2022年には『私の遺言』(Mon testament)を刊行しているが、おそらくこのマイエの最後の作品を筆者はまだ入手していない。

41

移民作家の台頭と変容

★トランスカルチュラリズム、移動文学、間文化主義★

20世紀末のケベック文学を特徴づける重要な出来事の一つは、1980年代に一つの無視できない動向となった「移動文学」(l'écriture migrante) の台頭である。ケベックの批評家ダニエル・シャルティエがそう明言したように、多民族化が伸展した1980年代のケベック社会を反映し、文学においてはフランス語で表現活動を行う移民作家たちの活躍が顕著となった。その文学は、移民文学ならぬ「移動文学」と呼ばれて一つの潮流をなし、ポストモダニズムが爛熟したケベックの文化的雑種性の象徴として注目を浴びることになった。

このような移民作家の台頭を促した要因は、ケベックにおいて移民の大部分が集中するモントリオールの独自の共存のあり方と、その状況を背景に発祥したトランスカルチュラリズムにあったと考えられる。もともとフランス語と英語の二極をもつモントリオールでは、同化への決定的な求心力を欠き、フランス系でも英語系でもないアロフォンと呼ばれるマイノリティの人々が、出自の言語を維持する確率は他の地域に比べると格段に高い。フランス語憲章による移民の子弟へのフランス語による公教育の義務化や北アメリカでの英語の影響力の大きさから、彼らはしばしば3言語を話し、各々のコミュニティは自らの出自の言語や文化を維持し続けることで、受け入れ社会への急速な同化に陥ることなくダイナミズムを持ち続けることになった。このようにモントリオールでは、フランス系と英語系という二つの言語的な極に加え、言語を保持し文化的にも活力を失わないマイノリティの空間が維持されてきた状況から、しばしばマイノリティの側を中心に、言語的三極構造と呼ばれる位相が生じていた。トランスカルチュラリズムとは、こうした状況を背景に、アロフォンのなかでも最も活発なコミュニティをなしていたイタリア系移民の第2世代の知識人たちによって提唱された。カナダの国是であるマルチカルチュラリズムが政府によって公認され、マジョリティの側から提案された多文化の承認と共存の枠組みであったのに対して、トランスカルチュラリズムは、何よりもマイノリティの側から発せられ、モントリオールの言語的三極構造を背景に、横断文化と文化変容のダイナミズムを問いかける思想的、政治的な動向であった。

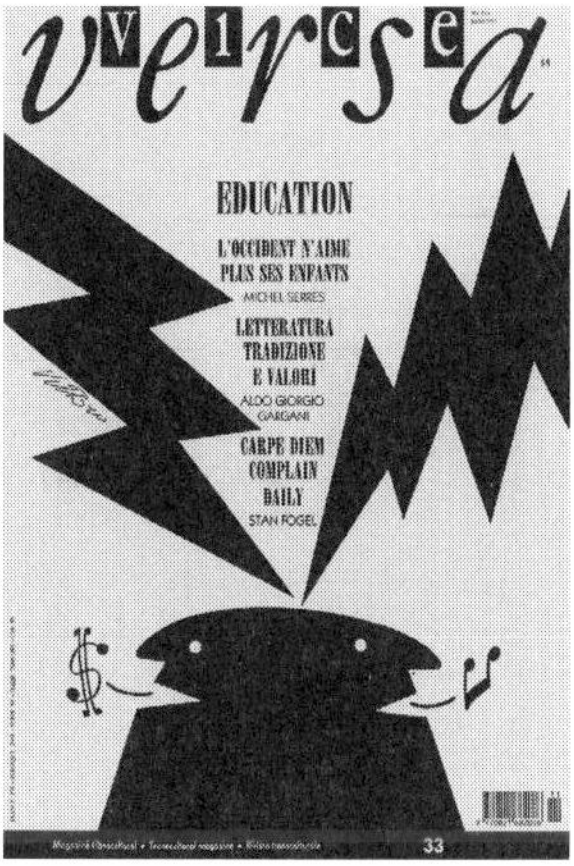

『ヴィス・ヴェルサ』Vol. 33, 5・6・7月号（1991年）

　とりわけ、1986年にフュルビオ・カッチャ、ランベルト・タシナーリらを中心に創刊された雑誌『ヴィス・ヴェルサ（Vice Versa）』は、まさにモントリオールにおいて浸透しつつあるトランスカルチュラルな状況を文化的、政治的に活性化し、流通させ、定着させることを目的としていた。ケベコワやアロフォンの知識人も多数賛同し、フランス語、英語、イタリア語の3言語を使用して、思想的であると同時に美的な意匠にもこだわった。

『ヴィス・ヴェルサ』の誌上では多元化し複数化しつつあるケベック社会を反映し、批評家や作家たちによって活発な意見表明や重要な論争が繰り広げられた。その一つに『測量士と航海士』と題された作家のモニック・ラリュの講演をきっかけに、ケベック社会の多民族化とを背景に「国民」文学とは何かを鋭く問うた「ラリュ論争」がある。一方、アルバータ出身でパリに移住したナンシー・ヒューストン（1953年〜）は、英語とフランス語の2言語によって創作を行うバイリンガル作家としてフランス語圏全般で知られているが、英語で書いた小説を初めて自らフランス語に訳した『草原讃歌』（1993年）がカナダ総督文学賞フランス語部門に選ばれた際、激しい反発とともに自己翻訳文学の正当性を問う論争が巻き起こった。これらの論争はいずれも『ヴィス・ヴェルサ』の誌上において繰り広げられた。そしてこの雑誌は、80年代以降に台頭したネオ・ケベコワといわれる移民作家たちが表現活動を行う主要な舞台となり、「移動文学」という語が初めて登場したのもこの雑誌においてであった。

「移動文学」の作家には、イタリア系のマルコ・ミコーネ、ユダヤ系のレジーヌ・ロバン、ハイチ系のエミール・オリヴィエ、中国系のイン・チェンなど様々な出自の作家たちが含まれた。そのテーマと特徴をあげれば、祖国への郷愁や記憶、喪、流浪、彷徨、アイデンティティの変容、自我の複数性と新しい主体の誕生、自由への渇望と反逆などが浮かび上がってくる。ハイチ系やアジア系の作家については別章で詳しく取り上げられているが、ユダヤ系のレジーヌ・ロバンは『ケベッコワット』において、複数化し断片化した自我の様相を浮き彫りにして「移動文学」の方法論的な試みを最も先鋭に表現した。ケベックの詩人で批評家のピエール・ヌヴーが指摘したように、「移動文学」とは、移民という社会文化的な枠組みにとどまらない美学的な側面が強く押し出された文学であり、雑種的で多元的なケベック社会を象徴し、変容するトランスカルチュラルな状況を映し出すテキストに他ならなかった。

ある一つのカテゴリーに移民作家をくくってしまうことには疑義も唱えられたが、「移動文学」は今日では教科書にも取り上げられ、ケベック文学にしっかりと組み込まれ若い世代にも影響を与えている。たとえばフランスやベルギーでも移民作家は存在したが、普遍主義の名のもとに文学全般に吸収されたり周縁的な位置に追いやられ、移民という立場は隠ぺいされるか無視される傾向にあった。一方、ケベックでは移民作家は顕在化し「移動文学」と呼ばれて一つの潮流をなし大きな反響を呼び起こした。注目すべきことは、近年、「移動文学」はケベックのみならず欧州全般にも波及して、グローバル化を象徴する一つのジャンルとなりつつあることである。それを象徴する出来事として、2012年にはフランスで、ケベックで発祥した「移動文学」の概念に則った『フランス移動文学作家事典』(*Passages et ancrage en France, Dictionnaire des Écrivains migrants de langue française 1981–2011*, Paris, Honoré Champion) が出版された。

さらに特筆すべきこととして、21世紀に入り、ベトナム系のキム・チュイやハイチ系のダニー・ラフェリエールなど（これらの作家については第42章およびコラム15を参照）、ケベックで定着しつつある間文化主義の影響を受けた移民作家たちが活躍し、ケベックにとどまらず世界文学の旗手として注目されるようになったことである。このようにケベックの移民作家たちは、ケベック社会の独自性を背景にダイナミックに変容し、今日、新たな普遍性と象徴性を獲得しているといえるだろう。

（真田桂子）

42

多様なるアジア系女性作家

★チェン、シマザキ、チュイ★

ケベック文学に新たな流れをもたらした移民作家による移動文学（l'écriture migrante）は、1980年代に大きな潮流となって、多様な価値観を互いに相対化するケベック文学の新たな可能性を読者に示すこととなった。80年代以降アジア系移民が増加したこともあり、90年代からアジア系作家の作品が次々と刊行されるようになると、祖国の弊習や歴史に翻弄される登場人物の姿を描いた女性作家の作品は、大きな反響を呼ぶこととなる。アジア系女性作家として最初に注目を浴びることになった中国出身のイン・チェン、2000年代以降の活躍が目覚ましい日本出身のアキ・シマザキとベトナム出身のキム・チュイは、それぞれケベック－パリ賞やカナダ総督文学賞を受賞するなど大いに話題となり、多文化へと開かれたケベック文学の流れに大きく貢献した作家だ。

イン・チェンは1961年に上海に生まれ、復旦大学でフランス文学を専攻した後、1989年にモントリオールに渡り、現在ではヴァンクーヴァーで創作活動を行っている。デビュー作となった『水の記憶』（1992年）は、マギル大学に提出した修士論文に加筆修正を行い刊行した作品で、中国社会の移り変わりを体験した祖母と孫娘の物語が描かれている。身体的痛みを伴う纏足という旧習を通して、女性の自立を問う作品となっている。第2作の『中国人の手紙』（1993年）では、上海からモントリオールに移住したユアンと、モントリオールへの移住を断念した婚約者のササ、そして友人ササを裏切るようにユアンとモントリオールで親密な関係になったものの、彼を振り向かせることができなかったダ・リの三角関係が、書簡形式で語られる。健康面の不安を抱えながら、祖国を離れて西洋の国で「根無し草」として生きることを拒否したササと、自分に振り向いてくれないことを感じ取っていながらも、向こう見ずに彼を追いかけていくダ・リという対照的な二人の女性が描かれている。数々の賞を受賞した3作目の『恩知らず』（1995年）は、事故死した主人公が自分の葬儀に参列する親族をみつめる場面から始まる。彼女は母親に結婚相手を決められ、給料をすべて母に手渡し、本当は肉が食べたいにもかかわらず野菜ばかり食べさせられており、ついに同僚の婚約者と関係を持つと、実家を追い出されることになる。自ら命を絶とうとしていた矢先に、車に轢かれて亡くなってしまう。肉を与えず、その人生を我が物のように支配してしまった母が、娘を食い尽くす親として描かれている。『食べる人』（2006年）では食欲を抑えきれない父の存在が、娘の自立を阻む。中国社会における女性の息苦しさを描いたチェンだが、作家の意図は必ずしも祖国を批判することにあるのではなく、西洋との相対化にあると言う。エッセイの形をとって記された『山岳の緩慢さ』（2014年）では、『恩知らず』で痛烈に批判していたはずの母性が、肯定的に示されている。

アキ・シマザキは1954年に岐阜県に生まれ、1981年にカナダに移住し、1999年に第1作となる『椿』で長崎の原爆を背景とした家族の物語を描いている。1991年からケベックに移り住み、学び始めたばかりのフランス語で執筆されたという本作は大いに話題となり、5作目となる『ホタル』（2004年）にてカナダ総督文学賞を受賞している。『椿』を皮切りに、『ハマグリ』（2000年）、『ツバメ』（2001年）、『ワスレナグサ』（2003年）、『ホタル』までを5部作第1巻という連作として発表している。舞台はいずれも日本で、原爆以外にも関東大震災とその後の混乱のさなかに起きた朝鮮人の虐殺、高度経済成長を経た日本社会の問題が、在日コリアンの母と神父との間に生まれたマリコを取り巻く一大物語となって語られてゆく。近親相姦や父親殺しなど、ギリシア神話のテーマともつながる人間の悲劇が、簡潔な文体で記されていて、読者の興味を最後までひきつける物語の展開は、連続ドラマの手法に慣れ親しんだ北アメリカの読者を意識しているといえよう。シマザキは、見合い（miaï）や初雪（ha-tsu-yu-ki）という日本語を翻訳することなくアルファベットで表記し、異国情緒を効果的に喚起させており、その後も精力的に連作を発表している。

キム・チュイは1968年にベトナムのサイゴン（現・ホーチミン）に生まれ、10歳のときに家族とともに祖国を離れて、ボートピープルとしてカナダへ移民している。モントリオール大学で、言語学および翻訳の学士号とともに法学の学士号も取得し、翻訳家、通訳、弁護士、ベトナム料理店の経営など様々な職業を経験したのち、41歳で作家デビューを果たす。チュイ自身を思わせる主人公グエン・アン・ティンの数奇な運命を描いた『小川』（2009年）が出版されると瞬く間に反響を呼び、1作目にしてカナダ総督文学賞を受賞する。フランス語憲章制定の翌年にマレーシアの難民キャンプからケベック州に渡り住んだキム・チュイの作品では、新たな祖国として迎え入れてくれたケベックと、南北再統一によって故郷サイゴンから離れることを余儀なくされた祖国ベトナムを舞台とする物語が綴られている。しかしチュイの描く祖国は、彼女自身が再び弁護士として戻った勤務時代に知り得た新たな顔も持ち合わせているため、風化したノスタルジーの対象となることも、単なる批判の対象となることもない。変わり続ける「今」という時間軸のなかで描写されるベトナムとケベックを横断する主人公が、二つの文化の間隙を縫うように逞しく生きる姿が印象的だ。ベトナム語もフランス語も完璧ではないと語る作家のように、文化と文化を第三者の視点として見つめ続けながらも、「根無し草」ではなく、自分の生きる場所として祖国と第二の祖国をみつめる主人公の視線が、間文化社会ケベックの現代の姿勢を体現しているといえよう。

中国社会における女性の生き辛さを描きながら、西洋も同じ悩みを抱えているとするイン・チェン、新たな祖国となったケベック社会については触れることなく、日本社会の抱える歴史問題を、文字通り距離を保つことで描き続けるアキ・シマザキ、ベトナム再統一後の混乱と、ケベックの現代社会を交互に比較しながら未来を見据えるキム・チュイと、3人のアジア系女性作家はまったく異なる視点から作品を創作している。多様な文化に対して開かれているケベックの地が、女性移民作家として一括りにできない個性的な文体を、彼女たちにもたらしている。

（関　未玲）

43

ケベック文学における ハイチ系移民作家の登場

★雑誌『デリーヴ』とその後★

「ケベック文学」という言葉を聞いて、どのような作品をイメージするだろうか。当然ながら、ケベック人によって書かれ、ケベックを舞台にした物語を想像することもあるだろう。ところが、1965年に誕生したこの言葉が包摂する領域は、当時と比べると大きく変容し、拡大した。第41章において既に解説がなされている通り、1970年代から80年代以降に急激に移民の民族文化的多様性が高まると、ケベック文学という文学野自体も同様の変化を経験することになった。ケベックにおいては、そのような文学作品を「移民文学」という名称よりは、「移動文学（l'écriture migrante）」という言葉で表現する。これは詩人・文芸評論家ピエール・ヌヴーが広めた概念であるが、そもそも文体的にも内容的にも多様な移民の作品群をある程度のまとまりをもって呼称するために作られたものであった。

このようなケベック文学の変容において、ハイチ系作家たちはとりわけ大きな役割を果たした。もちろん、他にもユダヤ系、イタリア系、アジア系などの大きな勢力を有する民族グループも存在した。しかし、ハイチ系移民たちは、雑誌『デリーヴ（Dérives）』（1975～87年）の刊行以降、ケベックの文学野において大きな存在感を示し続けてきた。たとえば、代表的作家としては、アントニー・フェルプス、ダヴェルティージュ、エミール・オリヴィエ、ジェラール・エティエンヌ、ジャン・ジョナサン、ダニー・ラフェリエール、マリー＝セリー・アニャン、スタンリー・ペアンなどが挙げられる。

70年代から80年代は、ケベックにおいて多くの文学雑誌が刊行された時代だとされている。特に、先述の雑誌『デリーヴ』はその後のケベック社会を論じる際のキーワードともいえる「間文化的」という言葉を用いて自らを位置づけていた。ただし、そこに読み取れるのは、現代のように複数文化の交流・交渉を中心とする間文化というより、どちらかといえばケベック社会論と第三世界論（中南米、アフリカ、アジア）との接続という側面が強かった。しかし、90年代に大きな影響力を持った雑誌『ヴィス・ヴェルサ』（第41章参照）において、批評家ロベール・ベルエット＝オリオルが改めて雑誌『デリーヴ』を、とりわけ主要筆者であったジャン・ジョナサンを論じる中で、先に挙げた「移動文学」という概念が徐々にその形を表し始めるに至った。つまり、ハイチ系移民作家たちは80年代以降のケベック文学の変容において、その初期の段階から王道ともいえる道を歩んできたといえる。

さて、ここでは特に一人の作家、エミール・オリヴィエ（1940～2002年）を中心に取り上げ、ハイチ系移民作家の特色の一端を紹介しておきたい。ハイチ共和国では1957年から1986年まで、デュヴァリエ親子2世代に渡る独裁政権が続いた。その抑圧的な政治体制は苛烈であり、秘密警察トントン・マクートによる反体制的な人々への攻撃は、多くの知識人たちを国外へと逃亡させるに至った。このような歴史的背景から、オリヴィエはフランソワ・デュヴァリエ政権時代にケベックへと亡命するに至った（直前にパリに短期間在住）。これはダニー・ラフェリエール（1953年～）が息子ジャン＝クロード・デュヴァリエ政権時代に移民したのと近似した経路であるといえるだろう。ラフェリエールは今やケベック文学において最も知られる作家の一人であるといえるが、彼についてはコラム15において詳しく解説されている。

オリヴィエは、1966年頃にケベックに到着して以降、学者としての道と作家としての道を同時に突き進んだ。学者としては、モントリオール大学教育学部の正教授として成人教育（特にハイチ系移民に対するフランス語化教育）について研究を行い、亡くなる2002年までその職を続けた。作家としては、1977年に最初の作品集（小説）『盲者の風景』を刊行してから、不定期にだが小説を中心に刊行してきた。2002年の急逝までに、小説6冊（死後出版の1冊含む）、自伝1冊、短編集1冊、エッセイ2冊（死後出版の1冊含む）を刊行してきたが、その数を考えると寡作であったといえるだろう。

オリヴィエの作品における大きな特徴は、亡命者たちが抱える故郷へのトラウマ的な記憶を描き続けたという点である。最初の作品『盲者の風景』から死後出版の『ラ・ブリュルリー』に至るまで、オリヴィエは荒廃した故郷への愛憎入り交じる記憶を執拗に描き続けた。ある意味で、彼にとっての故郷ハイチとは、帰郷したい場所であると同時に、忘れたい場所でもあったといえる。もう一つの特徴として挙げられるのは、彼が時間的・歴史的な意味合いだけでなく、空間的な意味合いにおいてハイチ系移民のアイデンティティを把握しようと試みていた点にある。たとえば、小説『パッサージュ』は、ハイチ系移民や亡命者の自己認識を「何者か？」というよりも「どこにいるのか？」という側面に注目して執拗に描いた作品であった。残念ながら、彼の小説のほとんどはまだ日本では紹介されていないが、唯一、ハイチ短編集『月光浴』に収録されている「ほら、ライオンを見てごらん」は日本語で読むことができる。

オリヴィエを含めたハイチ出身の作家たちの存在は、ケベック文学におけるカリブ海域文学の大きな影響力を示している。たとえば、60年代前後に雑誌『パルティ・プリ（parti pris）』に関わった詩人や作家たちは、マルティニック島出身の詩人・政治家エメ・セゼールの詩的世界・言葉遣いに極めて強い関心を示し続けたのである。この点については、ジャン＝ダニエル・ラフォンのドキュメンタリー映画『ニグロの流儀、あるいはエメ・セゼール、道の途上』において詳しく描かれている。

残念ながら、ここではごく一部のハイチ系作家しか扱えなかった。今やハイチ系作家たちは様々な世代やジェンダーによって構成されており、それに伴い、彼らが紡ぐ物語世界も豊穣さに溢れている。ただ、今のところ日本語で読めるハイチ系作家の作品はラフェリエール以外はそれほど多くないだけに、今後さらに翻訳出版が進むことを祈るばかりである。

（廣松　勲）

コラム15

「日本作家」ダニー・ラフェリエール

小倉和子

ダニー・ラフェリエール（1953年〜、写真）はハイチ出身のケベック作家である。中等教育修了後、ハイチの首都ポルトープランスでジャーナリストになり、ハイチで最も古い日刊紙「ヌヴェリスト」などで政治・文化欄を担当するようになる。しかし、当時のハイチはデュヴァリエ親子2代による29年間に及ぶ独裁政権の真っ只中だった。ラフェリエールの父親はポルトープランスの市長まで務めた人だが、ダニーがまだ幼い頃、デュヴァリエ政権に追われてニューヨークに亡命している。

1976年、ダニーの同僚が秘密警察員《トントン・マクート》に暗殺されると、彼自身も身の危険を感じて急遽モントリオールに移住する。23歳のときのことだった。工場などで働きながら作家修業をし、1985年、『ニグロと疲れないでセックスする方法』というインパクトたっぷりのタイトルの小説でデビューする。その後、90年代にはマイアミに居を移して一連の『アメリカの自伝』の執筆に専念するが、2002年にはモントリオールに戻り、作家活動を続ける。上述の『ニグロと〜』のほか、『エロシマ』、『吾輩は日本作家である』、『ハイチ震災日記』は立花英裕訳が、『帰還の謎』、『甘い漂流』、『書くこと　生きること』は拙訳があるので（いずれも藤原書店）、ぜひ手に取ってみてい

写真　ダニー・ラフェリエール
（2011年秋、箱根にて、筆者撮影）

「日本作家」ダニー・ラフェリエール

ただきたい。とくに、2009年発表の『帰還の謎』は、亡命先のニューヨークで亡くなった父の魂を故郷に返してやるために「ぼく」が33年ぶりにハイチの土を踏むという自伝的小説だが、モントリオール書籍大賞、ケベック書店賞、フランスのメディシス賞などに輝いた。さらに2013年には「不滅の人」とも呼ばれるアカデミー・フランセーズ会員に選出され（フランス国籍をもたない会員としては二人目）、世界的作家としての地歩を固めた。

じつはラフェリエールは、『吾輩は日本作家である』を発表した2008年の時点ではまだ日本を訪れたことがなかった。しかし彼は読書を通じて様々な国を旅していて、旅の俳人松尾芭蕉には殊のほか親近感を抱いている。その根底には、島国ハイチに生まれ、亡命同然の状態でケベックに移住するなかで、「ハイチ系」作家、「ケベック」作家、「ハイチ系ケベック」作家、「カリブ海」作家、「フランス語圏」作家……などと、場所をあらわす様々な形容詞をつけて呼ばれることへの抵抗感があったにちがいない。どこかに定住し、その場所を代表するために書くのではなく、人間の在りように直接切り込む彼は、どこにも属さないことによって遍在する「漂流」の意識を芭蕉と共有しているのだ。『帰還の謎』で初めて取り入れられた散文と自由詩との混交スタイルは、芭蕉の俳句と俳文の組み合わせを意識していたように思われる。

その後、東日本大震災があった2011年秋に初来日を果たし、2019年に再来日している。東北にも足を運び、芭蕉の足跡をたどっている。そして、2021年に発表された『芭蕉と道連れ』（邦訳未刊）では、曾良《そら》よろしく芭蕉とともに世界中を旅して回ることになる。長引くコロナ禍で現実の旅に制約があればこそ、彼の想像力は自在に世界を駆け巡る。しかも、アカデミー・フランセーズ入りしてからのラフェリエールはグラフィックロマンの作家に変身したらしく、本書も文字・挿絵とも、すべて手書きというユニークな書物になっている。

アカデミー・フランセーズでは、彼は辞書編纂の分科会に所属している。由緒あるアカデミーの辞書の最新版（第9版）には、1804年、ハイチが黒人初の共和国として独立を果たしたとき、ナポレオン軍との最後の戦いの場となった丘の名前「ヴェルティエール」が、彼の発案により〈victoire（勝利）〉の項の例文のなかに採用されたことを付言したい。

Bashō
Bonjour Matsuo Bashō,
Vous allez où comme ça?
Un peu par là, vers le
lac Biwa.
Alors on peut faire un
bout de route ensemble.

ダニー・ラフェリエールが描いた松尾芭蕉と手書きの本文

こんにちは　松尾芭蕉、
そんなふうにして　どこに行くのですか？
ちょっとその辺まで、
琵琶湖のほうへ。
では、少しご一緒
させてください。
(*Sur la route avec Bashō* より)

44

ケベックにおける先住民作家の活躍

★現代のイヌイット、イヌー文学を中心に★

ケベック州北部ヌナヴィックはイヌイットの居住地域である。一方、州全域に点在する居留地や都市には、イヌイットだけでなく10のファースト・ネーションズ、メティスが住んでいる。彼らが文学において認知されたのは、ずっと後のことだった。それは彼らの多くが文字を持たず、口承により神話や民話を代々子孫へと受け継いでいったため、部族を越えてそれらが伝播されなかったからである。先住民文学が注目されるのは、先住民に対する関心がカナダ全体で高まった1970年代を待たなくてはならない。1969年、ピエール・トルドー首相が公表した「インディアン白書」は先住民への行政上の優遇措置を撤廃し、彼らを一般市民と同等に扱うことを宣言した。しかし、反発した先住民たちが自らの主張を新聞や雑誌に寄稿した。それにより先住民に対する民族的関心が高まり、1970年代に多くの作品が出版されることとなった。

本章ではまずケベック北部ヌナヴィック生まれのイヌイット作家を紹介し、次に先住民の血を引くイヴ・テリオーに触れ、近年に目覚ましい活躍をみせるイヌー（モンタニェ）作家たちを取り上げたい。

イヌイットはカナダ極北地域で最大の民族である。カナダだけでなく、彼らはシベリアからグリーンランドにかけて生活をしている。15万人といわれるイヌイットの人々は地域差はあるものの、一つの共通言語を有している。

ヌナヴィックのイヌイット文学は、彼らの居住地域が僻地にあり、長い間法律では彼らが先住民とは認められていなかったという社会的要因もあり、ファースト・ネーションズの文学とは一線を画すかたちで発展を遂げた。初めて出版されたヌナヴィック出身の作家の小説は、過酷な環境で熊と対峙するイヌイットの狩人を描いた、マルコシ・パトソクの『狩人の話』（1969年）である。ただし出版年はパトソクの後だが、最初に書かれたのはミチアジュク・ナパルクの『サナーク』（1984年）である。84の物語からなり、女性サナークを中心にイヌイットの生活様式や徐々に白人たちが彼らの社会に入り込んでくる様が描かれる。タムズィ・クマクは作家、言語学者、歴史家、政治家と多彩な顔を持ち、イヌイット文化を広めることに長年貢献してきた。彼の死後、2010年にイヌイット語辞典と自伝『イヌイットは再び自由になってほしい』がイヌイット語とフランス語の併記で出版された。イヌイット文学には多くの「他者」が描かれ、自らの社会を守るという意志が文学創作の根底にあると考えられる。

イヴ・テリオーは1915年にケベックシティで生まれた。父親はイヌーの血をひいたアカディアンである。テリオーは複数の職を転々とした後に複数のラジオ局で働き、ラジオ用の短編をペンネームで書いていた。カナダ国立映画庁に入った後、1944年に『孤独な人のためのコント』で作家としてのキャリアを開始した。代表作はイヌイット物語3部作の第2作目『アガクック物語』（1958

年）である。青年アガクックを中心にイヌイット社会を描いた本作は、多くの言語に翻訳され世界で読まれている。

21世紀に入り、先住民文学は１９７０年代の民族的関心によるムーブメントから文学的関心へと移行した。その中心はイヌーの作家たちである。イヌーはケベックで最も人数が多いファースト・ネーションズである。街に住む人々も多いが、主な居留地はセントローレンス川沿岸で、かつては狩猟や漁を生業として家族単位で移動しながら生活していた。他のファースト・ネーションズと同様、イヌーも口承により代々物語が伝えられてきたが、イヌー語のアルファベット化はフランスから来た宣教師たちによって17世紀にすでに行われていた。そのためイヌーの人々は他の先住民と比べて比較的早く読み書きができる人がいたと言われている。

まずアン・アンタネ＝カペシュがイヌー語とフランス語の併記により自伝的エッセイ『私は呪われた野生の女』（１９７６年）を発表し、最初のイヌー作家となった。彼女は未開とみなされていたイヌー文化を作品内で肯定的に描き、白人が行ってきた不正を告発した。次に登場した詩人リタ・メストコショの詩集『どうやって生を感じたらいいの、お祖母さん』（１９９５年）も自文化をいかに守るのかを作品を通して示している。１９４７年に生まれ、今も第一線で活躍する詩人ジョゼフィーヌ・バコンはイヌー語とフランス

ジョゼフィーヌ・バコンを特集している『リトラル』14 号
(Septentrion, 2019 年)

語の併記で詩を発表している。彼女はコートノール地方のイヌー居留地ペサミット「周辺」で、つまりノマドとしての移動生活中に生まれた。彼女は詩集『メッセージ棒』（2009年）、『どこかに』（2018年）、『もう一度』（2023年）を発表している。作品内では、植民地政策や寄宿学校制度により、祖先の記憶を継承できなかった悲しみと、失われた祖先への道を再び見出そうとする試みが表現されている。バコンのような第1世代が現在も活躍している一方で、同時に若手作家も存在感を増している。代表的存在がナオミ・フォンテーヌである。1987年生まれの彼女の処女作『クエシパン』（2011年）は、ケベック文学界に衝撃をもって迎えられ、出版翌年にフランコフォニー5大陸賞の最終候補に選ばれ、その後映画化もされている。断片形式のこの作品で描かれるのは、居留地での貧困やアルコール、ドラッグ、DVなど、現代の先住民全体が抱える問題である。「クエシパン」は「あなたへ」という意味を持ち、読者への問いかけにもなっている。ナオミ・フォンテーヌよりも若い詩人ナターシャ・カナペ＝フォンテーヌは政治に積極的に関わり、『私の魂に土足で踏み込むな』（2012年）では女性の身体と「大地」を結びつけ、フェミニズム的アプローチにより先住民の未来を模索している。詩人マリ＝アンドレ・ギルは、これまで歴史や政治的主張が描かれることが多かった先住民文学のなかで、自分自身と対峙するような私的な詩の創作に取り組んでいる。

『クエシパン』（Mémoire d'encrier, 2011年）

イヌー作家の活躍に併せて、先住民文学を積極的に刊行する出版社や雑誌の登場も重要である。モントリオールのメモワール・ダンクリエ社は先のジョゼフィーヌ・バコンやナオミ・フォンテーヌ、ナターシャ＝カナペ・フォンテーヌなどの作品を出版している。コートノール地方の文学や歴史を紹介する2006年創刊の雑誌『リトラル』は、イヌー文学の特集を度々組んでいる。近年ではジャーナリスト出身の作家ミシェル・ジャンなど男性作家も登場しているが、イヌー文学の隆盛を支えるのは女性作家たちというのも特筆すべき点である。彼女たちはイヌー語やフランス語を駆使しイヌーの文化を世界に力強く発信している。

（河野美奈子）

ケベックの児童文学

コラム16

鈴木智子

ケベックの児童文学は、1920年代に子どもに向けた雑誌に連載されていた『ペリーヌとシャルローの物語』が独立した形で出版されたのが始まりである。時代背景もあり、物語はカトリックの教えを強く打ち出した子どもを教育する要素が強いものだった。その後戦争や外国の出版社との競争など、様々な危機を乗り越えたのち、1960年代から徐々に発展を遂げ、1970年代から現在の児童文学の礎が築かれていった。

本格的な発展を遂げた70年代から活動をしているコミュニカシオン・ジュネスという編集者、作家、画家などで構成されたグループは、子どもの本に関わる様々な分野の人々が集まり、ケベックにおいて児童文学を発展させる際に大きな役割を果たした。コミュニカシオン・ジュネスのホームページでは、ケベックの作家や作品に関する情報だけではなく、テーマ別、子どもの年齢などに分類された本のリストが掲載されている。テーマ別のリストには科学、怖いお話、夏休みなどの細かく分類された作品が掲載され、読者だけでなく親、司書教員など子どもの本の情報を必要とする様々な人たちと作品とをつなぐ役割を果たしている。

その他にコミュニカシオン・ジュネスから派生した季刊雑誌『ルリュル』は、1978年から ケベックの児童文学に特化した雑誌として刊行されており、出版されたばかりの作品や作家についての情報や書評などを掲載している。ケベックの児童文学について最新の情報を得るのに最適な雑誌である。

ケベックの児童文学作品は日本でも出版されているので、その一部を紹介したい。メアリー＝ルイーズ・ゲイ作『ゆきのひのステラ』（江國香織訳、光村教育図書、2003年）をはじめとする絵本のステラシリーズは8作品が出版されている。それぞれステラと弟サムの日常が、ゲイ特有の鮮やかな色彩で描かれている。同じくゲイの作品で『いやはや』（メアリー＝ルイーズ・ゲイ作、江國香織訳、光村教育図書、2006年）があり、主人公が猫で、他の猫は飛べるのに自分は飛べず、最後は自分にだけできる特別なことを見つけるお話だ。

続いてキョウ・マクレア文、イザベル・アルスノー絵『きょうは、おおかみ』（小島明子訳、きじとら出版、2015年）の文章は英語から翻訳されているが、絵を担当したアルスノーはモントリオール出身の画家で、2020年国際アンデルセン賞画家賞最終候補となった注目の画家である。その他2018年カナダ総督賞を受賞したマリアンヌ・デュブク作『いっしょにのぼろう』（さかたゆきこ訳、TAC出版、2018年）があり、年をとることで変化していく二人の友人関係と、互いに助け合う姿を描いている作品だ。モントリオール出身の作家ジャック・ゴールドステインによる『おなじ星を　みあげて』（辻仁成訳、春陽堂書店、2021年）は、宇宙や星に興味を持ち強い友情で結ばれていた二人が、それぞれ家族の宗教の違いから仲を引き裂かれたものの、大人になって再会し友情を復活させる物語である。多民族の暮らすケベックの様相や、モントリオールの街の様子も垣間見える作品だ。ゴールドステインはこの作品で2020年TDカナダ児童文学賞を受賞している。

VII

芸術文化

45

ケベックの文化政策

★公共性と経済的合理性との間で★

「静かな革命」の口火を切るかのように、ジャン・ルサージュ政権は1961年、文化省を創設した。フランスで同名の省が創設された2年後のことであった。ケベックにおいて、フランス語社会の維持・発展の中核として、文化は位置づけられてきたし、ケベックの分離・独立運動、準国民国家化、文化政策の整備も、相互に切り離すことができないかたちで展開してきた。その結果、ケベックは、北アメリカにおいて例外的なまでに充実した文化政策を擁するに至っている。

文化省の現在の正式名称は文化コミュニケーション省であり、2018年から続くフランソワ・ルゴー政権の下、2022年10月、ナタリー・ロワからマチュー・ラコンブに文化大臣が交代したばかりである。文化省は、ケベック州立図書館・公文書館（BAnQ）、ケベック州芸術人文評議会（CALQ）、ケベック州立音楽・演劇コンセルヴァトワール、ケベック州立美術館、モントリオール現代美術館、文明博物館、テレ＝ケベック、文化企業開発公社（SODEC）、プラス・デ・ザール（芸術広場）、ケベック大劇場など13の外郭団体・公社を直接の監督下に置いている。現在では、1992年に発表された基本文書「ケベッ

ク州文化政策　私たちの文化　私たちの将来」を発展させ、２０１８年に発表された「文化、あらゆる場所で　ケベック州文化政策」および5ヶ年の行動計画とに基づいて政策が実施に移されている。そこでは①文化を通じた個人・集団の開発、②創造活動、芸術・文化の発展に適した環境整備、③文化と地域の関係の活性化、④ケベックの経済・社会の発展への貢献が主軸として掲げられている。

文化省の予算は８億６４４７万カナダドル（２０２０年度予算）、ＣＡＬＱの予算は約2億カナダドル（２０２１年度）に上る。州政府予算に文化予算が占める比率は２０００年度の１・４％から２０１９年度の０・９％に減少したとされるが、それでもフランスに劣らない水準である。歴史的に芸術・文化は最大都市モントリオールと州都ケベックシティの2都市を中心として発展してきたが、文化政策の分散化も進み、それ以外の地方（州全体を17地方に区分）における文化の振興も重視されている。モントリオール市文化部の予算は６５７９万カナダドル（２０２１年度）、モントリオール芸術評議会の予算は２０４３万カナダドル（同）となっている。なお、文化省の２０２０年度決算の金額は同年度の予算を大きく超える11億４６２１万カナダドルに達したが、それはコロナ禍による緊急支援の必要が生じたためである。ケベック州においても新型コロナウイルス感染症の打撃は深刻であり、複数回のロックダウン、それに伴う文化施設の閉鎖や活動の中断を経験した。文化は、旅行業・飲食業と並んで深刻な影響を被った領域であり（シルク・ドゥ・ソレイユの経営破綻のニュースは世界を揺るがせた）、連邦政府・州政府・その他自治体による公的支援も相当な水準に達した。

州や自治体による支援に加えて、連邦政府による支援も大きな役割を果たしている。カナダ芸術評議会の予算はジャスティン・トルドー政権下で大幅な伸びを見せてきたが、同評議会助成の州ごとの配分額（2021年度）を見ると、ケベック州（1億4100万カナダドル、全体の31・25％）はオンタリオ州（1億4910万カナダドル、同33・04％）と肩を並べるほどの水準となっているからだ。ケベック州の人口870万人（2022年7月、カナダ全体の2割強）に対してオンタリオ州は1500万人（2022年4月、同4割弱）であり、ケベックの団体・個人は実際の人口に比してもきわめて高水準の支援を享受していることがわかる。同様に、ケベックの団体・個人は、国際交流に関して連邦政府外務省・大使館と州政府国際関係省・事務所（世界に30拠点を超える）の支援を受けることが可能である。

筆者が専門とする舞台芸術の領域では、モントリオール（1954年創設）、ケベックシティ（1958年）の演劇コンセルヴァトワール、カナダ国立演劇学校（1960年）などの専門教育制度の創設・整備に続いて、1970年代に多様で実験的な芸術表現が生まれ、1980年代以降は公的助成による追い風も受けて、ケベックの演劇（ロベール・ルパージュ、ドゥニ・マルロー、ワジディ・ムアワッドら）、ダンス（エドゥワール・ロック、マリー・シュイナールら）、サーカス（シルク・ドゥ・ソレイユ、シルク・エロワーズ、セブンフィンガーズら）は世界的に高い知名度と評価を得ることになった。

モントリオール市は2007年に「文化大都市、モントリオール」を宣言し、10ヶ年の行動計画を同時に発表した。その中核の一つをなしていたカルティエ・デ・スペクタクル（舞台芸術地区）の整備計画について触れたい（写真）。これは、モントリオール市を中心としつつ、連邦政府、州政府、民間セクター（キュルチュール・モンレアル、モントリオール商工会議所）も参加するコンソーシアムが推進しているものである（2019年からモントリオール観光局も加わった）。ジェズュ劇場（1865年開場）、モニュマン・ナシオナル劇場（1893年開場）、ヌーヴォー・モンド（新世界）劇場（1912年開場、19

72年から現在の形態に）、プラス・デ・ザール（1963年開場）などがすでに立地していた地区に、さらにモントリオール交響楽団の本拠地ともなるメゾン・サンフォニック（2011年開場）や舞踊団の稽古場や舞踊学校を集めたエスパス・ダンス（2017年開場）、夏に開かれる複数のフェスティヴァルの野外会場となるフェスティヴァル広場（2009年開場）をはじめとする関連施設を整備し、さらなる集積を図るとともに、舞台芸術による都市中心部（かつての赤線地区でもある）の活性化、共生社会の推進が企図されている。

キュルチュール・モンレアルは2002年に創立された、高い専門性を有する非営利団体で、文化の領域で民主主義の理念（包摂、多様性、先見性、協働、一貫性、厳格性）を実現すべく、ときに行政府と連携しながら、文化に関わる計画の立案・実施を支援し、重要な問題に関する議論の場を設けている。

写真　モントリオール中心部のカルティエ・デ・スペクタクル（2016年、筆者撮影）

こうした団体は芸術領域ごとにも存在し（たとえばケベック演劇評議会CQTやケベック舞踊連合RQD）、公共文化政策を分析し、複数年度にわたる行動計画を立案する、言い換えれば、文化政策の一翼を担う能力を持ち、行政府にとっても重要なパートナーである（それゆえに公的助成も受けている）。こうした公共セクターと民間セクターの緊密な連携、公共性と経済的合理性との巧みなバランスに基づいた全体利益の吟味に、ケベックの文化政策の重要な特徴が現れているように思われる。

（藤井慎太郎）

46

ケベックの演劇

★表象における多様性を求めて★

フランス語を公用語とするケベック州は、カナダにおいて特殊な位置づけにある。それゆえに生じる葛藤が、様々な優れた演劇作品を生み出してきた。フランスの古典劇や、カトリック教会が認める道徳劇の上演が中心であったケベックで、人々がケベコワとしてのアイデンティティを誇りに思える作品の誕生は、1960年代の「静かな革命」期に現れた劇作家ミシェル・トランブレ（1942年〜）の登場を待たねばならなかった。彼は演劇作品において、標準的なフランス語が主流であった当時、ケベックの方言であるジュアルを使用し、下町の生活を描いたことで、ケベックのナショナリズムに貢献した。代表作である喜劇『義姉妹』は、様々な言語に翻訳され、ミュージカル化もされた。トランブレの作品のうち、家族の悲劇を浮き彫りにした『永遠に私のもの、マリー＝ルー』やドラァグ・クイーン（drag queen）の悲哀を描いた『ホザンナ』など、周縁に置かれた人々を取り上げたものは、教会が力を有していたそれまでの保守的な社会に一石を投じたといえる。

トランブレと同様に多作で、マイノリティに焦点を当てた作品を発表しているミシェル・マルク・ブシャール（1958年

〜）も、ケベック演劇を牽引してきた劇作家の一人である。『リリーズ』や『孤児のミューズたち』といった代表作に加え、『トム・アット・ザ・ファーム』は、グザヴィエ・ドラン（1989年〜）が映画化したことでも話題になった。その後、ドランによる初めてのテレビドラマ作品『ロリエ・ゴドローと、あの夜のこと』の原作を手掛けたのもブシャールである。

他にも、キャロル・フレシェット（1949年〜）や、ラリー・トランブレ（1954年〜）、そしてノルマン・ショレット（1954〜2022年）、さらにダニエル・ダニス（1962年〜）などによる作品は、ケベック以外でも人気を得ている。オリヴィエ・ショワニエール（1973年〜）や、イヴリン・ドゥ・ラ・シュヌリエール（1975年〜）なども、次の世代を担う劇作家として、精力的に作品を発表している。中でも異彩を放っているのが、レバノン出身のワジディ・ムアワッド（1968年〜）である。『リトラル』、『アンサンディ』、『フォレ』そして『シエル』からなる「約束の血」4部作のうち、3作品は日本でも上演されて好評を博した。ギリシャ悲劇を彷彿とさせる『アンサンディ』は、ドゥニ・ヴィルヌーヴ（1967年〜）によって『灼熱の魂』として映画化され、アカデミー賞にもノミネートされた。

質の高い劇構造を有した戯曲により、ケベック演劇の層は年々厚くなってきたが、1980年代以降に顕著となる視聴覚に訴える作品もまた、ケベック演劇を彩り豊かなものにしている。カルボンヌ14を率いたジル・マウー（1948年〜）や、テアトル・ユビュを創設したドゥニ・マルロー（1954年〜）も特筆に値するが、最も国際的に認知されているケベックの演出家といえば、やはりロベール・ルパージュ（1957年〜）である。ルパージュは1994年に自身のカンパニーのエクス・マキ

『太田川七つの流れ』（© François Latulippe / Ex Machina）

ナを設立し、これまで数多くの作品を生み出してきた。代表作の一つである『太田川七つの流れ』は、広島の原爆投下による悲劇に着想を得ながらも、広島から時空間を超えて、アウシュヴィッツの悲劇やエイズといった社会問題を描く約7時間にも渡る大作である。この他にも、カナダのチャイナタウンを舞台にした『ドラゴンズ・トリロジー』のスピンオフ作品『ブルー・ドラゴン』、またハンス・クリスチャン・アンデルセンの知られざる側面を浮かび上がらせた『アンデルセン・プロジェクト』、さらに１９６０年代のケベックを父親との記憶を通して振り返った『８８７』などが挙げられる。これらはすべて日本でも上演され、ルパージュと日本との関係の深さも物語っている。演出家としての活躍は演劇に留まらず、オペラやサーカス、さらにダンスの分野にまで及ぶ。

国際的に活躍する一方で、２０１９年にはケベックシティの旧市街に、自らの劇場であるディアマンを創設した。この劇場では、ルパージュ作品はもちろんのこと、国内外の様々な舞台芸術を取り上げ、ケベックの文化的水準を上げることに貢献している。ルパージュ同様、フランソワ・ジラール（１９６３年～）はジャンル横断的に活躍している。他にも、ロレーヌ・パンタル（１９５１年～）やルネ・リシャール・シール（１９５８年～）は古典の演出に定評があり、セルジュ・ドゥノンクール（1962年～）は色彩豊かな演出で際立っている。さらに、カナダ全土で近年顕在化している先住民の表象の中でも、フランコフォンとイヌイットが共同制作した『アーラピ』は特筆に値する。この作品では、ヌナヴィックの小さな街の日常の物語が、イヌイットの人々にとって重要なコミュニケーション手段であるラジオを通して語られる。本作はモントリオー

ディアマン劇場の外観（© Stéphane Groleau）

『アーラピ』（© Anne-Marie Baribeau）

ルのフェスティヴァル・トランスアメリークや、ヴァンクーヴァーのプッシュ・インターナショナル・パフォーミング・アーツ・フェスティヴァルなどで上演された。英語とフランス語、そしてイヌクティトゥット語の3言語を用い、映像を巧みに駆使しながら、厳しい環境の中で素朴な生活を営むイヌイットの人々を描いている。観客は、家の中で繰り広げられる二人の女性の何気ない日々の生活を、小さな窓から垣間見ることになる。キッチンでは、実際にイヌイットの伝統料理であるバノックを作ることで、客席までその匂いが漂い、視聴覚だけでなく、嗅覚にも訴える演出となっている。本作の演出を手掛けたロランス・ドーフィネ（1983年〜）の『シクロラマ』という作品も興味深い。ケベックに内在する英国系とフランス系の間にみられる「二つの孤独」に着目し、前半を英語系の劇場であるケンタウロス・シアターで、そして後半をフランス語系のサントル・デュ・テアトル・ドゥジュルデュイで上演し、劇場間の移動をバスでつなぐ演出がなされた。このようなドーフィネの試みは、今なおケベックに存在する分断や「他者」の問題を浮き彫りにし、演劇という媒体を通して両者の対話の機会を提供している。

様々なレベルにおける対立構造がみられる現代社会において、フランス語に基づく文化を守り続けながらも、「他者」を寛容に包摂しつつ、新たな表現方法を模索するケベックの演劇からは、我々が学ぶべきことが多いのではないだろうか。

（神崎　舞）

47

まだ誰も見ぬダンスの地平へ

★タブーなきケベックの現代ダンス芸術★

非言語芸術であるダンスは、身体というメディアによって言葉以上に雄弁に、それを生んだ土地を、時代を、文化を表象する。この傾向は1980年代から世界的に流行したコンテンポラリーダンスで特に顕著だが、多様な文化的背景を持つケベックの振付家はそれぞれに独創的で、彼らの作品は一度見れば忘れない強烈な印象を残す。

ダンスは一般に、体系的な理論やメソッドを学んだプロフェッショナルが実践する「芸術ダンス」と、コミュニティから発生し伝承される「大衆ダンス」に分類されるが、ケベックの芸術ダンスの歴史は19世紀末のモントリオールで始まった。1895年に社交ダンスやバレエを教えるスタジオが開き、20世紀前半は英米系のバレエやモダンダンスが優勢だったが、世紀半ばからフランス系のアーティストが流れを刷新する。社会の伝統的道徳観を否定して自由な創造を主張する様々なジャンルの芸術家が結集し、1948年に発表したマニフェスト「全面拒否」は、続くダンスの方向性にも大きな影響を与えた。肉体は精神に劣るとするカトリック的思想に抗い、振付家たちは身体を肯定し、正面から対峙し、未知のムーヴメントの探求に向かった。こうしてフィジカルで実験性に富むケベック・ダンスの個性が醸成されていく。

「静かな革命」によりケベック社会全体の近代化が進む1960年代は、ダンスにとっても重要である。「全面拒否」に参加したダンサーのジャンヌ・ルノーが1960年にグループ・ドゥ・ラ・プラス・ロワイヤルを、1968年にモントリオール大学に着任したフランス出身のマルティーヌ・エポックがグループ・ヌーヴェル・エールを設立し、個性の異なる二つのカンパニーがシーンを牽引していった。この土壌に萌芽し、1980年代に開花したバレエともモダンとも異なるダンスは、初めヌーヴェル・ダンス、後にコンテンポラリーダンスと呼ばれ、アクチュアルな問題意識を共有する新しい芸術として人々に認知された。1980年に振付家育成と実験的作品の上演を担う組織「タンジェント」が誕生し、1985年にケベック大学モントリオール校にエポックの指揮でダンス学部が創設され、1991年には大学と連携した上演スペース「アゴラ」が市内にオープンして、育成・創造・上演の環境整備が進んだ。さらに1985年から2004年までモントリオールで各年開催された国際ヌーヴェル・ダンス・フェスティヴァル（FIND）が、ケベックと世界各地の先端的なダンスをつないだ。

ケベック出身で一時代を画した振付家は、エドゥワール・ロック（1954年～）である。モロッコで生まれ、5歳でモントリオールに移住したロックは、大学でダンスに出会い、ヌーヴェル・エールに参加した。独立して1980年に立ち上げたラ・ラ・ラ・ヒューマン・ステップスは、最盛期には世界58都市で13万人を動員するカンパニーに成長した。初期の代表作『ヒューマン・セックス』（1985年）は、音楽のニューロマンティックの流行に呼応した耽美で退廃的な世界観と、強靭なダンスで人々を圧倒した。中心ダンサーのルイーズ・ルカヴァリエは、空中に身体を投げ出し斜め45度の軸で鋭く回転するバレル・ターンを繰り出す力強いダンスで、ジェンダーを越えた時代のアイコンとなった。1999年にルカヴァリエが脱退するとロックの振付の関心はバレエに移り、振付の高速化と反復によってバレエの伝統と技術を異化し、新たな美の探求に向かう。バレエダンサーを起用した映像作品『アメリア』（2003年）、古典バレエの精華である『眠れる森の美女』『白鳥の湖』の音楽と振付を換骨奪胎した『アムジャッド』（2007年）は、2000年代のロックの代表作だ。バレエ界も彼の仕事を評価し、ロックはバレエの最高峰パリ・オペラ座バレエ団にも複数の作品を振り付けている。

ヌーヴェル・エールは他にも世界的振付家を輩出した。バレエと体操を学んだジネット・ローラン（1955年〜）は、オー・ヴェルティゴを設立してアクロバティックで幻想的な作品を世に送り、元文学教師のポール＝アンドレ・フォルティエ（1948年〜）は時代に安易に迎合しないストイックで哲学的なダンスを追求した。ダニエル・レヴェイエ（1952年〜）はタブーを恐れぬ創作を行い、『Amour, acide et noix』（2001年）によってダンス界に大きな衝撃を与えた。薄暗く何もない舞台に、全裸の4人の男女。ヴィヴァルディの軽やかな音楽が流れるなかで、彼らは感情表現を排し、シンプルなムーヴメントを断続的に実行し、シークエンスを反復する。剝き出しの身体は官能よりむしろ、人々が日常衣服をまとって隠蔽している存在の脆さ、儚さを可視化し、静かに観客に提示する。

他方、プラス・ロワイヤルに参加し、美術家とも親交を結んだジャン＝ピエール・ペロー（1947〜2002年）は、『夜』（1986年）に代表される、洗練された詩的なダンスを制作した。

どちらのグループとも関係せず、演劇やパフォーマンスを学び、イヌイット文化の影響を受け、独自路線を行くのがマリー・シュイナール（1955年〜）だ。『春の祭典』（1993年）、『コラール』（2004年）等で彼女が用いる、身体のパーツをデフォルメし大胆に露出した衣裳、不思議な身振り、突発的な叫び声は観客を唖然とさせるが、こうした表現の根底には、原初の身体・言葉への畏敬と大らかなユーモアが脈打っている。

続く世代の代表は、モントリオール生まれのダーヴ・サン＝ピエール（1974年〜）だ。ペローやレヴェイエのダンサーから振付に転じ、『魂のポルノグラフィ』（2004年）の成功を機にアヴィニョン演劇祭や欧州の主要劇場に招かれている。台詞もヴィジュアルも極めて過激な彼の演劇的ダンスは、笑いとともに私たちの社会の矛盾を暴き出す。ラ・ラ・ラ・ヒューマン・ステップスのスターだったルカヴァリエも、出産と育児を経て復帰した。自ら振り付け出演する『So Bleu』（2012年）は、ダフトパンクからアラブ音楽、梶芽衣子『修羅の花』まで多種多様な楽曲を用い、年齢を感じないエネルギッシュなダンスによって時間や空間のテンションを自在に操る傑作だ。

コンテンポラリー以外のダンスも面白い。カナダ三大バレエ団の一つ、グラン・バレエ・カナディアンは古典作品からブリティッシュ・ロックに振り付けた現代作品まで意欲的なレパートリーを上演し、1974年に設立されたバレエ・ジャズ・モンレアルも世界各地からコンテンポラリーダンスの振付家を招いてジャンルの枠にとらわれない活動を展開している。

2017年にはモントリオール市、ケベック州政府、カナダ政府の支援で、市の中心街に「ワイルダー・エスパス・ダンス」が開場した（写真1、2）。この新施設はモントリオール交響楽団とグラン・バレエ・カナディアンの上演会場であり、タンジェントとアゴラを収容する。クラシックと最先端のダンスが1ヶ所に集まり、シナジー効果によってケベック・ダンスの歴史に新たなページを開く名作の出現が期待されている。

（岡見さえ）

写真1　ワイルダー・エスパス・ダンスの外観
（2018年、河内崇撮影）

写真2　ワイルダー・エスパス・ダンス（2018年、河内崇撮影）
壁面に関連作品のプロジェクションが行われている。

ケベックのパフォーミングアーツと先住民アーティストの出会い

コラム17

安田　敬

モントリオールに初めてダンスの取材で訪れたのは1995年11月だった。当時はパフォーミングアーツの変動の時期だった。1990年代前半にシルク・ドゥ・ソレイユが来日した。その後、ラ・ラ・ラ・ヒューマン・ステップス（エドゥワール・ロック）、マリー・シュイナールなどのダンスカンパニー、演出家のロベール・ルパージュが毎年来日し、ようやくケベックの名が印象づけられていた。今世紀に入り青山劇場などで4Dアート『オルフェオ（2001年）』の来日公演が行われたり、「ダンスビエンナーレ東京2002・2004」や「ケベック週間」などのフェスティヴァルで演劇やダンスが上演されたりした。そして舞踏家と交流の深いジョスリーヌ・モンプティ、さらに先住民の血が流れているというルーシー・グレゴワールも舞踏に魅了され、80年代半ばに土方巽の舞踏を習い、彼の死後は大野一雄（1906〜2010年）、その子息・慶人（1938〜2020年）らに学び、亡くなるまで交流を継続していた

写真　ルーシー・グレゴワールと大野慶人
（2012年、筆者撮影）

（写真）。さらにポール＝アンドレ・フォルティエ、ジネット・ローラン、ジョセ・ナバスの公演、続いて「シルク・エロワーズ」、「Les 7 doigts de la main（通称セブンフィンガーズ）」などのサーカスカンパニーが来日し、観客を賑わしている。

私が初めて1995年に訪れた国際ヌーヴェル・ダンス・フェスティヴァル（FIND、1986〜2003年）の取材では、ジャン・ルイ・ペローー（1947〜2002年）、マギー・ギリスや当時新鋭のマリー・シュイナールやエドゥワール・ロックなど素晴らしい振付家たちに出会い、彼らの舞台作品にオリジナル性と芸術性を感じ取ったが、それ以上に会場での観客たちの鑑賞ぶりとその熱いまなざしには深く感銘した。特にモントリオール市では、これだけの文化の香を醸し出すオーラというか、新しい感覚が街全体にまで及んでいた。

古い建物や教会などを再利用したり、古くなった倉庫を住民に貸し出したり、また映像関係、IT企業や新しいベンチャーに対しても行政が助成したりするなど、多くの事業展開を繰り広げていった。当時の街の再開発事業と文化政策を連動させたサーカスアーツシティ計画などに、我が国の文化政策が学ぶべきことがあると思った。環境保全、アーティストの育成、消えていく職人たちの衣装作り等としての再生、青少年たちの更生などである。アーティストが芸術活動をしながら、市民とともに生きていける街にすることがケベック州の魅力であり、その一つがサーカスアーツシティだった。2020年のコロナ禍で活動中止というニュースも流れたシルク・ドゥ・ソレイユが2022年に活動を再開し、SNSでもその活躍ぶりを見ることができる。

平成からの20年間、多くの振付家、ダンサーが来日したが、ただ一人来日に協力できなかったのは振付家ガエタン・ギングラス（1956

father told me
（© Laporte Rollin/2006 公演パンフレット）

年〜）である。先住民の血を引くギングラスに2006年に出会い、彼の作品『Mon père m'a raconté / My father told me』を見ることができた。本作品は彼のルーツとアイデンティティを探し求めるパフォーマンスになっている。ダンスの動き、歌、太鼓のリズムで彼の祖先の物語を紹介する。バックスクリーンには先住民たちの土地、山や川、家族の写真が映し出され、その映像を背景に舞台ではダンサーたちが踊り、演じる。ギングラスは青年期に、自身の出身である先住民イロコイ・モホークのダンステクニックを身につけた。生来の感性と舞踊家としての存在感に裏付けされた彼の才能は他の振付家にも認められ、高く評価されている。

48

シルク・ドゥ・ソレイユ

―★世界最大のサーカス集団のコロナ禍による倒産と１年半ぶりの公演復活★―

シルク・ドゥ・ソレイユは、ケベック州モントリオールに本拠を置く、世界最大のサーカス・カンパニーである。

同カンパニーは、１９８４年の創設以来、瞬く間に世界最大のサーカス・エンターテインメント集団としての高い評価を獲得し、これまでに世界70ヶ国、４５０都市以上で公演を行い、2・15億人もの人々を魅了してきた（２０２２年12月現在）。

各地に大規模なテント劇場（シルク・ドゥ・ソレイユではシャピトーと呼ぶ）を建て、世界中の多くの国や都市を巡回するツアーショーを上演する一方で、米国のエンターテインメントの一大中心地でもあるラスベガスで、その巨大ホテル群に常設されている大規模な劇場で継続的にロングラン公演を行うレジデントショーをも数多く上演してきた。

２０２０年3月、世界保健機関（ＷＨＯ）が新型コロナウイルス感染症の世界的流行（パンデミック）を宣言し、それに伴ってライブ・エンターテインメントの上演が各国で全面的に中止となるという未曾有の事態が発生するまで、同カンパニーは、疑いもなく、世界で最も多彩で良質なオリジナル・コンテンツを創造・提供し、世界で最も多くの観客を集めるライブ・エンターテインメント集団だった。

しかし、新型コロナウイルス感染拡大の影響により世界で上演中の44の同社のショーがすべて中止となり、収入の道を絶たれたために、あっという間に破産に追い込まれることになった。2020年6月29日にはシルク・ドゥ・ソレイユの運営会社がカナダ・ケベック州の裁判所に会社更生手続きを申請したことが日本でも報道された（2020年6月30日読売新聞、毎日新聞ほか）。

その後、法的管理下で再建計画を進め、一部の公演を再開できたのは、2021年6月になってからだった。2022年12月時点では、シルク・ドゥ・ソレイユのウェブサイトには、ラスベガスのレジデントショーとして、『O（オー）』『Mystère』『Michael Jackson ONE』『KÀ』『Mad Apple』『The Beatles LOVE』の6作品が、また、世界を巡演するツアーショーとしては、『アレグリア』『AMORA』『BAZZAR』『CRYSTAL』の4作品が挙げられていた。

シルク・ドゥ・ソレイユが、その創作の革新性によってサーカスの概念を変えてしまったことに疑いの余地はない。

1982年、ケベック州のベ・サンポールという名の小さな町で竹馬乗り、ジャグリングや火吹きなどで人々を楽しませていた若手大道芸人の集団がシルク・ドゥ・ソレイユの前身である。1984年、ジャック・カルチエのカナダ上陸450周年を記念して開催された大イベントの際に、創設者ギー・ラリベルテのもとに結集した73名のスタッフとパフォーマーによってシルク・ドゥ・ソレイユが結成された。その後、ケベック州内外の諸都市での公演が大評判を呼び、次いで米国での公演が爆発的な反響を巻き起こしたことから、シルク・ドゥ・ソレイユは一挙にメジャーなエンターテインメントビジネスの中心に躍り出た。

シルク・ドゥ・ソレイユは、舞台表現面においても旧来の常識を大きく超える新しい次元を開いた。目を見張るスーパー・パフォーマンスによる舞台の圧倒的な高揚感は、一度でもシルク・ドゥ・ソレイユの舞台を見たことがある人にとってはすでにおなじみのものだろう。人間技とは思えないアクロバティックな妙技の数々、息を呑む迫力とスリル満点のパフォーマンスが次々に眼前に繰り広げられる。心弾ませ、ときに情念を揺さぶるような音楽が観客の心を酔わせ、そしてファンタジーの世界に誘うカラフルな照明が舞台全体を包み込む。

写真　シルク・ドゥ・ソレイユの公演『アレグリア』(Photo provided by Cirque du Soleil)

伝統的サーカスと共通する要素はもちながらも、それらのすべてがスピード感あふれる現代的なパフォーマンスとしてショーアップされている。また、よく知られているように、伝統的なサーカスとは違って動物は舞台にいっさい出てこない。
そのスーパー・パフォーマンスを支えているのが、いずれ劣らぬ超一流の高い技術をもったパフォーマー（彼らはアーティストと呼ばれる）たちの存在だ。常時十数名のスカウトが世界各地で才能あふれるパフォーマーを探している。もともと雑技やサーカスの盛んな中国やロシアの出身者をはじめとして世界中から優秀なパフォーマーが集まり、なかにはオリンピックの金メダリストをはじめ、様々な競技の世界チャンピオンも数多く含まれている。スカウトたちは、たとえば、器械体操、新体操、アーティスティックスイミング（シンクロナイズドスイミング）、水泳、飛び込み、各種の武道（マーシャル・アーツ）、なわ跳び、バトントワリングなど、様々な競技の世界選手権等の大会に出向いて才能の発掘を行っている。このようにして、シルク・ドゥ・ソレイユでは、一時はアーティスト１４００名を含む40ヶ国以上の国籍をもつ総勢５０００名を超える規模の構成員がその多彩なパフォーマンスを支えていた。

表　「シルク・ドゥ・ソレイユ
日本公演（ツアーショー）」一覧

公演名	上演開始年	集客数
『ファシナシオン』	1992	71万人
『サルティンバンコ』	1994	56万人
『アレグリア』	1996	67万人
『サルティンバンコ 2000』	2000	124万人
『キダム』	2003	132万人
『アレグリア 2』	2004	114万人
『ドラリオン』	2007	149万人
『コルテオ』	2009	167万人
『クーザ』	2011	121万人
『マイケル・ジャクソン　ザ・イモータル　ワールドツアー』	2013	31万人
『オーヴォ』	2014	132万人
『トーテム』	2016	136万人
『キュリオス』	2018	137万人

注　この他に2008年10月から東京ディズニーリゾート内に「シルク・ドゥ・ソレイユ　シアター東京」という常設劇場がつくられ、東京オリジナルの『ZED』という作品が上演されたが、2011年3月の東日本大震災の影響もあり、2011年中に閉幕した。

出典　シルク・ドゥ・ソレイユ『アレグリア—新たなる光—Cirque du Soleil』公演公式ウェブサイト

最後に日本での公演について見てみる。シルク・ドゥ・ソレイユは、１９９２年の『ファシナシオン』以来、フジテレビジョンとシルク・ドゥ・ソレイユの企画制作による日本ツアーを13公演実施しており、その集客数の合計は１４００万人を超えている（表）。その後、２０２３年2月から5年ぶりに待望の日本（東京・大阪）公演（『アレグリア』）が行われ、来場した約84万7０００人のファンの歓喜に応えた。

（曽田修司）

49

ケベック映画

★始まりと発展、そしてNFB / ONF★

最初にカナダで映画が上映されたのは1896年のこととされている。その年の6月27日、ケベック州サンローラン（現・モントリオール市サンローラン区）にて初めてシネマトグラフの上映会が行われた。その後、1897年にカナダで最初の映画が撮られる。ジェイムズ・フリーア（1855〜1933年）による農村風景やカナディアン・パシフィック鉄道を撮ったドキュメンタリー作品だった。さらに20世紀初頭には、カナディアン・バイオスコープ社によるドキュメンタリー『リヴィング・カナダ（Living Canada）』シリーズ（全35作）がカナダ各地で撮影され、世界各地に輸出されていった。

注目すべきは、1914年に製作された最初の長篇劇映画『エヴァンジェリン（Évangeline）』だろう。エドワード・P・サリヴァン（1854〜1928年）によるこの映画は、H・W・ロングフェローが1847年に書いた詩を下敷きにしており、アカディアンのヒロインの苦難の歴史が綴られてゆく。1914年といえば、米国映画の草創期に活躍したD・W・グリフィス（1875〜1948年）が最初の長篇作品『国民の創生』を製作した翌年のことであり、早い時期からカナダの映画産業が成立していたことがうかがえる。その一方でサイレント映画の時代は、エディスン社をはじめとする米国の映画製作会社がカナダの映画産業を牛耳っており、トーキー映画時代を迎えても状況は変わらなかった。

こうしたなか、「カナダ人およびその他の国々に対し、カナダを理解してもらうため」、カナダ国立映画庁（NFB／ONF）が設立される。初代の長官には、『流し網船』（1929年）などにより、英国ドキュメンタリー映画を牽引したジョン・グリアスン（1898～1972年）が招かれ、さらにグリアスンはアニメーション部門の責任者として同じスコットランド人のノーマン・マクラレン（1914～87年）を呼び寄せる。以後、NFB／ONFを中心にして、カナダの映画産業は、ドキュメンタリー映画とアニメーションを2本の柱として発展してゆくことになる。

1958年以降のケベックの映画の発展にも、このNFB／ONFが大きく寄与することになる。というのも、1956年に本部がオタワからモントリオールに移され、当初、英語圏が中心だった組織内にフランス語圏のセクションが独立して設けられたからである。この同時期、カナダの街角を紹介するTVシリーズ『キャンディド・アイ（Candid Eye）』が英語圏で始まる。そのフランス語版として『かんじきを履いた人々（Les Raquetteurs）』が1958年につくられた。ケベックの冬を彩る雪祭りの模様を取材したわずか15分ほどのドキュメンタリー掌編は、世界で初めて撮影と同時に録音がシンクロして行われた。同時に本作は、この後にケベックを覆ってゆく独立運動と静かなる革命の呼び水となったとも考えられる。

『かんじきを履いた人々』は、ミシェル・ブロー（1928～2013年）とジル・グルー（1931～

94年）という、NFB／ONFに所属する二人の人物によって撮られた。さらに、クロード・ジュトラ（1930～86年）とピエール・ペロー（1927～99年）の二人も加わって、1960年代、ケベック映画は始まりの年を迎える。このうち、ブローとペローは主にドキュメンタリーの分野で活躍した。ブローが『闘争（La Lutte）』（1961年）、ペローが『世界の存続のために』（1963年）などを制作することによって、ケベックの人々のアイデンティティをドキュメンタリー作品によって確かなものにしたといえる。対してジュトラは、1969年の『Wow』でドキュ＝フィクションの領域に踏み込んだのち劇映画の領域へと進み、『僕のアントワーヌおじさん（Mon oncle Antoine）』（1971年）、『カムラスカ（Kamouraska）』（1973年）などにより、ケベック映画の礎を築いた。

これに続く、いわば第2世代ともいえるのが、ドゥニ・アルカン（1941年～）、ミシュリーヌ・ランクト（1947年～）、レア・プール（1950年～）ら、1970年代に活躍を始める監督たちである。1972年にデビューしたアルカンは、1986年、アメリカ主義を痛烈に皮肉った『アメリカ帝国の滅亡』で世界的にも認められ、その後、『モントリオールのジーザス』（1989年）、『しあわせの選択』（2000年）などを発表し続けており、名実ともにケベック映画界を代表する映画作家になる。ランクトは女優として出発後、1980年の『便利屋（L'Homme à tout faire）』、1984年の『ソナチネ』などで、そしてプールは『ホテルの女（La Femme de l'hôtel）』（1984年）、『愛の瞬間』（1988年）などが日本でも知られている。

これに続く第3世代は、フランソワ・ジラール（1963年～）、ジャン＝マルク・ヴァレ（1963～2021年）、ドゥニ・ヴィルヌーヴ（1967年～）ら1990年代に登場した監督たちが中心とな

『C. R. A. Z. Y.』（2005 年）
DVD『C.R.A.Z.Y.』
販売元：株式会社ファインフィルムズ
© 2005 PRODUCTIONS ZAC INC.
価格：4,180 円（税込）

る。いずれも、ケベックに留まることなくハリウッドにも進出を果たし、ジラールの『レッド・バイオリン』（1998年）と『シルク』（2004年）、ヴァレの『C.R.A.Z.Y.』（2005年）と『わたしに会うまでの1600キロ』（2014年）、ヴィルヌーヴの『灼熱の魂』（2010年）、『ブレードランナー2049』（2017年）などは日本でも公開され、ケベック映画の新たな時代をもたらした。

その後の彼らに続く世代として、セバスチャン・ピロト（1973年〜）、マルタン・カデット（1971年〜）らの活躍が始まっている。さらに現在は、グザヴィエ・ドラン（1989年〜）が、2009年のカンヌ映画祭監督週間に『マイ・マザー』を出品し、世界の注目を集めると同時に、一躍、ケベック映画界の寵児としてもて囃されている。

（杉原賢彦）

コラム18

グザヴィエ・ドラン

廣松 勲

２０００年代以降のケベック映画を語る上で忘れることができない監督といえば、グザヴィエ・ドランだろう。日本においても、ほぼすべての作品がＤＶＤやブルーレイとして発売されており、作品全体にアクセスしやすい監督でもある。ケベック映画史上では、初めてカンヌ映画祭のグランプリ（パルム・ドールの次点）を受賞した監督としてだけでなく、幼少期より子役として活躍もしてきた彼は、ある意味でケベックの映像メディアを代表する人物としても認識されているといえる。

アンドレ・ラフォンテーヌは、編者としても関わるドランに関する研究書・論文集『The Films of Xavier Dolan』（２０１９年）において、幼少期から２０１９年に至るまでのドランの活動についてまとめている。本書の序文によれば、特に子役時代の活動については、ショー・ビジネスで働いていた父親の影響もあり、ケベックで広く展開するジャンクチュ薬局のＣＭ出演においてドランは知られていたようだ。その後、寄宿学校時代の恩師による支えもあり、最初の作品『私は母を殺した』（邦題『マイ・マザー』）の原形となる小説『母殺し』を執筆し、その後19歳で本作を映画化するまでの困難な資金集めや役者探しについては、様々な媒体において知られるところである。

ドランの映像作品を特徴づける点としては、様々な側面が挙げられるだろう。たとえば、登場人物の感情的な発話、登場人物やカメラの視線（クローズアップなど）、鮮烈な色彩やスローモーション、90年代のポップ・ミュージックなどである。このような側面は肯定的に評価されるだけでなく、ある時には批判の対象ともなってきたところではある。しかし、彼の映像の特色として、一見すればドラン映画であることを観客に認識せしめるような強さがあることも確かである。ここまでの〝個性〟を持ち、映像作家として捉えうる監督も、近年では少ないのではないだろうか。

やや個人的な好みも入るが、ドランの物語世界や映画製作技法を知る上でも、全8作品の中で『胸騒ぎの恋人』（2010年）、『わたしはロランス』（2012年）、『マミー』（2014年）、『たかが世界の終わり』（2016年）は欠かすことのできない作品である。内容的にみれば、『胸騒ぎの恋人』は象徴的図式で描かれる三角関係の恋愛、『わたしはロランス』はトランスジェンダーを選択した主人公の恋愛関係、『マミー』はドランがこだわる母子関係、『たかが世界の終わり』は余命を悟った主人公の家族関係が描かれる。いずれの作品においても、ある種の愛着関係（恋愛であれ、家族愛であれ）が破綻し、その回復や変化が上記のような映像的特徴とともに丹念に描かれる。このような内容からわかる通り、ドランの映画はやや内省的で感情的、時には自己中心的な（自伝的な）要素が少なくない。当然ながら、このような物語世界への好き嫌いは分かれるだろうが、ケベック映画の現代性を測るためにも見逃せない監督であるといえる。

2018年の英語作品『ジョン・F・ドノヴァンの死と生』で酷評を受けたこともあってか、2019年には再び物語舞台をケベックに移した『マティアスとマキシム』を発表している。ただ、それ以降、映画作品は出ていない。ケベック研究者としてはケベックを舞台にした作品を見続けたいものだが、同時に再び新たな地平でドランの映像が見られることも望まないではいられない。

50

ケベックのアニメーション

★ラウル・バレからフェリクス・デュフール＝ラペリエールまで★

カナダにおけるアニメーション制作は、モントリオール生まれのラウル・バレ（1874〜1932年）に始まると言われている。コミック・ストリップ（フランス語訳：バンド・デシネ）＝マンガの魅力をパリ留学中に吸収した彼は、1898年に帰国したのち、新聞・雑誌に次々と政治風刺マンガの掲載を開始する。その後、米国のニューヨークに移り住んだのちには、カートゥーニストとしてエディスン社に雇われ、アニメーション制作の技術を磨いていった。1914年に独立し、自身のアニメーション・スタジオを設立する。だが、バレの主な活動地は米国であり、ケベックのアニメーションが成立するまでには、1940年代まで待たなければならなかった。

カナダでの本格的なアニメーション制作は、カナダ国立映画庁（NFB／ONF）が設立される1939年以降のこととなる。NFB／ONFの長官だったジョン・グリアスン（1898〜1972年）は、1941年に同郷のアニメーター、ノーマン・マクラレン（1914〜87年）を呼び寄せ、アニメーション部門の長に据える。ここから、カナダでのアニメーション制作が本格的に始まることとなる。

とはいえ、すでにウォルト・ディズニー社をはじめとする多大なアニメーション制作会社、アニメーターを擁する米国に対抗するには、カナダならではのアニメーションを模索する必要があった。そのなかから生まれていったのが、必須とされるセル画を用いないアニメーション＝ドローイング・オン・フィルム・アニメーション（フィルムに直接、絵を描く手法）のような技法だった。その結果、カナダのアニメーション制作は、実験的、アート系作品制作に重きを置くようになっていった。

ＮＦＢ／ＯＮＦのアニメーション部門を率いることになったマクラレンは、翌１９４２年、アニメーション部門の拡充を図るためモントリオール美術学校、オンタリオ美術大学の学生たちをリクルートする。そうしたなかからケベック・アニメーションを背負って立つ人材が多数生まれていくことになった。なかでも、ルネ・ジョドワン（１９２０〜２０１５年）の存在は欠かすことができない。幾何学的図形だけを用い、それらが形象を変えてゆく過程をアニメーションにした作品は、サイレント時代のハンス・リヒターの作品を思い起こさせるような抽象的表現が特徴ともなっている。代表作に『四角のダンス（Danse carrée）』（１９６１年）、『三角についてのノート（Notes sur un triangle）』（１９６６年）、『球体（Sphères）』（１９６９年）などがある。ジョドワンはマクラレンの右腕としてＮＦＢ／ＯＮＦのフランス語アニメーション部門を統括し、その後の才能の育成にも尽力するなど、プロデューサーとしても多大な功績を残した。

そのジョドワンのもとから巣立った才能の一人が、ジャック・ドルーアン（１９４３〜２０２１年）である。彼は、アレクサンドル・アレクセイエフとクレア・パーカーが開発したピンスクリーンの手法を駆使するアニメーターとして活躍した。ピンスクリーンとは、キャンバス全面に無数の針が刺されており、その出方を加減して印影をつくり、その印影を微妙に操作することによってアニメーションを作成してゆく。描かれた絵とはまた違った心象風景のような作風が特徴となっている。代表作には、『風景画家（Le Paysagiste）』（1976年）、『天使たちの時（L'Heure des anges）』（1986年／ブジェチスラフ・ポヤルとの共同監督作品）などがある。日本を代表するアニメーター、山村浩二にも大きな影響を与えたことが知られている。

ジョドワンと同世代の女性アニメーターとして活躍したのが、ミシェル・クルノワイエ（1943年〜）である。当初は音楽を学んでいたが、モントリオール美術学校在籍時にジャック・ドルーアンと出会い、互いに切磋琢磨しながらアニメーション制作の世界に入った。ロトスコープ（正確に人体の動きをトレースし、それをアニメーションにすることができる機材）を用いた作品に特徴があり、『ドロローサ（Dolorosa）』（1988年）や『アーティスト（Une artiste）』（1994年）といった作品を残している。

こうしたNFB／ONFのケベック系アニメーターのほか、忘れてはならないのがフレデリック・バック（1924〜2013年）だろう。フランス領ザール地方に生まれたバックは、1948年、文通で知り合った女性と結婚するためモントリオールへ移住する。1952年にカナダ放送協会にグラフィック・アーティストとしての職を得て、以降、美術部門で活躍し始める。やがて1968年にアニメーション部門に移り、1993年に退職するまで、10本ほどの精緻な短篇アニメーションを制作した。また、1967年のモントリオール万国博覧会にして、受付の装飾やメトロのステンドグラス制作などを行ったこともよく知られている。

バックの名を世界中に知らしめたのは、ジャン・ジオノのエッセーをもとにした1988年の

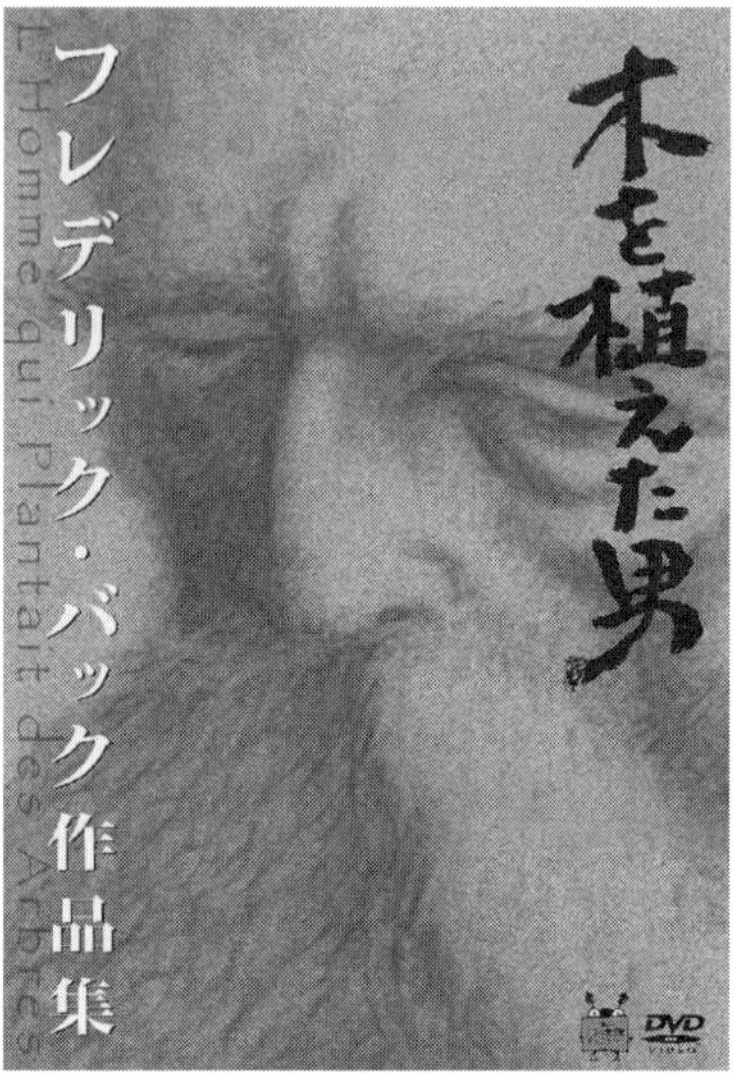

『木を植えた男』（1987年）
DVD『木を植えた男／フレデリック・バック作品集』
発売元：ウォルト・ディズニー・ジャパン
© Société Radio-Canada
価格：4,180円（税込）

『木を植えた男（L'Homme qui plantait des arbres）』だった。色鉛筆を駆使して描かれた作品は、完成までに5年を要したという。本作により、米アカデミー賞の短篇アニメーション賞を『クラック！（Crac!）』に続いて、2度目の受賞という栄誉を得た。また彼は、日本のアニメーターとも深いつながりがあり、高畑勲の友人でもあったほか、広島国際アニメーションフェスティバルには第1回大会より参加するなど知日家としての顔も持っていた。

そのほか、現在のケベックを代表するアニメーション監督として、フェリクス・デュフール＝ラペリエール（1981年〜）の名を挙げておきたい。『新しい街　ヴィル・ヌーヴ（Ville neuve）』（2018年）は、モノトーンの抑制された画面のなかに、ケベックの独立を問う州民投票と、別れてしまった中年の元夫婦の愛情の行方が描かれ、ケベック・アニメーションの新たな方向を告げるものともなっている。

（杉原賢彦）

『新しい街　ヴィル・ヌーヴ』（2018年）
© Unité centrale

51

ケベックのシャンソン

★ナショナリズムの表明から社会の多様性の表象へ★

現代の欧米でみられる音楽的トレンドはほとんど網羅されているケベックのポピュラー音楽シーンだが、ケベック特有の傾向としては、フランス語圏のトレンドと結びつきが強く、フォークミュージックが依然人気を保っていることが挙げられるだろう。この章では、ケベックの歴史と社会を反映するナショナルなスタイルの楽曲から、英米のポピュラーミュージックの強い影響のなかでケベック独自のスタイルが模索された1960年代以降の音楽、多民族社会を背景とする様々な芸術潮流が融合した現代のポピュラー音楽まで、ケベックのポピュラーソングの歴史を概観したい。

ケベックにおける流行歌としてのシャンソンの歴史は、1920年代のモントリオールのキャバレーのショーにさかのぼる。最初のプロフェッショナルなシャンソンの歌手は、女性のシンガー、ラ・ボルデュク（1894〜1941年）だ。ラ・ボルデュクは歌うだけでなく、作詞・作曲も行った。彼女のシャンソンは、民衆のあいだで歌い継がれてきたケベックの民謡のスタイルを継承するものだったが、同時に工業化が進展する20世紀初頭のモントリオールの現実を反映した流行歌でもあった。

１９５０年代に入ると後にシャンソニエと呼ばれるようになるシンガーソングライターが台頭し、ケベックの音楽シーンは大きく変貌する。初期のシャンソニエのなかで最も重要な人物は、フェリックス・ルクレール（１９１４〜88年）だ。ルクレールは、ケベックの詩的なシャンソンのパイオニアであり、ケベックの分離・独立運動に関わった社会参加のミュージシャンだった。ルクレールによって、シャンソンはケベックのフランス語系住民、ケベコワの民族的アイデンティティを表明する手段となった。シャンソニエの多くはソロで、ギターやピアノなどのアコースティックな楽器の弾き語りで自作の詩を歌った。当初の彼らの関心は、友情、愛、自由、コミュニケーションといった個人的な事柄だったが、ケベックで「静かな革命」が始まる１９６０年代以降、そのシャンソンはケベックのナショナル・アイデンティティと結びついた政治的メッセージが込められたものとなり、演奏の場であるライブハウスは、ケベックの経済的および文化的解放を目指す「静かな革命」の重要な活動拠点となった。

ジル・ヴィニョー
(Pierre-Olivier Combelles, CC BY-SA 3.0, via Wikimedia Commons)

ラ・ボルデュクのシャンソン集楽譜

１９５０年代から活動を続けるジル・ヴィニョー

（1928年〜）は、ルクレールと並ぶケベックを代表する国民的詩人・歌手だ。1975年の「ケベックの日」にモントリオールで行われたセレモニーで初めて演奏された彼のシャンソン、「国の人々」（Gens du pays）は、ケベックの実質的な「国歌」とみなされている。

メッセージ性の強いシャンソンの担い手には、女性のミュージシャンもいた。彼女たちのなかにはケベックのナショナリズムだけでなく、カウンターカルチャー運動の代弁者として女性解放運動に関わるミュージシャンもいた。クレマンス・デロシェ（1933年〜）は、女性特有の感性と関心の表現の先駆者だ。1970年代末には、ディアーヌ・デュフレーヌ（1944年〜）がその挑発的なスタイルで注目を集め、その後もマラ・トランブレ（1969年〜）、クロエ・サント＝マリー（1962年〜）など個性的な女性ミュージシャンの系譜は続いている。

1960年代末に、米国西海岸のロックにインスピレーションを得て、バンド編成でエレキギターを使う新しいスタイルのシャンソンを創始したのがロベール・シャルルボワ（1944年〜）だ。シャルルボワはケベック的な風土や精神を歌うフランス語の詩的な歌詞を、ロックのリズムに乗せて演奏した。

1970年代には、マネージュやOpus 5などのバンドが、プログレやフュージョンなど、よりアグレッシヴな音楽を志向した。同時期に活動したベルトラン・ゴスラン、ボー・ドマージュは、英米の新しいロックのスタイルをケベックの伝統的な音楽に適用することで、ケベックのシャンソンの刷新を試みた。

ミュージックビデオが浸透した80年代後半には、フランス語圏の国際的なテレビネットワーク網が発達し、アーティストたちの国際的交流が活性化した。この頃、英語で歌うことで世界的なマーケットに進出するミュージシャンも現れた。セリーヌ・ディオン（1968年〜）は英語で歌うことで「アメリカン」ドリームを完璧に体現し、世界的スターとなった。リュック・プラモンドン（1942年〜）は「スターマニア」（1979年）の国際的成功により、フランス語によるロック・ミュージカルのスタイルを確立した。

1990年代には先住民族であるイヌーのデュオ、カシュティン（Kashtin）が人気を博した。この他にもポーランド出身のポール・クニギス（1953年〜）、アルジェリア出身のリンダ・タリー（1978年〜）など多様な出自のミュージシャンの活躍は、80年代以降、多民族化が進展したケベック社会の現実を反映した現象といえるだろう。

政治的なメッセージソングを歌うシャンソニエたちの系譜は、90年代以降、フォーク・ロックのカウボーイ・フランガンやヒップホップ系のロコロカス（Loco Locass）によって引き継がれた。シャンソニエの音楽の精神を21世紀において継承するラ・ボティーン・スリアントやメザイユーは海外の公演でも成功を収める。グローバリゼーションの進展した現代世界においては、ローカル性の保持が国際的成功の鍵となっている。重層的でクラシカルなアレンジとメランコリックな詞で欧米の音楽界に大きなインパクトをも与えたアーケイド・ファイアやトリッキーな歌唱とファッション、文学性の高い歌詞、ポップで幻想的な音楽で注目される女性歌手、クロ・ペルガクなど、ケベックはその社会の多様性を反映したユニークなアーティストを今もなお輩出し、世界のポピュラー音楽シーンのなかで存在感を示している。

（片山幹生）

世界の歌姫セリーヌ・ディオン

コラム19

飯笹佐代子

セリーヌ・ディオンは5度のグラミー賞に輝き、映画『タイタニック』（1997年）のテーマ曲「マイ・ハート・ウィル・ゴー・オン」でアカデミー賞（歌曲賞）を受賞、さらには世界のアルバム総販売数で2億5000万枚の記録を打ち立てるなど、紛れもなく国際的に最も有名なケベック人の一人だ。

1968年にモントリオール郊外のシャルルマーニュで、音楽愛好一家の14人きょうだいの末っ子として誕生した。幼い頃から両親が営む音楽パブで歌い、才能を確信した母親が娘セリーヌの歌を録音したテープを芸能エージェントのルネ・アンジェリル（専属マネジャーになり、後に夫ともなる。2016年に他界）に送ったことが、彼女の運命を決定づけることとなる。13歳で初アルバム『神の声（La voix du bon Dieu）』をリリースし、翌1982年には東京で開催されたヤマハの世界歌謡祭で最優秀賞を受賞した。

ケベック州とフランスで名声を得た後、英語を習得し、1990年に初の英語アルバム『ユニゾン』をリリースして以降、活躍の場はカナダ英語圏や米国のみならず世界へと広がっていった。96年7月、アトランタ・オリンピックの開会式ではテーマ曲「パワー・オブ・ザ・ドリーム」を歌い、2003年にはラスベガスでシルク・ドゥ・ソレイユのプロデューサーによる演出で新たな音楽ショーを開始した。これまで二つの言語でいくつもの歌をヒットさせ、その間に3人の息子の母ともなった。最新のフランス語アルバム『夜を再び（Encore un soir）』（2016年）も英語アルバム『カレッジ（2019年）』も、曲調の趣はそれぞれ異なるが、さらに増した円熟味を感じさせる。

注目すべきは、彼女の芸能活動がカナダ連邦とケベック州との微妙な関係や言語問題から全く無縁ではなかったことだ。1990年、ケベックの音楽関連業界団体からの「アングロフォン・アーティスト・オブ・ザ・イヤー」の受賞を、自分は「ケベック人」であるという理由で辞退し、物議を醸したこともある。折りしもミーチ湖協定（第21章参照）の失敗を受け、ケベック・ナショナリズムが高まりつつある時代であった。後に州首相となるケベック党のジャック・パリゾーは、セリーヌの辞退を称賛した。

一方、92年7月1日のカナダ・デーに、ケベックのフランス語タブロイド紙の1面は、「分離はおそろしい　セリーヌはカナダを守る」という見出しとともに彼女の写真でほぼ埋め尽くされた。セビリア（スペイン）の万国博覧会でカナダ・デーを祝うために歌うことになっていた彼女は、そこでカナダのフランス系と英系の文化の活力に言及しながら、ケベック州がカナダ連邦から分離することへの反対を表明したのだ。このニュースは即座にカナダの英語系各メディアでも報道され、2年前に「ケベック人」であるという理由で受賞を拒否したが、「しかし今はカナダの結束を支持」していると書かれた。これがケベック州で反感を呼び、彼女は欧州からロサンジェルスへ飛ぶ途中でモントリオールに立ち寄ってインタビューを受け、自身が「ケベック人」であることを誇りに思っていること、そしてケベック州にとって分離が最善であるとは思っていなかったと説明した。ところがこれについて英語系メディアは、今度は「セリーヌは結束の支持から後退した」と大きく報じた。

こうした一連の英語系メディアの論調には、ケベック人＝分離主義者という思い込み、そして何よりセリーヌに対するカナダ統合のシンボルとしての大きな期待感を見てとることができよう。以降、セリーヌは政治的な発言を控えて

G・ジェルマン著（山崎敏、中神由紀子訳）『セリーヌ・ディオン── The authorized biography of Celine Dion』（東京学参、2000年）

いる。なお、1998年に、ケベック州とカナダ連邦の両政府がセリーヌの功績を讃え、それぞれケベック州民勲章とカナダ勲章を授与した際には、英語系メディアは彼女をめぐって両政府が「綱引き状態」にあると書いた。

邦訳された伝記にはG・ジェルマン著の『セリーヌ・ディオン』があり、彼女の魅力や情熱だけでなく夫アンジェリルの人物像やショービジネスの世界を知る上でも興味深い。2022年には、セリーヌのドラマティックな人生に着想を得てフランス人のV・ルメルシエが監督・脚本・主演を務めたフィクション映画『ヴォイス・オブ・ラブ』（フランス・カナダ合作・2020年）が日本でも公開され話題となった。2023年5月にはセリーヌが本人役として登場する自身初の長編映画『ラブ・アゲイン』（ジム・ストラウス監督）が公開され、同映画のサウンドトラック（セリーヌの新曲5曲を含む）もリリースされた。

52

ケベックのミュージアム

――★「静かな革命」の産物であるモントリオール現代美術館★――

現在ケベックには300以上のミュージアムがある。次ページの表はケベックにおけるミュージアムの数を示しているが、美術館が20、歴史・民族博物館が60、科学博物館が18、歴史・民族資料館が128、科学資料館が29、そして、展覧会場が73となっている。300を超えるミュージアムに年間どのくらいの人が訪れるのか。次ページの図1は過去10年における入場者数を示している。2017年が最も多く1550万人を記録しているが、2011年から2019年の入場者数の推移をみると、1200万人以上を保っているのがわかる。2020年に入場者数が大幅に減少しているのは、新型コロナウイルス禍による影響だ。

ところで、ミュージアムという用語には美術館や博物館だけではなく、資料館や展覧会場も含まれるということに違和感を持つかもしれない。ケベックミュージアム協会によって作成された『ミュージアム倫理規定』（2014年）によると、ミュージアムとは、美術館、博物館、展覧会場、そして資料館を意味することが明記されている。この倫理規定には、ミュージアムはケベック社会とその発展に貢献することを目的とし、芸術・歴史・民族・科学の普及、教育、そして仲介の場であることが定められている。つまり、コレクションの獲得・保存・調査・管理といったミュージアムが持つ伝統的な特徴すべてが備わっていなくても、普及、教育、仲介といった共通点を持つ施設ならばミュージアムとして定義される。なお、仲介とは、ミュージアムの来館者とミュージアムが来館者に提供するものとの間を取り持つという意味だ。

ケベックのミュージアムの創立の経緯をみると、多くのミュージアムは民間の主導によって着手されている。たとえば、1860年にはカナダで最も古い美術系のミュージアムとされるモントリオー

表　ケベック州のミュージアム数（2020年）

美術館	20
歴史・民族博物館	60
科学博物館	18
歴史・民族資料館	128
科学資料館	29
展覧会場	73
合計	328

出典：Institut de la statistique du Québec, Observatoire de la culture et des communications du Québec, Banque de données des statistiques officielles sur le Québec, 15 octobre 2021に基づき筆者作成。

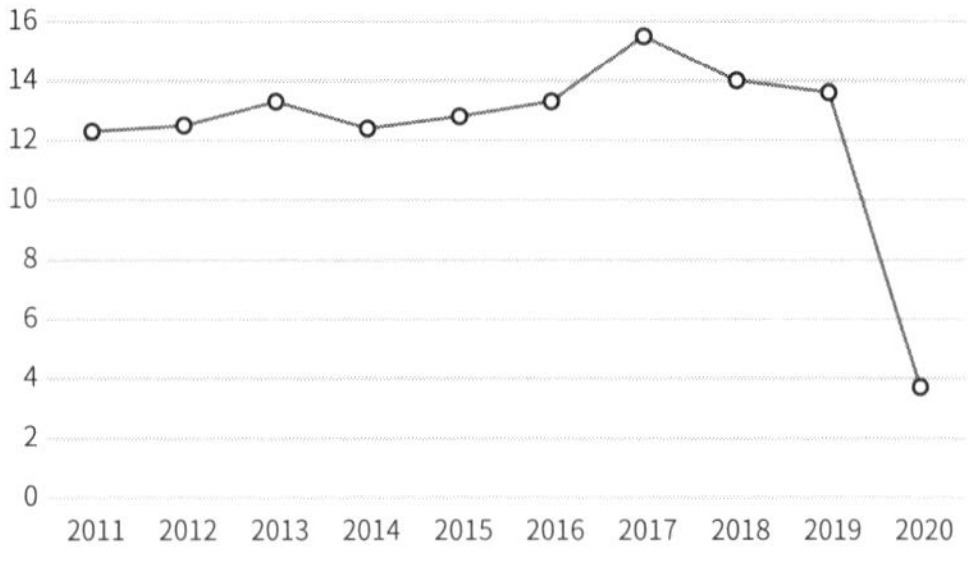

図1　ケベック州のミュージアム入場者数（単位：百万人）
出典：Institut de la statistique du Québec, Observatoire de la culture et des communications du Québec, Optique culture, Numéro 81, Février 2022に基づき筆者作成。

ル美術館が、１８８２年には自然史博物館であるレッドパスミュージアムが設立された。ケベック州政府主導によるミュージアムの設立は１９３３年まで待たなくてはならない。この年ケベック州立美術館が開館した。ケベック州立博物館法によると、現在ケベック州立のミュージアムは、ケベック州立美術館、１９６４年創立のモントリオール現代美術館（写真）、そして１９８４年創立の文明博物館の３館だ。

写真　モントリオール現代美術館（2019年、筆者撮影）

元来、ミュージアムの創立目的や社会への使命は行政主導か民間主導かによって異なる。しかし、ケベックでは州政府と民間の意思が合致し創設に至ったミュージアムがある。「静かな革命」と呼ばれる１９６０年代に行われた社会改革のなかで設立された、カナダで最初の現代美術を専門とするモントリオール現代美術館だ。

まず、１９６１年にケベック州文化省（現・ケベック州文化コミュニケーション省）が設立された背景をみよう。これは、「静かな革命」での文化における変革であった。暗黒の時代と呼ばれるモーリス・デュプレシ政権下でもケベック文化の永続性を求める動きがみられ、１９５６年に発表されたトランブレ・レポートと呼ばれる報告書には、ケベックの文化政策はフランス系カナダ文化を守ることだ

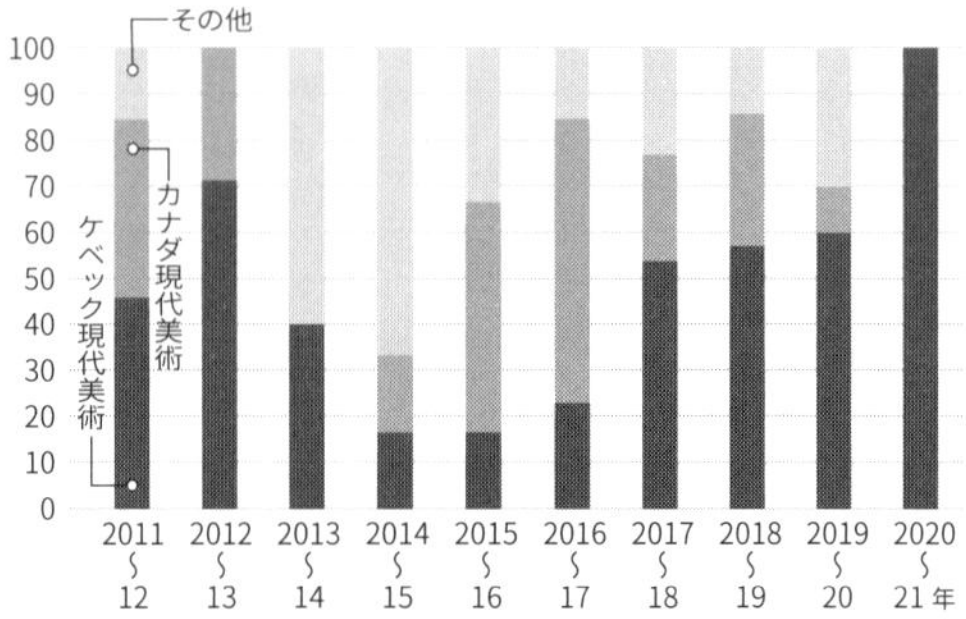

図２　モントリオール現代美術館の作品購入割合（単位：%）
出典：モントリオール現代美術館の年次報告書に基づき筆者作成。

と記されている。１９６０年６月22日、ジャン・ルサージュ率いる自由党が選挙で勝利すると、ケベック州議会でケベック州文化省の設立が討論された。その設立目的は、フランス系カナダ文化の普及をケベック州内外で促進することだと議論されている。こうして設立されたケベック州文化省の初代大臣であるジョルジュ＝エミール・ラパルムは１９６４年３月３日のケベック州議会にミュージアム設立プロジェクトを提出した。モントリオールにケベックの現代美術をコレクションとする州立のミュージアムを創立することがプロジェクトの趣旨であったが、このアイデアを最初に発案したのはギャラリー経営者である一般市民であった。アーティストや美術業界関係者の賛同を得て、１９６３年12月、文化大臣にミュージアム設立を望む要望書が送られた。作品をミュージアムのコレクションとすることでケベック現代美術を守るという民間の熱意を文化省が後押しした結果が、モントリオール現代美術館誕生の契機となった。

事実、モントリオール現代美術館は、コレクションの形成過程でケベック現代美術を保護することに傾注している。図２は、過去10年のモントリオール現代美術館の作品購入を示している。三つのカテゴリーに対する購入の割合は年度によって変動があるものの、原則として、モントリオール現代美術館ではケベック現代美術の購入割合を70％に近づけることを目標にしている。２０２０〜21年度の作品購入が１００％ケベック現代美術であるのは、モントリオール現代美術館館長が表明したように（『ル・ドゥヴォワール』、２０２０年4月23日）、新型コロナウイルス禍の影響を受けたケベック出身のアーティストのみならずケベックで制作活動を行うアーティストを支援するためであり、27組の現役アーティストから39作品を購入している。

ケベック現代美術の保護と同様に、モントリオール現代美術館には、ケベック現代美術の普及促進という開館当初からの重要な使命がある。そのために展覧会は有効な手段となる。モントリオール現代美術館で開催される展覧会はもちろん、展覧会がケベック州、カナダ、そして国外の文化機関で開催されることを通してケベック現代美術の浸透を図っている。たとえば、２０１９年6月から２０２０年３月にモントリオール現代美術館を訪れた人数は10万５８３５人であるが、同時期にモントリオール現代美術館が組織したニューヨークとコペンハーゲンで開催された「レナード・コーエン」展、メキシコのモンテレイで開催された「ラファエル・ロザーノ・ヘメル」展、オンタリオ州のウィンザーとクレインバーグで開催された「フランソワーズ・サリバン」展の総入場者数は25万１４３６人にのぼる。

「静かな革命」のもと、創立当初からケベック現代美術の保護、普及促進を運命づけられていたモントリオール現代美術館は、ケベック社会の変遷やケベックの文化政策を反映している。２０２５年に展示スペースが現在の2倍になり活発な活動が期待されるモントリオール現代美術館が、ケベック社会の変化に伴ってどのような姿をみせてくれるのかに注目したい。

（木下晴美）

VIII

社会と人々の暮らし

53

家族

★変化し多様化し続ける共同体のかたち★

かつてケベックの家族は大人数であった。1951年は1家族につき子どもは平均で4・2人。だが、1980年以降、1人が一般的になっていく。高齢化も進み続けている。1930年代は、20人中1人が65歳以上であったのに対して、2011年は6人中1人が65歳以上となり、人口の約16％を占めている。今では、ケベックの男性も女性も平均寿命は83歳となった（ケベック州統計局〈ISQ〉、2021年）。

こうしたケベック社会の家族の様相をめぐる大きな転換点は、カトリック教会の権威が失墜した「静かな革命」以降、1960〜70年代にある。20世紀前半まで、私的領域を統括していた旧民法典では、既婚女性は法的無能力者とされ、夫への依存が強いられていた。既婚女性は、結婚すると夫の名字に変更せねばならず、夫のサインなしには銀行口座も作ることができなかった。離婚は難しく、世間から恥とみなされ、子どもの親権は夫にあった。また、結婚外で妊娠した女性は未婚の母を意味するfilles-mèresと呼ばれ、世間の目から遠く離れた場所で出産しなければならなかった。性的なことは結婚した夫婦間が子どもを持つためのもの、カップルは別れてはならない（死別以外）、女性と子どもは父権に従うべきという枠組みが家族を縛っていたのである。そのため、既婚女性の法的従属状態からの解放、結婚外で妊娠出産した女性とその子どもの支援は、20世紀前半のフェミニストたちの重要な懸案事項であった。

半世紀以上にわたるフェミニストたちの闘いの末、1964年、ケベック州民法典の改正により、既婚女性の法的従属状態は廃止された。また、離婚に関しては、1969年に連邦法の改正により、カナダの女性たちは離婚を申し出ることができるようになった。1977年、ケベック州の家族法が改定され、父権は親権に変更される。また1980年の家族法の改正により、婚外子に対する差別の原因となっていた、結婚したカップル間で生まれた子どもと、結婚の外で生まれた子どもの区別が廃止された。さらに2002年、同州でのシビル・ユニオン（結婚していないカップルに、結婚と同等の権利等を公的に承認するもの）の制定は同性カップルを法的に承認し、また親子関係に関する新たな法律の制定により、同性カップルも異性カップルと同様に親としての権利と義務が認められ、血縁でもあっても養子であっても、子どもの出生証明書に親として記載できるようになった。このように家族のかたちは、社会経済状況、社会の価値観の変化、女性や性的マイノリティの権利獲得運動、家族や性をめぐる規範の変容などの影響を受けて変化してきた。以下では今日の状況を概観する。

まずカップルの形態である。現在、ケベックでは、結婚（教会や裁判所などで証人を前にして二人の関係を公式に承認するもの）、同性婚、シビル・ユニオン、事実婚と四つのタイプがある。ケベック州統計局によると、婚姻数は1970年代には5万組だったが、その後減少し続けて2019年は2万2250組である。その内97％が異性婚、3％が同性婚となっている。その一方で、「静かな革命」以降、多くの人々が事実婚を選択するようになり、特に若い世代を中心に増えている。たとえば、カナダ統計局によると、ケベック州において子どものいる家族で65歳以上の両親の場合、結婚している両親は95・9％、事実婚は4・1％に対して、35歳以下の両親の場合、結婚は37・6％、事実婚は62・4％である（2016年）。ただ、シビル・ユニオンに関しては、連邦で同性婚が認められて以降はあまり広まっておらず、法的に認められた婚姻のうちの1％を占めているに過ぎない（ISQ、2019年）。

従来の核家族とは異なり、家族の形も複雑化している。たとえば、ひとり親家庭は1961年には8％だったのに対して、2016年には26％に増加している（ISQ、2018年）。かつて、ひとり親になる原因は、配偶者の死別によるものだったが、1980年代以降は、未婚のまま親になることや、離婚などが主要な理由となっていく。こうした背景には、母親たちの経済的自立が促進されたことや、1970年の生活保護法改正によりシングルマザーへの支援が拡充されたことなどがある。今日ひとり親家庭の7割強が母子家庭だが、父子家庭の数もわずかに増えつつある（ISQ、2018年）。また、再構築家族（カップルの一方が、あるいは両方が、前の婚姻関係での子どもと一緒に同居する家族）も増加している。

ケベック社会の文化的多様性は、家族のかたちにも反映されている。たとえば、カナダ統計局によると、移民の家族（両親の一方が移民である場合も含む）は、2006年は20％だったのに対して、2016年は27％となった。先住民の家族（両親の一方が先住民である場合も含む）は、ケベックの家族のうちの1・9％を占めている。先住民の家族は大人数であることが多く、平均して1世帯につき少なくとも3人の子どもがいる（2016年）。

最後に、性の多様性と家族に関して概観していく。同性カップルで子どものいる家族は、2175世帯あり、2006年から2016年の間で123％増加している（ISQ、2016年）。その8割以上は、レズビアンカップルで構成されている。背景として、ゲイカップルの子育てに対する、子育ては女性がするものという価値観に基づいた社会の偏見が根強くあることが指摘されている。もう一つの理由は、同性カップルが子どもを持つには第三者に頼る必要があるが、レズビアンカップルが精子ドナーの提供を受けることができても、ゲイカップルは代理母を見つけることが難しいということも挙げられる（しかもケベック州では、代理母と依頼者である親間の協定は法的効力を持たない）。ケベック州政府における代理母出産に関する法改正は、同性カップルの権利、代理母となる女性の権利、子どもの権利など様々な観点から議論がなされている途上である（カナダ連邦政府は、無報酬である場合に限って代理母出産を承認している）。さらに、同性カップルで子どものいる家族のかたちも一様ではない。たとえば、精子と卵子を提供しあって体外受精で子どもを生んだゲイカップルとレズビアンカップル同士が4人共同で子育てするなど、3人以上の「親」で子どもを育てている実態がある。しかし現在ケベック州の民法では子どもの親は2人と決められているため、3人以上の親を法的に認める改正を求める声もある。

このように、「静かな革命」以降、大きく変化してきたケベックの家族という共同体のかたちは今なお変化し続けており、ケベック社会を構成する一人ひとりが誰かとともに支え合い助け合いながら生きていくための社会の仕組みを構築している途上にある。

（矢内琴江）

54

豊かな食文化

★ヌーヴェル・フランスの味を今に伝える★

「ジョワ・ド・ヴィーヴル（生きる歓び、joie de vivre）」をモットーに、日々の食事をこの上ない楽しみと考えているケベックの人々が家族や友人たちと賑やかに伝統料理の数々を味わうひとときは、かつてフランスの植民地であったヌーヴェル・フランスの先祖の偉業を語り継ぎ、敬意を表す貴重な時間である。

この植民地ではフランスの文化がカナダの大自然に溶け込み、独特の食文化が生まれた。16世紀以降にヌーヴェル・フランスに渡ってきた、主にフランス北部のノルマンディー地方やブルターニュ地方の人々は、セントローレンス川の肥沃な土地と豊かな恵みを享受しながら農業に従事し、家族の日々の食を支え、その味を後世に伝えた。また、毛皮交易に加えて開拓地での耕作、厳しい気候条件における狩猟など、食材の採取や保存、調理法には、友好関係にあった先住民の多大な貢献があった。19世紀以降にはニューイングランドからの英国料理、さらに国境を接する米国、そして移民の出身国からも食文化の影響を受けている。農業技術の向上、香辛料を含む新しい食材の増加、冷凍技術の普及などにより調理法は工夫され、ケベックの食生活は伝統を守りつつ次第に豊かに変化していった。

第54章
豊かな食文化

大西洋では古くからヨーロッパ人によってタラ漁が行われていた。産卵のために水面近くに群れを成して泳ぐタラを捕獲し、北アメリカ大陸の東部沿岸で開き、塩漬けにして寒風で乾燥させ、貯蔵と運搬に適した形状にした。それは、フランスのほか、ポルトガル、スペイン、北欧で広く好まれた食材であった。ちぎって水に浸して戻し、茹で、皮と骨を取り除き、茹で汁とともに調理した。ヌーヴェル・フランスでも、ほぐし身をジャガイモなどと合わせたブランダード、小麦粉などを加えた球状や円筒形のクネル、さらにはグラタン、クリーム煮などの材料として、タラは毎日のように食卓に上ったが、トロール船による底引き網などの乱獲がたたり、現在は禁漁や漁獲制限を繰り返しており、資源の回復、養殖技術の進歩が待たれる。香草やマスタードなどで風味づけし小麦粉をまぶしてバターで焼くムニエルなどの料理は、タラに代わって大型のカレイ、サケやマスが使われることが多い。

セントローレンス川の河口付近の汽水域でサケ、マス、イシビラメ、ニシン、ウナギなどが獲れた。森ではジビエ（狩猟の獲物）と呼ばれるトナカイ、シカ、イノシシ、ウサギ、カモ、キジ、ヤマウズラなど、そして、木の実やコケモモ、ヤマグミなどの果実が得られた。先住民から狩猟の技と、獲物の保存のための燻製の方法、メープルシロップを得るためのサトウカエデの樹液の採集と製法、農作物としてトウモロコシ、インゲンなどの豆類、カボチャなどのウリ類の栽培が伝わった。先住民のサガミテと呼ばれるトウモロコシの粉の粥で時には肉や魚の小片の入ったシチュー、スコットランド発祥の揚げパンが原型で先住民の携行食として定着したバノックがある。ジャガイモは1760年に英国に征服されて以後、スコットランドや北アイルランドからの移民によって北アメリカに持ち込まれた。厳冬にも保存が可能なビタミンCを多く含むジャガイモは、ケベックのその後の食生活に大きく影響を与え、今やパタットと呼ばれ、主食としても野菜としても利用される代表的作物である。

ケベックと気候と作物が似ているフランスのノルマンディー地方、ブルターニュ地方からもたらされたものは、リンゴ果汁を発酵させたシードル、ソバ粉をクレープ状に焼いた塩味のガレット、そして酪農の盛んな地域ゆえの乳製品を使ったクリーム煮などの料理である。豚肉はソーセージなどの加工品のほか、塩蔵、燻製で貯蔵され、余すことなく利用された。塩蔵の豚バラ肉（あばら骨のある腹側の肉）は、オオムギなどの穀類、カブなどの根菜、インゲンなどの豆類を頑丈な深鍋で暖炉にかけて煮込む料理（フランスではポトフ、ケベックではブィイと呼ばれる）に欠かせないものであった（写真1）。スープ・オ・ポワは、乾物のエンドウで作るポタージュスープで、ニンジンやセロリなどが入ることもある。そして、トルティエールはミンチ状の牛肉や豚肉などにジャガイモ、タマネギなどを刻んだものを混ぜ、タルト生地に詰めてオーブンで焼いたパイで、中身の種類や形状など地方によって特色がある（写真2）。もともとはジビエを材料としていたが、サーモンやチキンなど多様である。クレトンは、塩蔵の豚バラ肉、肩肉、腎臓をミンチにしてタマネギなどを加えて煮込み、冷やしたものである。田舎風の雑穀パンに塗って食べるのが一般的である。フェーブ・オ・ラールは少量の豚肉や鴨肉をラードで炒めてタマネギ、ニンニク、白インゲン豆をブイヨンで煮込んだもので、メープルシロップまたは糖蜜を調味料として使う。チキンや鴨肉は詰め物をしてオーブンで丸ごとローストしてハチミツやメープルシロップで照りを出す。デザートには小麦粉で作る揚げ菓子のベニエ、クレープ、さらにブルーベリー、ラズベリーなどのベリー類やリンゴを詰めたパイやタルト、そして、ケベックの代表的な食材であるメープルシロップを煮詰めたメープルバターのシュガーパイなどボリュームのある焼き菓子が多い。オーブンのある薪ストーブは極寒のケベックの必需品であった。朝食用のパイを夜に弱火のオーブンに入れ、その焼きあがる匂いで目覚める暖かい朝はケベックの人々を幸せにした。

ヌーヴェル・フランスの時代からの伝統料理に加えて、1929年の不景気の時に大陸横断鉄道敷設に貢献した中国からの入植者に好まれた、挽き肉、クリーム状のトウモロコシ、マッシュポテトを重ねて焼いたパテ・シノワ（中国人のパイ）や、スポンジケーキにたっぷりとブラウンシュガーのシロップかメープルシロップがかかっている、安価な材料で工夫されたシンプルなお菓子、プディング・オ・ショムール（失業者のプディング）が生まれた。

上／写真1　ブイイ（2008年、筆者撮影）
ケベックシティ在住のブッシェ家にて。
下／写真2　トルティエール、サンジャン湖地方風（2008年、筆者撮影）

ケベック州で最も

写真3　プティーン（2011年、筆者撮影）

人口の多い都市モントリオールは、毛皮交易に始まる商業の中心地であり、世界各地からの移民の到来によって多様な食のスタイルが展開されている。フランス料理、イタリア料理、中国料理、ベトナム料理、アラブ料理などエスニック料理のレストラン、食料品店がある。1930年代にはユダヤ移民によってパン種を発酵させ茹でてから焼くことによる独特の食感のベーグル（ドーナツ状のパン）が伝わった。ベーグルはもともとポーランドの祭礼用の食べ物で東欧系ユダヤの人々に好まれ、移民の流れとともにモントリオールに定着した。クリームチーズを塗ったベーグルには、スモークサーモンを挟むのが定番である。同じくユダヤ移民によって持ち込まれたスモークミート（牛の肩バラ肉の燻製）は、分厚く重ねてマスタードを塗ったライ麦パンに挟むのが特徴的である。

1950年代後半には、チェダーチーズの熟成前のチーズカードをフレンチフライドポテトの上に散らし、ローストやソテーなどを調理した時の肉汁から作ったグレイビーソースをかけた料理、プティーンはケベックのチーズの産地から広まり、今やケベックの若者をはじめ観光客にも最も知られるケベックの「国民食」である（写真3）。

（友武栄理子）

コラム20

ケベックのビール

スティーブ・コルベイユ

1979年に初演された舞台劇『ブルー』は、同じ3人の出演者によって2017年までに3000回以上も上演されたケベック州演劇史上の人気傑作である。「ブルー（broue）」という言葉はケベックのフランス語において、「泡」あるいは単に「ビール」の意味を持つ。『ブルー』の登場人物は労働者階級に属する男性であり、女人禁制であるケベック州の伝統的酒場「タヴェルヌ」が舞台となっている。そこで、3人はビールを飲みながら、新しい時代の幕開けに立ち会い、男性中心社会の喪失を嘆く。

実際、フェミニズム運動により、1986年に州内の「タヴェルヌ」における性差別ルールが撤廃されたことは、男女平等に対する意識の向上を促す重要な区切りとして捉えられている。しかしながら、これはケベック州でアルコール消費を規制するために州政府が取り組んだ手法の一側面に過ぎない。

米国やカナダの他州と異なり、1920年代にケベック州では禁酒法は施行されなかった。その代わり、酒類を提供できる場所と時間が制限され、販売は州有化されて1971年以降はSAQ（ケベック州酒類公社）で販売されるようになった。さらに、増税やアルコール度数の制限などによって酒の消費を抑制した。また、密造酒と密輸を防止するために、酒に関する犯罪を取り締まる専門の警察が設立された。

しかしながら、この厳しい環境の中でもケベック州のビール会社は繁栄した。たとえば、1786年にモントリオールで創業した北アメリカ最古のビール醸造会社「モルソン」は、低アルコール度数（2％以下）のビールの製造にも取り組み、禁酒運動による最も困難な状況をうまく乗り越えた。

米国の禁酒法時代には、合法的に酒を飲むために多くの米国人や他州のカナダ人がケベック州に遊びに訪れ、キャバレーなどの娯楽文化が開花した。一方、賭博場や売春宿が乱立し、犯罪も増えた。その「有害環境」の浄化を目指し、活躍した人も多い。有名な弁護士だったジャン・ドラポーは、組織犯罪の一掃に乗り出す活動で１９５４年にモントリオール市長に初当選を果たした。

　アルコール飲料の中で特に一般的なビールは、ケベック社会において流動的な位置づけがなされている。現在、ビールはパーティーやスポーツ観戦と関連づいたイメージがあり、学生の飲み物とも言われている。たとえば、前述のビール会社モルソンのオーナーは、ケベックの誰もが知っているホッケーチーム「モントリオール・カナディアンズ」のオーナーでもある。このことからもわかるように、ビールとケベックで人気のスポーツ・ホッケーには密接な関係がある。

　しかし、ビールには暗い側面もある。週末に一人でお酒を飲む男性というのが、特にアルコール依存症の典型的なイメージである。また、18歳から飲酒できるケベック州にはオンタリオ州や米国の若者たちが押し寄せてくる事情がある。そして悲しいことにビールが若者の健康を害する大きな原因の一つであることは否定できない。

　１９９０年代からマイクロブルワリーが続々と誕生している影響により、ビールのイメージが変わりつつある。少量の味比べを目的として飲む消費者が増えており、その傾向を反映したマーケティングが展開されている。ケベックの文化や歴史を美しく描写するラベルをまとったビールがスーパーやＳＡＱの棚に並んでいる。たとえば、ユニブルー社の「呪い《ラ・モディット》」、「筏師《ラフトマン》」、「世界の終わり《ラ・ファン・デュ・モンド》」はまるで文学作品のような商品名である。「呪い」のラベルは有名なケベック童話『空飛ぶカヌー《ラ・シャス・ガレリー》』を描写しており、「筏師」は危険な仕事の場面を格好良く再現し、そして「世界の終わり」にはケベック州が中心にある地図が描かれている。

そのユニブルー社は２００６年にサッポロビールの子会社となった。日本でケベックビールが飲める日も近いのかもしれない。

写真　ユニブルー社のビール「呪い」（上）と「世界の終わり」
（2023年、矢頭典枝撮影）

55

ケベックの冬

★冬を楽しむ者はケベックをより楽しむ★

よく知られているように、ケベックの冬は長くて厳しい。ケベック州の南部に位置するモントリオールでも冬の季節は6ヶ月ほど続く。だいたい最初の雪が降る11月頃から4月の終わりくらいまでは、最低気温の平均が0度を下回っている。最も気温が低いのは1月であり、統計によれば1981年から2010年までのモントリオールの1月の平均気温はマイナス10・4度、2月の平均気温はマイナス8・2度、そして約250キロ北東にあるケベックシティでは、さらにもう少し平均気温が下がり、1月の平均気温はマイナス12・8度、2月の平均気温はマイナス10・6度となる。天気予報などにはハドソン湾の方に向かって北に広がる各拠点の気温も映し出されるが、マイナス20度を下回る数字が表示されることも珍しくない。そして時には強風のために体感温度が実際の温度よりも低く感じられることも多い。

冬は雪と寒さとの戦いである。冬用のコートとブーツはもちろんのこと、帽子、マフラー、耳当てなどなど、防寒のための冬の装備が多ければ多いほど屋外の厳しさは軽減される。体温は頭からそのほとんどが失われると言われているため、帽子

第55章
ケベックの冬

はケベックの冬の必需品だが、縁のないニットの帽子はケベックのフランス語でテュック（tuque）と呼ばれる。冬用のブーツの多くには厳冬地仕様でソールに断熱材が入り、雪で滑らないためのビブラムソールがついたものを選ぶ人が多い。積もった雪が凍結しないように道に融雪剤が散布されるので、冬季は日本人のように玄関エリアで靴を脱ぐルールを守る家が多い。融雪剤が付着したままの靴で室内に入ると、融雪剤の成分で床材が傷んでしまうからだ。とはいえ、日本の玄関のように段差はないので、入り口付近がなんとなく靴の着脱エリアとなる。靴を脱いだ後、室内ではスリッパや、厚手のソックスのようなものを履く。

屋外の厳寒とは対照的に、屋内は暖かく保たれている。一般的には電力によるセントラルヒーティングで家中を温めるのが主流であり、モントリオール市のホームページには、冬季に人が過ごす室内の気温は21度以上に保たれていなければならないという記載がある（廊下や浴室などは15度以上）。レストランやモールなどの商業施設でも暖房はよく効いているので、外出先で暑くなり上着を脱ぐと持ち物が急に増えてしまう。筆者は脱いだコートの袖の中にマフラーなどを収納することをケベックの友人たちから教わったが、冬場の持ち物をなくさないようにするケベックの生活の知恵だろう。

長い冬の季節にたくさんの雪が降るケベックには、雪にまつわる独特な表現がある。最も有名な表現が「積もった雪が堆積したもの」を示すbanc de neigeだろう。また、poudrerieは「積もった雪が風に吹かれて粉のように飛ぶこと」を示す。そして道路で溶けて泥に混ざった汚い雪はslocheと呼ばれる（語源は英語のslushとされる）。雪が積もると歩道と横断歩道の段差が雪で埋まるが、表面が踏み固められて硬くなっているように見えても、内部では雪が溶けてslocheと水たまりになっている

写真　モントリオールの住宅街で雪をかぶった車
（2016年、矢頭典枝撮影）

ことも多い。特に気温が緩んでくる頃は、うっかり足を乗せると、思ったよりも深く氷水の中に足が浸ってしまうので注意が必要である。

19世紀のケベックの詩人エミール・ネリガンは「冬の夕（Soir d'hiver）」という詩において、「ああ！　雪がなんと降ったことか」（Ah ! Comme la neige a neigé !）と冬の情景を描いた。温かい室内から外の雪景色を眺めるのは楽しいが、雪がどんどん降ると心配なのは除雪だ。正面に巨大なブレードを備えた除雪車が大きな音を立てながら街を巡回して、豪快に雪の積もった道を切り開き、道路から雪を一掃してくれるのは心強い。しかし、一軒家や屋外に階段のあるタウンハウス（カバー表袖写真）に住んでいると除雪をしないと家から出ることができなくなってしまうだろう。屋根のない場所に駐車した車も、大雪の日の翌日には、まず雪から掘り起こす必要がある（写真）。

冬は長く続く暗い季節であるが、その一方で、冬には冬の楽しみが大いにあるのがケベックである。冬のフェスティヴァルといえば2月にケベックシティで10日間にわたり開催されるウィンターカーニバルが有名だ。1894年から続く伝統的な催しであり、世界中から多くの観光客が集まってくる。モントリオールなど他の都市でもクリスマスシーズンのライトアップや、イグルー祭りなど、冬の間も様々な催しが休みなく予定され、お祭り好きのケベック人たちは冬の季節を祝祭し続ける。珍しいところでは「プティーン・ウィーク」が2月にモントリオールで開催される。プティーンとは、揚げたてのフライドポテトに丸い粒状のチェダーチーズをのせ、さらにグレイビーソースをかけて食べるハイカロリーのケベック人のソウルフードである。ホリデーシーズンには、トルティエール（tourtière）というミートパイも伝統的な家庭の味である。モントリオールにはベトナム系の移民が多いため、ベトナム料理も普及しているが、寒い冬には温かいスープが美味しいのでフォーという米の麺の入ったスープも大人気である。2月末頃から4月まではメープルシロップの季節であり、モントリオールから北西に行ったところにあるローランティッドなどの森の中のメープルシロップ小屋（cabane à sucre）で、メープルシロップをかけた様々な料理を味わい、雪の上に煮詰めたメープルシロップを垂らして棒つきキャンディにするティール（tire）を楽しめる。

冬は芸術の季節でもある。ケベックの文化の中心ともいえるモントリオールにはプラス・デ・ザール（Place des Arts）のオペラ・ド・モントリオールやモントリオール交響楽団をはじめ、様々なコンサートホールや劇場があり、充実したプログラムを満喫できるだろう。ウィンタースポーツも盛んだ。モントリオールの街中には、いくつかの野外スケートリンクがあり、無料で使えるところもある。郊外のモン・トランブランなどのスキーリゾートも有名だ。変わり種としては、野外の温水プールを誇るモントリオールの高級ホテルやリゾート地があるので、降りしきる雪を見あげながら水泳を体験することもできるだろう。

（西川葉澄）

モントリオール近郊の四季折々と生活

コラム21

平井みさ

2023年で私がケベック州に住み始めてから40年になる。最初はモントリオール市のウートルモンという文化人が多く住んでいる地区に住み、今はローランティッド（ローレンシャン）山脈の麓に広がる郊外に住んでいる。モントリオールの郊外は緑が豊かで、家も庭も広く、快適な生活が送ることができる。モントリオールの中心市街地《ダウンタウン》まで車で30分で到着するし（渋滞のない時間には）、自宅近くにも大きなショッピングセンターやスーパーがあり、車があれば必要なものはすぐ手に入る。高速の渋滞は朝6時頃から始まり、午後3時頃になると帰宅する車ですでに渋滞が始まる。3時前にもう仕事場を後にするのかと驚いてしまう。ケベック人で残業する人はほとんどいない！　郊外にもスキー場やゴルフ場はあるが、週末にはさらに北へ向かい、森の中にある別荘に行く車で混む。私のように東京から来た者にとっては、ここでも十分田舎なのだが、ケベック人は自然が大好きである。新型コロナウイルス禍でリモートワークが多くなり、高速の渋滞が軽減され、郊外の人気が過熱し、コロナの前と比べると不動産の価値が2倍にも高騰しているが、すぐ売れてしまう。

詩人ジル・ヴィニョーが“Mon pays, c'est l'hiver”（私の国は冬）と歌ったように、ケベックの気候の特色は長い極寒の冬にある。11月から寒さは深まり、樹々は落葉し、灰色の世界になる。それを彩るのが10月31日に行われるハロウィンである。オレンジ色のカボチャや幽霊など子どもたちを喜ばせるために工夫を凝らした飾りつけが灰色の世界を彩る。それが終わるとクリスマスの飾りつけが始まる。私の家では高さ2・5メートルの本物のモミの木を立てて

写真１　太陽の光を浴びて、筆者の庭での真夏の食事会
(2016年、矢頭典枝撮影)　筆者（中央)、友人（左)、筆者の夫でケベック州政府在日事務所元代表クロード=イヴ・シャロン（右）

飾る。クリスマスツリーの下にはたくさんのプレゼントを置く。12月の初めに初雪が降り、本格的な冬が始まる。空からチラチラ舞い落ちてくる初雪を眺めるとその美しさに息を呑む。1、2月になると吹雪があたりの風景を真っ白く包み込む。外の気温がマイナス20〜30度ぐらいになっても、家の中は暖房が効いて居心地良い。2軒先に森への入り口があり、そこから雪に包まれた森を散歩する。森の中は風が遮られていて寒くなく、静けさに包まれている。時折、犬たちを散歩する人々に出会い“Bonjour !”と挨拶をし合う。昔は長くて寒いケベックの冬が嫌いだったが、今ではこの雪の森の散歩が私の冬の一番の楽しみになっている。

4月頃から雪が溶け始め、ゆっくりと大地が目覚める。私の庭に最初に雪から顔を出すのが美しいブルーの雪割草である。そしてチューリップや水仙、ヒヤシンスが庭を彩り、長い寒い冬を耐えてきた私たちに春の到来の喜びを

写真２　６月下旬の筆者の庭（2019年、筆者撮影）
バラ、キャットミント、サルビア、ネモローザ、ペチュニアなどが咲き乱れる。

もたらす。木々の新芽が一気に伸びて、庭の芝生はあっという間に緑色に染まる。芍薬が華麗な花を次々に咲かせ、5月からはガーデニングでとても忙しくなる。色々な薔薇が庭を華やかに彩り、ユリたちの香りが庭を満たす。6月から8月にかけての夏の間は、多くの方を庭に招待するので料理に忙しい。長い冬を耐えてきたケベック人たちは、短い夏を思いっきり楽しむ。「ジョワ・ド・ヴィーヴル（生きる歓び）」を味わい尽くすのだ（写真1、2）。

10月の終わりから朝晩がめっきり冷え込み、楓の樹々が紅葉する。秋はケベックが最も美しい季節である。ローランティッド地方は楓の木が多く、まるで絨毯のように赤、黄色、オレンジ色に山が彩られる。11月半ばになると木枯らしが吹き、庭は落ち葉で覆い尽くされる。また、ケベックの長い寒い冬がやって来る。

アイスホッケーとメディア

コラム22　スティーブ・コルベイユ

アイスホッケー（以下、ホッケーとも略記する）の歴史は、19～21世紀におけるメディアの多様化と発展から切り離せないものである。

1875年3月3日、モントリオールのマギル大学の学生がボールではなく「パック」を使用し、初の屋内スケート場での試合を開催した。試合前に『モントリオール・ガゼット』紙が宣伝し、試合翌日は同紙がイベントの様子を報道した。1896年にはモントリオールのスケート場とウィニペグ市をつなぐ電線が設置され、リアルタイムで試合の得点が伝えられるようになった。

アイスホッケーのプレーや試合の結果を一刻も早く知るためにラジオとテレビの普及も後押しされた。1923年からラジオでの実況放送が始まり、1952年からは白黒テレビで「ナショナルホッケーリーグ（NHL）」の試合観戦が可能となった。カナダ放送協会は秋と冬の土曜日にフランス語で51年間も「ホッケーの夜」という番組を放送した。ケベック中の老若男女がテレビに釘付けになったことにより、「土曜日の大規模ミサ」と言われていたほどだ。

「静かな革命」以前のケベックでは、カトリック教会がフランス語話者の日常生活に精力的に介入していたこともあり、ホッケーは解放感を味わう新しい信仰として定着した。さらに、ホッケーは疾走感溢れる競技であり、格闘技を除いて選手同士の殴り合いがルール上認められる唯一のプロスポーツである。初期から多くのケベック選手が活躍していたため、ホッケーの試合観戦は労働者として搾取される側であったフランス語話者がプライドを取り戻す手段となっていた。昨今ホッケーの暴力を抑止する声もあるものの、多くのファンはそれを求めていないので、ＮＨＬは積極的にルールを変えようとしていない。

　ホッケーは様々なメディアを通じて広く人気を博しているため、必然的に文学や映画、テレビドラマの重要な題材にもなった。１９７９年、ショディエール・アパラッシュ地方のサントジュスチーヌ市出身のロック・カリエが『ザ・ホッケーセーター』という「現代童話」を出版し、翌年カナダ国立映画庁によりアニメ化された。ケベック州だけでなく、カナダ全国で人気が集まり、学校でこの物語を習ったことのない児童はほとんどいなかった。２００１年には5ドル札にフランス語原文と英語訳で作品の冒頭の文章が抜粋表記された。カリエは確実にホッケー物語の金字塔を打ち立てた。

　物語の舞台は１９４６年のケベック州の田舎町。小学生の語り手とその友達は、ホッケーチーム「モントリオール・カナディアンズ」のスター選手モーリス・リシャールに憧れている。

『ザ・ホッケーセーター』（1979 年）

毎週土曜日にラジオで試合を聞き、リシャールについての新聞記事を切り抜き、彼の髪型も姿勢も真似ている。さらに子どもたちは、リシャールの名前と選手番号9が表記されたセーターを着て遊んでいる。

　ある日、語り手の着古したセーターを買い替えるため、プライドが高いお母さんは町の店ではなく、英語系経営者のデパート「イートンズ」の通信販売を利用する。しかし、カタログの注文書が読めないお母さんはフランス語で手紙を書く。その結果、フランス語を読めない従業員が誤って英語系が応援するライバルチーム「トロント・メープルリーフス」のセーターを送ってしまう。仕方なくそれを着る主人公は友達から仲間外れにされ、町の神父に叱られる。

この物語は当時のケベック社会の縮図であり、フランス語話者が感じている劣等感から解放されるための鍵としてホッケーとその文化が描写されている。また、ホッケー選手のリシャールは、ケベックの文化を守るためなら一歩も譲らない英雄として描かれた。

同様に、ホッケーとケベック社会の変容を映し出す多数の作品がある。多大な予算を費やし、当時の米国テレビドラマシリーズに近い完成度を目指した『ヒー・シューツ、ヒー・スコアズ』は1986年から25年以上にわたって99話も放送された。人種差別、麻薬依存症、ホッケー選手の不倫など、それまでテレビで取り上げにくかった社会問題に切り込んだことで、ケベック人に大きな影響を与えた。

1997年に公開された映画『ザ・ボイズ』は、当時ケベックでの過去最高の興行収入を得て、その後続編2作も製作された。

ホッケーについての作品はケベック社会を理解するために非常に重要であるが、予備知識がない観客にとってはわかりにくいせいか、海外への配信の見込みはないとみられる。

56

モントリオールとフェスティヴァル

★モントリオールの代名詞でありアイデンティティ★

木々の芽吹きは厳しい冬の終わりを意味し、春の到来を告げる。車道がテラスに変わり、街は人々でにぎわいを見せるようになると、いよいよ本格的なフェスティヴァルの季節が始まる。

今やフェスティヴァル都市として知られるモントリオールだが、主要なフェスティヴァルが行われるようになったのは1980年以降のことである。1967年に行われたモントリオール万国博覧会と1976年に行われたモントリオール・オリンピックによって、観光地としてのモントリオールの知名度が国際的に上昇した。その一方で、オリンピックによって引き起こされた財政難により、モントリオールの観光政策はメガイベントから多様な観光アトラクションの開発へとシフトしていくこととなる。その一つが、フェスティヴァルの開催である。

モントリオールのフェスティヴァルとして真っ先に挙げられるのは、モントリオール国際ジャズ・フェスティヴァルであろう。ケベックの音楽業界団体ADISQの設立者であり、ケベックの音楽業界のパイオニアとしても知られているアラン・シマールが、このフェスティヴァルの立ち上げに深く貢献している。一般の人々へのより幅広いジャズの普及、そしてアーティスト育成の支援を使命として、1980年からこのフェスティヴァルが開催されている。続いて、フランス語圏のアーティストの活動を活性化させ、フランス語の歌を普及させることを目的として、1989年にフランコフォリ・ド・モンレアル（FrancoFolies de Montréal）を組織した。2018年からはその名をフランコ・ド・モンレアル（Francos de Montréal）に変え、毎年6月に開催されている。そして2000年に、冬季最大級フェスティヴァルであるモンレアル・アン・リュミエール（Montréal en lumière）を立ち上げた。モントリオールの冬の観光シーズンを盛り上げたい、さらにはフェスティヴァル都市としての地位を確立したいという、モントリオールの観光業界と経済界の期待を背負っての開催である。このように、モントリオール最大級の規模を誇る三つのフェスティヴァルを企画・設立したアラン・シマールは、モントリオールのフェスティヴァルの発展に大きく貢献したのである。

モントリオール観光局は、モントリオールの観光プロモーションを100年にわたって展開する非営利団体であるが、この団体は上記の三つのフェスティヴァルはもちろんのこと、一年を通して60近いフェスティヴァルを支援している。フェスティヴァルが一番にぎわう時期は5月末から8月末である。2022年は「たくさんの変化の瞬間を共有しよう」（Mille et un moments à partager）というスローガンとともに、夏季フェスティヴァルの幕が開いた。5月末に行われる現代演劇とコンテンポラリーダンスの祭典であるフェスティヴァル・トランスアメリークを皮切りに、グラフィティを中心としたストリートアートフェスティヴァルであるミュラル・フェスティヴァル（MURAL Festival, 写真1）、アフリカ、カリブ、ラテン音楽の祭典のフェスティヴァル・ニュイ・ダフリック（Festival Nuits d'Afrique）、

上／写真１　ストリートアートのミュラル・フェスティヴァル（2022年、筆者撮影）
下／写真２　ヤタイ MTL のイベントの一つ、柴犬コンテスト（2022年、筆者撮影）

１９８３年から行われている世界最大級のコメディフェスティヴァルであるジュストゥ・プール・リール（Juste pour rire）、野外音楽フェスティヴァルであるオシェアガ（Osheaga）、エレクトロとデジタルアートに特化したミュテック（MUTEK）、さらには日本の文化、工芸、食をテーマにしたフェスティヴァルであるヤタイＭＴＬ（Yatai MTL—La semaine Japon）などが催された（写真2）。これらモントリオール観光局の支援を受けたフェスティヴァル以外にも、世界各国の音楽や文化を楽しむことができるイベントが、街中の公園や通りなどいたるところで開催された。さらに、6月末から8月初頭の水曜日と土曜日の夜には、サンテレーヌ島にある遊園地ラ・ロンド（La Ronde）から花火が打ち上げられ、街が彩られた。

多種多様なフェスティヴァルによって、観光面だけでなく文化・芸術コミュニティにおいても、モントリオールは国際的な存在感を高めることとなった。しかし忘れてはならないのはフェスティヴァ

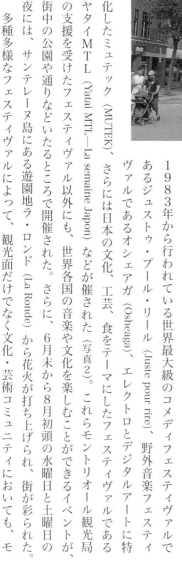

ルのもたらす経済効果である。モントリオールで開催された10の大規模なフェスティヴァルを対象に、モントリオール圏商工会議所とモントリオール観光局は、国際規模のフェスティヴァルがもたらす経済効果について調査を行った。その結果によると、これらのフェスティヴァルは２０１６年度に1億９０００万ドルの付加価値を生み出し、３０００万ドル以上を州政府の収入、１０００万ドル以上を連邦政府の収入に貢献しているとのことである。さらに特筆すべき点は、観光客の支出の割合であるというのも、ケベック州外からのフェスティヴァルの参加者は全体の15％に過ぎないが、観光客による支出は全体の54％以上を占めているのである。フェスティヴァルはモントリオールの重要な財政収入源なのである。

こうして現在、フェスティヴァルは名実ともにモントリオールを形成する一部となっている。しかし、フェスティヴァル都市として機能していくには、フェスティヴァルを持続的に開催していくことが必須であり、そのためには住民の理解は欠かせない。モントリオールの大規模フェスティヴァルは、カルティエ・デ・スペクタクルと呼ばれる地区内で行われることが多い。２０００年代から始まった都市計画の一環で、モントリオールの中心市街地《ダウンタウン》の東端に位置する約1平方キロメートルのこの地区に、多くの文化施設やイベント会場が作られた。それに付随して、大規模なコンドミニアムもたくさん建設された。特に大規模な音楽イベントにおいては、その音響や参加者による騒音に対する住民からの苦情が多く寄せられることが一般的であるが、この地区では、住民による苦情はむしろ少なく、若年層だけでなく年配者もフェスティヴァル開催を好意的に捉えている。しかし、２０２０年の新型コロナウイルス禍によって、フェスティヴァルは次々と中止となり、突然この地区は静寂に包まれ

写真３　バス停留所にみられるカルティエ・デ・スペクタクルのポスター
（2022年、筆者撮影）

ることとなった。マギル大学の研究チームによって行われた住民へのインタビュー調査によると、この静寂を歓迎する声よりも、むしろフェスティヴァルによる喧噪を懐かしむ声の方が多かったという。フェスティヴァルの中止によって、この地区の魅力を形成しているのはフェスティヴァルであり、フェスティヴァルこそがこの地区のアイデンティティなのであるということが再認識される形となった。フェスティヴァルは住民にとって重要な娯楽イベントであるとともに、日々の生活の一部なのである（写真3）。

　2022年の夏は、フェスティヴァルを待ちわびてきたモントリオールの人々にとって特別なものとなった。なぜなら、新型コロナウイルス禍以降、フェスティヴァルは規模が縮小されるか開催が見合わされてきたが、2022年の夏季のフェスティヴァルはすべて予定通り開催されたからである。モントリオール観光局の報告によると、2022年夏季の観光客の数は約800万人で、2019年夏季の観光客数の8割まで回復したという。モントリオールでは、新型コロナウイルス禍がもたらした観光産業の停滞はもはや過去のものといえる。フェスティヴァルの復活とともに、モントリオールの街はパンデミック以前の活気を取り戻している。

（杉山香織）

ケベックシティ建設400周年記念の夏

橘木芳徳

2008年夏、ケベックシティ建設400周年を記念して開催された第12回国際フランス語教授連合（FIPF）世界大会に参加した。私にとっては、4年ぶり6回目のケベック州訪問であった。

フランス本国を除いて、フランコフォニー（フランス語を話す国・地域）の代表格ともいえるカナダ・ケベック州への思いが常に頭にあった。ケベック州政府のフランス語教育政策には定評があったからだ。「フランス語教師なのに、ケベックについてはほとんど知らない、これでいいのだろうか」と気にしていた。そこで、私はケベック州政府在日事務所と度々連絡をとり、当時のドリオン代表を勤務校の暁星学園に招き、フランス語選択者を対象に主にケベックの地理・歴史について講演してもらった。私自身は1998年夏、モントリオール大学の語学研修会に参加する機会を得て、現地の言語、文化に触れ、日常生活も体験した。関心が更に高まり、現地でお世話になったプレヴィル先生を介してプラトー地区に家を借りて数回にわたり夏のひと月を過ごし、また世界的にも有名な地下ショッピングセンターで冬のモントリオールも満喫した。さらに友人の紹介でメープルシロップ採取にも立ち合わせてもらった。

そして、2008年夏、州都であるケベックシティへの再訪問を決意した。商業、経済、芸術の中心都市モントリオールに対して、歴史的にフランスの雰囲気が漂う文化都市であり、政治の中心なる行政都市ケベックシティへ新たに心弾ませ出発した。記念すべき年に世界各地から千数百名のフランス語教師が集い、フランス語、文化、文学、芸術等々を5日間にわたり議論し合うという世界規模の大会だ。以前モント

写真１　ケベックシティ建設400周年を祝って、当時の民族衣装を身につけた地元住民のパレード（2008年、筆者撮影）

リオール研修会で知り合った南米出身の先生方にも再会することができた。果たして、ケベックシティは建設400周年を祝うため、様々な行事が企画され、街中がお祝いムード一色で、地元住民と観光客たちが喜びを共有し合い、熱い活気に満ち溢れていた（写真1）。

大会期間中は、現地友人のガニェさんの好意に甘えて彼女のアパルトマンに私たち夫婦は泊めてもらった。この機会にかねてより念願だったガスペ半島を巡ってみたいと彼女に提案したところ、快諾してもらい、図々しくもまたまた好意に甘え、彼女の車で5泊6日のガスペ半島一周旅行を立案、3人で行程表を作成した。1608年にサミュエル・ド・シャンプランがケベックに要塞基地を建設したが、それ以前にセントローレンス湾を臨む半島先端に探検家ジャック・カルチエが上陸したというガスペ半島にはより強い関心があった。祖先が入植し、今も厳しい自然環境の中で生活している住民たちの日常生活はどんなだろうかと思い巡らしていた。一方、観光情報でガスペ半島最大のシンボルと紹介されているペルセ岩（写真2）を一目見たかったという物見遊山の気持ちがあったのも事実だ。

また、ガニェさんの強い勧めで、カナダ・ケベック州の自然保護区になっているミグアシャ州立公園も見学した。考古学的にはデボン紀の

写真２　ペルセ岩（2005年、大石太郎撮影）
ガスペ半島の観光名所の一つであり、付近の幹線道路沿いには宿泊施設やレストランなどが立ち並んでいる。

重要な化石が発見され、保存、展示されており、ユネスコの世界遺産にも登録されている。併設している自然博物館で、魚類から脊椎動物への進化過程を示す貴重な化石を目の当たりにして、考古学、生物学には全くの門外漢の私も感動しながら見入った。

旅行日程を終えて、ケベックシティに戻り、ガニェさんの車のメーターを見ると、走行距離は１０００キロを優に超えていた。旅の途中で知り合い、食事に招き、宿泊まで提供してくれた友人たちもたくさんでき、思い出一杯のガスペ半島一周旅行であった。

ケベックシティ４００周年記念の夏の有意義な体験は今も心に深く刻まれ、その後の私の教育活動に効果的な原動力となっている。

◆ケベックを知るための文献・情報ガイド

＊「ケベック全体」および「カナダ全体」に掲載した書籍に含まれる論文は割愛した。

❖ケベック全体

日本ケベック学会編『ケベック研究』（年刊、ケベック研究の研究誌）

小畑精和・竹中豊編『ケベックを知るための54章』明石書店、２００９年（本書の旧版）

日本ケベック学会日ケ交流40周年記念事業編集委員会編『遠くて近いケベック――日ケ40年の対話とその未来』御茶の水書房、２０１３年

竹中豊『ケベックとカナダ――地域研究の愉しみ』彩流社、２０１４年

Jean-Marc Léger, Jacques Nantel, Pierre Duhamel et Philippe Léger, *Le code Québec: Les sept différences qui font de nous un peuple unique au monde*, Nouvelle Édition, Les Éditions de l'Homme, 2021

日本ケベック学会ウェブサイト ▶http://www.ajeqsite.org/

日本ケベック学会ブログ ▶http://ajeq2017.blog.fc2.com/

在モントリオール日本国総領事館ウェブサイト

▶https://www.montreal.ca.emb-japan.go.jp/

ケベック州政府在日事務所

▶https://www.quebec.ca/ja/gouvernement/ministere/relations-internationales/representations-etranger/delegation-generale-quebec-tokyo

Gouvernement du Québec（ケベック州政府ウェブサイト）

▶https://www.quebec.ca/

Érudit（ケベックの学術情報サイト）

▶https://www.erudit.org/

Radio-Canada（カナダのフランス語公共放送）

▶https://ici.radio-canada.ca/

Le Devoir（モントリオール発行のフランス語日刊紙）

▶https://www.ledevoir.com/

Montreal Gazette（モントリオール発行の英語日刊紙）

▶https://montrealgazette.com/

❖カナダ全体

日本カナダ学会編『カナダ研究年報』（年刊、カナダ研究の研究誌）

水戸考道・大石太郎・大岡栄美編『総合研究カナダ』関西学院大学出版会、２０２０年
飯野正子・竹中豊総監修、日本カナダ学会編『現代カナダを知るための60章【第2版】』明石書店、２０２１年
飯野正子・竹中豊編『カナダを旅する37章』明石書店、２０１２年
日本カナダ学会編『新版　史料が語るカナダ――１５３５－２００７』有斐閣、２００８年
小畑精和『カナダ文化万華鏡――『赤毛のアン』シルク・ドゥ・ソレイユへ』明治大学出版会、２０１３年
矢頭典枝『カナダの公用語政策――バイリンガル公務員の言語選択を中心として』リーベル出版、２００８年
ラムゼイ・クック『カナダのナショナリズム――先住民・ケベックを中心に』小浪充・矢頭典枝訳、三交社、１９９４年
日本カナダ学会ウェブサイト　▼https://www.jacs.jp/
在日カナダ大使館公式 Facebook ページ
▼https://www.facebook.com/CanadaNihon/
在カナダ日本国大使館ウェブサイト
▼https://www.ca.emb-japan.go.jp/
カナダ観光局　▼https://jp-keepexploring.canada.travel/
Government of Canada / Gouvernement du Canada（カナダ政府ウェブサイト）　▼https://www.canada.ca/
L'Encyclopédie canadienne / Canadian Encyclopedia（カナダに関するウェブ版百科事典）
▼https://www.thecanadianencyclopedia.ca/
CBC（カナダの英語公共放送）　▼https://www.cbc.ca/
The Globe and Mail（トロント発行のカナダ全国紙）
▼https://www.theglobeandmail.com/

❖地域・都市・人口・観光（紀行文を含む）

菅野峰明・久武哲也・正井泰夫編『世界地名大事典7北アメリカⅠ（ア～テ）』『同8北アメリカⅡ（ト～ワ）』朝倉書店、２０１３年
ディケンズ『アメリカ紀行（上・下）』伊藤弘之・下笠徳次・隈元貞広訳、岩波文庫、２００５年
イザベラ・バード『イザベラ・バード／カナダ・アメリカ紀行』高畑美代子・長尾史郎訳、中央公論事業出版、２０１４年
岡田功「五輪レガシーの再生の試み――モントリオールとシドニーの五輪スタジアムを事例に」『経済地理学年報』第66巻第1号、２０２０年
Robert M. Bone, *The Regional Geography of Canada*, 6th ed., Oxford University Press, 2014

Serge Courville, *Le Québec, genèses et mutations du territoire : synthèses de géographie historique*, Les Presses de l'Université Laval, 2000

Serge Courville, *Quebec: A Historical Geography*, University of British Columbia Press, 2008

Institut de la statistique du Québec, *Le bilan démographique du Québec, Édition 2022*, Institut de la statistique du Québec, 2022

Nicole Neatby, *From Old Quebec to La Belle Province: Tourism promotion, Travel writing and National identities, 1920–1967,* McGill-Queen's University Press, 2018

Robert Prévost, *Trois siècles de tourisme au Québec*, Les Éditions de Septentrion, 2000

ケベック州観光局　Bonjour Québec

▶https://www.bonjourquebec.com

ケベックの先住民観光　Tourisme Autochtone Québec

▶https://tourismeautochtone.com

❖歴史

ジャック・ラクルシエール『ケベックの歴史』小倉和子・小松祐子・古地順一郎・伊達聖伸・矢内琴江訳、水声社、２０２３年

細川道久編著『カナダの歴史を知るための50章』明石書店、２０１７年

ジェラール・ブシャール『ケベックの生成と「新世界」――「ネイション」と「アイデンティティ」をめぐる比較史』竹中豊・丹羽卓監修、立花英裕・丹羽卓・古地順一郎・柴田道子・北原ルミ訳、彩流社、２００７年

マリー・ド・レンカルナシオン『修道女が見聞した17世紀のカナダ――ヌーヴェル・フランスからの手紙』門脇輝夫訳、東信堂、２００６年

マイケル・ドーソン、キャサリン・ギドニー、ドナルド・ライト編『シンボルから読み解くカナダ――メープル・シロップから「赤毛のアン」まで』細川道久訳、明石書店、２０２２年

ジャック・カルチエ「航海の記録」西本晃二訳、カルチエ、テヴェ『大航海時代叢書　第II期19　フランスとアメリカ大陸１』岩波書店、１９８２年

Paul-André Linteau, René Durocher, et Jean-Claude Robert, *Histoire du Québec contemporain : De la Confédération à la crise (1867–1929)* tome I, Nouvelle édition refondue et mise à jour, Boréal, 1989

Paul-André Linteau, René Durocher, Jean-Claude Robert et François Ricard, *Histoire du Québec contemporain : Le*

Québec depuis 1930 tome II, Nouvelle édition révisée, Boréal, 1989
Paul-André Linteau, *Histoire de Montréal depuis la Confédération*, Deuxième édition augmentée, Boréal, 2000
John A. Dickinson and Brian Young, *A Short History of Quebec*, 4th ed., McGill-Queen's University Press, 2008
Société Saint-Jean-Baptiste de Montréal（モントリオール聖ジャン・バティスト協会ウェブサイト）
▼https://ssjb.com/

❖多文化社会

ジェラール・ブシャール『間文化主義《インターカルチュラリズム》――多文化共生の新しい可能性』丹羽卓監訳、彩流社、2017年
ジェラール・ブシャール、チャールズ・テイラー『多文化社会ケベックの挑戦――文化的差異に関する調和の実践　ブシャール＝テイラー報告』竹中豊・飯笹佐代子・矢頭典枝訳、明石書店、2011年
ルース・アビィ『チャールズ・テイラーの思想』梅川佳子訳、名古屋大学出版会、2019年
岸上伸啓『イヌイット　「極北の狩猟民」のいま』中央公論新社、2005年
浅井晃『カナダ先住民の世界――インディアン・イヌイット・メティスを知る』彩流社、2004年
ミシュリンヌ・デュモン『ケベックのフェミニズム――若者たちに語り伝える物語』矢内琴江訳、春風社、2023年
飯笹佐代子「『ケベック価値憲章』をめぐる論争」『ケベック研究』第6号、2014年
飯笹佐代子「多文化社会ケベック、共存への模索 ――『妥当な調整』をめぐる論争」『ケベック研究』創刊号、2009年
竹中豊「アイデンティティの『危機』か新しい『調和』か――ケベックにおける『テイラー＝ブシャール・コミッション報告』のなげかけるもの」『CARITAS』（カリタス女子短期大学）第43号、2009年
岸上伸啓「ケベック州のクリーとイヌイト」富田虎男・スチュアート ヘンリ編『講座世界の先住民族　ファースト・ピープルズの現在、⑦北米』明石書店、2005年
Laurence Monnot, *La politique de sélection des immigrants du Québec : Un modèle enviable en péril*, Hurtubise, 2012

❖政治・経済・対外関係

鳥羽美鈴『多様性のなかのフランス語――フランコフォニーについて考える』関西学院大学出版会、2012年

パム・オルゼック、ナンシー・ガバマン、ルシー・バリラック編『家族介護者のサポート——カナダにみる専門職と家族の協働』髙橋流里子監訳、筒井書房、２００５年

佐々木菜緒・仲村愛「現代ケベックのネイション意識変容序論——『静かな革命』と雑誌の役割」『ケベック研究』第８号、２０１６年

マルセル・マルテル「ケベックとフランコフォン少数派共同体との奇妙な関係——歴史的観点から」『ケベック研究』第７号、小松祐子訳、２０１５年

小松祐子「ケベックとカナダ他州フランコフォン共同体との関係」『ケベック研究』第９号、２０１７年

ピエール・ヌヴー「ケベックと北米大陸のフランコフォニー（ニューイングランド、アカディア、フランス語圏オンタリオ）」『ケベック研究』第10号、廣松勲・小松祐子訳、２０１８年

Alain-G. Gagnon et David Sanschagrin (dir.), *La politique québécoise et canadienne*, 2e édition, Presses de l'Université du Québec, 2017

Stéphane Paquin (dir.), *Histoire des relations internationales du Québec*, VLB Editeur, 2006

Jean-François Payette, *Politique étrangère du Québec*, Les Presses de l'Université Laval, 2020

Organisation internationale de la francophonie（フランコフォニー国際組織）▼https://www.francophonie.org/

❖言語と教育

カナダ教育学会編『カナダ教育研究』（年刊、研究誌）

ジャン＝ブノワ・ナドー、ジュリー・バーロウ『フランス語のはなし——もうひとつの国際公用語』立花英裕監訳、中尾ゆかり訳、大修館書店、２００８年

小林順子『ケベック州の教育——１６００年から１９９０年まで』東信堂、１９９４年

近藤野里「ケベックのフランス語教科書に反映される語彙的および統語的特徴」『ケベック研究』第11号、２０１９年

矢頭典枝「転換期にあるケベック州のフランス語憲章——『永遠に油断しない』言語政策へ」『カナダ研究年報』第42号、２０２２年

矢頭典枝「フランス語憲章制定から40年以上経たケベック州の言語状況——言語管理機関による『評価』の検証」『ケベック研究』第14号、２０２２年

大石太郎「フランス語憲章下のケベック州モントリオールにおける英語話者の言語使用とアイデンティティ」『学芸地理』第77号、２０２１年

伊達聖伸「論争のなかの『倫理・宗教文化』教育――近年の議論の動向と公共空間における『宗教』の位置」『ケベック研究』第10号、２０１８年

カナダ教育学会ウェブサイト ▼https://www.jaces.website/

東京外国語大学言語モジュール「ケベックのフランス語」
▼http://www.coelang.tufs.ac.jp/mt/fr-ca-qc/dmod/

❖文学

日本カナダ文学会編『カナダ文学研究』（年刊、研究誌）

コーラル・アン・ハウエルズ、エヴァ＝マリー・クローラー編、堤稔子・大矢タカヤス・佐藤アヤ子日本語監修『ケンブリッジ版カナダ文学史』日本カナダ文学会訳、彩流社、２０１６年

マーガレット・アトウッド『サバイバル――現代カナダ文学入門』加藤裕佳子訳、御茶ノ水書房、１９９５年

真田桂子『トランスカルチュラリズムと移動文学――多元社会ケベックの移民と文学』彩流社、２００６年

山出裕子『ケベックの女性文学――ジェンダー・エクリチュール・エスニシティ』彩流社、２００９年

小畑精和『ケベック文学研究――フランス系カナダ文学の変容』御茶の水書房、２００３年

小倉和子『記憶と風景――間文化社会ケベックのエクリチュール』彩流社、２０２１年

立花英裕・真田桂子監訳、後藤美和子・佐々木菜緒訳『ケベック詩選集――北アメリカのフランス語詩』彩流社、２０１９年

ダニエル・シャルティエ『北方の想像界とは何か？――倫理上の原則』小倉和子・河野美奈子訳、Imaginaire Nord et Arctic Arts Summit（ケベック大学モントリオール校）、２０１９年

立花英裕「ガストン・ミロンとローランティド」『ケベック研究』第９号、２０１７年

ピエール・ヌヴー「ガストン・ミロン、ケベック詩と〈静かな革命〉」（講演訳）、真田桂子訳、『阪南論集』（人文・自然科学編）第56巻第2号、２０２０年

Lise Gauvin, *Parti pris littéraire*, Les Presses de l'Université de Montréal, 1975

Sean Mills, *The Empire Within: Postcolonial Thought and Political Activism in Sixties Montreal*, McGill-Queen's University Press, 2010

Paul-Émile Borduas, *Refus global*, Mithra-Mythe, 1948

Pierre Nepveu, *L'écologie du réel*, Boréal, 1998

日本カナダ文学会公式ブログ
▼https://blog.goo.ne.jp/kanadabungakukai84burogudayo

Speak White par Michèle Lalonde [Texte et Parole]
▶ https://www.youtube.com/watch?v=0hsifsVi2po
Émile Ollivier : québécois le jour et haïtien la nuit
▶ https://archives.umontreal.ca/exposition/Ollivier/index.html

❖文学作品

ルイ・エモン『白き処女地』山内義雄訳、新潮文庫、１９５４年
アンヌ・エベール『顔の上の霧の味』朝吹由紀子訳、講談社、１９７６年
ガブリエル・ロワ『わが心の子らよ』真田桂子訳、彩流社、１９９８年
ダニー・ラフェリエール『帰還の謎』小倉和子訳、藤原書店、２０１１年
ダニー・ラフェリエール『ハイチ震災日記』立花英裕訳、藤原書店、２０１１年
ダニー・ラフェリエール『ニグロと疲れないでセックスする方法』立花英裕訳、藤原書店、２０１２年
ダニー・ラフェリエール『甘い漂流』小倉和子訳、藤原書店、２０１４年
ダニー・ラフェリエール『吾輩は日本作家である』立花英裕訳、藤原書店、２０１４年
ダニー・ラフェリエール『エロシマ』立花英裕訳、藤原書店、２０１８年
ダニー・ラフェリエール『書くこと 生きること』小倉和子訳、藤原書店、２０１９年
アキ・シマザキ『椿』鈴木めぐみ訳、森田出版、２００２年
キム・チュイ『小川』山出裕子訳、彩流社、２０１２年
キム・チュイ『ヴィという少女』関未玲訳、彩流社、２０２１年
キム・チュイ『満ち足りた人生』関未玲訳、彩流社、２０２２年
イヴ・テリオー『アガクック物語』市川慎一・藤井史郎訳、彩流社、２００６年
アントニーヌ・マイエ『荷車のペラジー』大矢タカヤス訳、彩流社、２０１０年
フランケチエンヌほか、立花英裕・星埜守之編『月光浴　ハイチ短篇集』澤田直・管啓次郎・立花英裕・塚本昌則・星埜美智子・星埜守之・元木淳子訳、国書刊行会、２００３年
Dany Laferrière, *Sur la route avec Bashō*, Grasset, 2021
Jacques Godbout, *Une histoire américaine*, Seuil, 1986
Jacques Poulin, *Volkswagen Blues*, Leméac, 2015
Jean Morency, *La Littérature québécoise dans le contexte américain : Études et explorations*, coll. « Terre américaine », Éditions Nota bene, 2012

368

❖ 芸術文化

安田敬監修『ケベック発パフォーミングアーツの未来形——ダンス・演劇・映画・音楽・サーカス・マルティディシプリナリーアート』三元社、2003年

ジョルジュ＝エベール・ジェルマン『セリーヌ・ディオン』山崎敏・中神由紀子訳、東京学参、2000年

神崎舞『ロベール・ルパージュとケベック——舞台表象に見る国際性と地域性』彩流社、2023年

Gibert David dir., avec la collaboration de Hervé Guay, Hélène Jacques et Yves Jubinville, *Le théâtre contemporain au Québec, 1945–2015 : Essai de synthèse historique et socio-esthétique*, Les Presses de l'Université de Montréal, 2020

Andrée Lafontaine ed., *The Films of Xavier Dolan*, coll. « ReFocus », Edinburgh University Press, 2019

Jean-Nicolas de Surmont, *La Poésie vocale et la chanson québécoise*, l'Instant même, 2010

Culture et communications Québec, *Partout la culture, politique culturelle du Québec*, Gouvernement du Québec, 2018

Ministère de la culture et des communications, *Politique muséale : Vivre autrement... la ligne du temps*, Gouvernement du Québec, 2000

セリーヌ・ディオンの公式ホームページ
▶ https://www.celinedion.com

Danielle Tremblay et Yves Laneville, Chanson du Québec et ses cousines ▶ https://yveslaneville.com/chanson/

❖ ケベック州外のフランコフォン

市川慎一『アカディアンの過去と現在——知られざるフランス語系カナダ人の歴史』彩流社、2007年

大矢タカヤス・H・W・ロングフェロー『地図から消えた国、アカディの記憶——「エヴァンジェリンヌ」とアカディアンの歴史』書肆心水、2008年

大石太郎「カナダ、沿海諸州におけるアカディアンの文化と観光の発展」菊地俊夫編『ツーリズムの地理学——観光から考える地域の魅力』二宮書店、2018年

小松祐子「オンタリオ州フランコフォン集団アイデンティティの史的変遷」『仏語圏言語文化』（お茶の水女子大学）第1号、2021年

長谷川秀樹（はせがわ・ひでき）［コラム 2］
横浜国立大学大学院都市イノベーション研究院教授。フランス社会学。主な業績に『コルシカの形成と変容――共和主義フランスから多元主義ヨーロッパへ』（三元社、2003 年）、「マロン派レバノン人のモントリオール移民」（『日仏社会学会年報』33 号、2022 年）。

羽生敦子（はにゅう・あつこ）［4］
白百合女子大学言語・文学研究センター、立教大学観光研究所研究員。フランスとケベック州の観光文化研究。主な業績に「日系ケベック人作家 Aki Shimazaki とパンタロジー」（『白百合女子大学言語・文学研究センター『言語・文学研究論集』22 巻、2022 年）、『現代観光総論第三版』（分担執筆、学文社、2019 年）。

平井みさ（ひらい・みさ）［コラム 21］
元ケベック大学モントリオール校日本語講師、日本語プログラム責任者。ケベック州に在住。日本語・日本文化学習の振興への寄与に対し 2017 年、在モントリオール日本国総領事より在外公館長表彰を受賞。

福島　亮（ふくしま・りょう）［コラム 13］
日本大学文理学部非常勤講師。フランス語圏文学。主な業績に「あらゆる島が呼びかけ／あらゆる島は寡である――エメ・セゼールの想像の地理学」（立花英裕編『クレオールの想像力――ネグリチュードから群島的思考へ』水声社、2020 年）。

藤井慎太郎（ふじい・しんたろう）［45］
早稲田大学文学学術院教授。演劇学、文化政策学。主な業績に « Un Secteur introuvable ? La Longue marche du théâtre public au Japon » (*Revue d'Histoire du théâtre*, 292, 2022)。

松川雄哉（まつかわ・ゆうや）［35］
早稲田大学商学部専任講師。言語教育学。主な業績に「ケベック史におけるダンスパーティーの社会的な位置付けについて」（『アカデミア』文学・語学編 105 号、2019 年）。

村石麻子（むらいし・あさこ）［40］
福岡大学人文学部准教授。日本ケベック学会理事。現代フランス文学。主な業績に「ケベック演劇における静かな革命――ミシェル・トランブレー『義姉妹』を読む」（『ケベック研究』12 号、2020 年）。

矢内琴江（やうち・ことえ）［18, 53］
長崎大学ダイバーシティ推進センター准教授。社会教育学、フェミニスト・スタディーズ。主な業績に『ジェンダーのとびらを開こう――自分らしく生きるために』（共著、大和書房、2022 年）、『ケベックのフェミニズム――若者たちに語り伝える物語』（翻訳、ミシュリンヌ・デュモン著、春風社、2023 年）。

安田　敬（やすだ・けい）［コラム 17］
『DANCEART』誌編集長、ジャーナリスト。ダンスセミナーを企画、開催。主な業績に『安田敬写真集　路上のソリストたち』（ダンスカフェ、2021 年）、『踊る人に聞く』（共著、三元社、2014 年）、『ケベック発パフォーミングアーツの未来形』（監修、三元社、2003 年）。

髙橋流里子（たかはし・るりこ）［26］
元日本社会事業大学教授。社会福祉、ソーシャルワーク。主な業績に「カナダケベック州の高齢者虐待に対する地域ぐるみのソーシャルワーク実践――保健福祉サービス改革後のソーシャルワーク実践の実態からの検討」（『日本社会事業大学研究紀要』60 集、2014 年）。

竹中　豊（たけなか・ゆたか）［5–8］
元カリタス女子短期大学教授。ケベック研究。主な業績に『ケベックとカナダ――地域研究の愉しみ』（彩流社、2014 年）。

田澤卓哉（たざわ・たくや）［10］
笹川平和財団日米グループ主任研究員。カナダ史、日米関係。主な業績に『カナダの歴史を知るための 50 章』（分担執筆、明石書店、2017 年）。

立花　史（たちばな・ふひと）［コラム 10］
非常勤講師。フランス語圏文化・思想。主な業績に『マラルメの辞書学――『英単語』と人文学の再構築』（法政大学出版局、2015 年）、「男性形とその複数の意味――私たちの脳と私たちの社会にとっての問題」（翻訳、P. ジジャックスほか著、『日吉紀要』74 号、2022 年）。

橘木芳徳（たちばなき・よしのり）［コラム 23］
暁星学園フランス語教育特別顧問。日本ケベック学会理事。フランス語教育学。公益財団法人日仏文化交流協会理事。主な業績に『今すぐ覚える音読フランス語』（〈東進ブックス〉、ナガセ、2004 年）。

伊達聖伸（だて・きよのぶ）［34］
東京大学大学院総合文化研究科教授。宗教学、フランス語圏地域研究。主な業績に『もうひとつのライシテ――ケベックにおける間文化主義《インターカルチュラリズム》と宗教的なものの行方』（岩波書店、2024 年）。

鳥羽美鈴（とば・みすず）［28］
関西学院大学社会学部教授。主な業績に『多様性のなかのフランス語――フランコフォニーについて考える』（関西学院大学出版会、2012 年、日仏社会学会奨励賞受賞）。

友武栄理子（ともたけ・えりこ）［54］
ケベック研究者。カナダ文化。主な業績に『現代カナダを知るための 60 章【第 2 版】』（分担執筆、明石書店、2021 年）。

西川葉澄（にしかわ・はすみ）［コラム 12, 55］
慶應義塾大学総合政策学部専任講師。日本ケベック学会理事。フランス文学、ケベック文学、フランス語教育。主な業績に「越境する個人――言語の間に見出すアイデンティティ」（宮代康丈・山本薫編『言語文化とコミュニケーション』〈総合政策学をひらく〉慶應大学出版局、2023 年）。

丹羽　卓（にわ・たかし）［3, 22］
元金城学院大学教授、日本ケベック学会会長。言語社会学、ケベック研究。主な業績に「ケベックの社会統合政策の変遷」（『ケベック研究』第 8 号、2016 年）、『間文化主義』（監訳、ジェラール・ブシャール著、彩流社、2017 年）。

小林順子（こばやし・じゅんこ）[9]
清泉女子大学名誉教授。ケベックとフランスの教育行政学。主な業績に『カナダの教育 1　ケベック州の教育』（東信堂、1994 年）、『カナダの教育 2　21 世紀にはばたくカナダの教育』（共著、東信堂、2003 年）など。

小松祐子（こまつ・さちこ）[コラム 4, 23]
お茶の水女子大学基幹研究院人文科学系教授。日本ケベック学会理事、国際フランス語教授連合アジア太平洋委員会幹事長。言語文化教育学、フランコフォニー研究。主な業績に『フランコフォニーへの旅　改訂版』（駿河台出版社、2019 年）。

コルベイユ、スティーブ（Corbeil, Steve）[コラム 20, コラム 22]
聖心女子大学現代教養学部准教授。日本ケベック学会副会長。表象文化論。主な業績に『哲学者に学ぶ、問題解決のための視点のカタログ』（共著、BOW&PARTNERS、2021 年）。

佐々木菜緒（ささき・なお）[39]
白百合女子大学非常勤講師。ケベック文学。国際ケベック学会 25 周年記念優秀賞受賞「アンヌ・エベールのケベック――視線の舞台から風景《ペイザージュ》へ」（博士論文、明治大学、2021 年）。主な業績に『ケベック詩選集――北アメリカのフランス語詩』（共訳、彩流社、2019 年）。

杉原賢彦（すぎはら・かつひこ）[49, 50]
目白大学メディア学部准教授。日本ケベック学会理事。映画批評。主な業績に『ゴダールに気をつけろ！』（共著、フィルムアート社、1998 年）、『フランス映画に学ぶリスクマネジメント』（共著、ミネルヴァ書房、2022 年）。

杉山香織（すぎやま・かおり）[56]
西南学院大学外国語学部教授。フランス語学。主な業績に『フランコフォンの世界――コーパスが明かすフランス語の多様性』（共編訳、S. ドゥテほか編著、三省堂、2019 年）。

鈴木智子（すずき・さとこ）[コラム 16]
ケベック児童文学研究家。ケベック児童文学。国際子ども図書館海外の児童書に関する調査カナダ・ケベック（フランス語圏）担当。

関　未玲（せき・みれい）[42]
立教大学外国語教育研究センター教授。日本ケベック学会副会長。フランス文学、フランス語圏文学。主な業績に『ヴィという少女』（翻訳、キム・チュイ著、彩流社、2021 年）、『満ち足りた人生』（翻訳、キム・チュイ著、彩流社、2023 年）。

曽田修司（そた・しゅうじ）[48]
跡見学園女子大学マネジメント学部教授。日本ケベック学会監事。アート・マネジメント。主な業績に、『紛争地域から生まれた演劇』（責任編集、ひつじ書房、2019 年）など。

大矢タカヤス（おおや・たかやす）［コラム 14］
東京学芸大学名誉教授。19 世紀フランス文学。主な業績に『地図から消えた国──アカディの記憶』（書肆心水、2008 年）。

岡見さえ（おかみ・さえ）［47］
共立女子大学文芸学部准教授。舞踊およびフランス文学（視覚詩）。主な業績に「エドゥアール・ロックとラ・ラ・ラ・ヒューマン・ステップス──ケベックダンスにおける振付の革新の例として」（『ケベック研究』第 5 号、2013 年）。

小倉和子（おぐら・かずこ）［37, コラム 15］
立教大学異文化コミュニケーション学部特別専任教授。日本ケベック学会顧問、国際ケベック学会理事。現代フランス文学、ケベック研究。主な業績に『記憶と風景──間文化社会ケベックのエクリチュール』（彩流社、2021 年）。

片山幹生（かたやま・みきお）［51］
早稲田大学非常勤講師。日本ケベック学会理事。演劇学。主な業績に『「地域市民演劇」の現在──芸術と社会の新しい結びつき』（共著、森話社、2022 年）。

加藤　普（かとう・ひろし）［コラム 9］
元カナダ東京銀行モントリオール支店長、元総合研究開発機構理事。日本ケベック学会監事。国際金融。海外はディジョン、パリ、モントリオール、ホーチミン、テヘランに赴任。主な業績に『イラン通信』（三冬社、2008 年）。

神﨑佐智代（かんざき・さちよ）［14, 33］
ケベック大学モントリオール校コミュニケーション学部教授。人類学。主な業績に「カナダのアスベスト問題」（『環境と公害』40 巻 4 号、2011 年）、« Entretien » (*Diplomatie*, No. 56, 2020), “Mining the Mining Archives” (R. Anderson ed., *Hiding in Plain Sight*, SFU Library, 2022)。

岸上伸啓（きしがみ・のぶひろ）［12］
国立民族学博物館教授・副館長。日本カナダ学会会長。文化人類学。主な業績に *Food Sharing in Human Societies* (Springer, 2021),『カナダ・イヌイットの社会変化と食文化』（世界思想社、2007 年）。

木下晴美（きのした・はるみ）［52］
武蔵大学非常勤講師。ミュゼオロジー。主な業績に « La labellisation Trésor national vivant dans le contexte du mouvement Mingei au Japon » (Philippe Tanchoux et François Priet dir., *Les labels dans le domaine du patrimoine culturel et naturel*, Presses Universitaires de Rennes, 2020)。

河野美奈子（こうの・みなこ）［44］
立教大学外国語教育研究センター准教授。日本ケベック学会理事。ケベック先住民文学、20 世紀フランス文学。主な業績に「イヌー文学における « silence » と « guérison » をめぐって」（『ケベック研究』14 号、2022 年）。

真田桂子（さなだ・けいこ）[38, 41]
阪南大学流通学部教授。日本ケベック学会理事。フランス語圏文学、カナダ・ケベック地域研究。主な業績に、『トランスカルチュラリズムと移動文学――多元社会ケベックの移民と文学』（彩流社、2006年）、「北米に薫るフランス文化――交錯する言語ナショナリズムとコスモポリタニズム」（共著、『季刊民族学』152号、国立民族学博物館監修、2015年）、『ケベック詩選集――北アメリカのフランス語詩』（共編訳、彩流社、2019年）。

近藤野里（こんどう・のり）[29, 36]
青山学院大学文学部准教授。言語学。主な業績に、« La prononciation dans les manuels de FLE: entre norme d'orthoépistes et usage réel » (E. Pustka dir., *La prononciation du français langue étrangère : Perspectives linguistiques et didactiques*, Narr, 2021),「ケベックのフランス語教科書に反映される語彙的および統語的特徴」（『ケベック研究』11号、2019年）。

神崎　舞（かんざき・まい）[46]
同志社大学グローバル地域文化学部准教授。演劇学、カナダの舞台芸術。主な業績に『ロベール・ルパージュとケベック――舞台表象に見る国際性と地域性』（彩流社、2023年）、『現代カナダを知るための60章【第2版】』（分担執筆、明石書店、2022年）、『総合研究カナダ』（共著、関西学院大学出版会、2020年）、"The Japanese-Garden Aesthetics of Robert Lepage: *Shukukei*, *Mitate*, and *Fusuma-e* in *Seven Streams of the River Ota* and Other Works" (共著、*Theatre Research International*, Vol. 38, No. 3, Cambridge University Press, 2013)。

廣松　勲（ひろまつ・いさお）[コラム5, コラム6, 43, コラム18]
法政大学国際文化学部准教授。日本ケベック学会副会長。フランス語圏文学。主な業績に、「パトリック・シャモワゾーにおけるトランスカルチャー――記憶の伝達から伝達の記憶へ」（『Nord-Est』5号、2013年）、「現代ケベック文学の諸潮流――移民文学と新郷土文学を中心に」（『Nord-Est』7号、2015年）、「『たかが世界の終わり』における映像技法――ケベック映画としての／からの出立」（『ユリイカ』第52号、2020年）。

〈執筆者紹介〉（五十音順、編集委員は別欄を参照。[　] 内は担当箇所）

荒木隆人（あらき・たかひと）[20, 21]
広島大学大学院人間社会科学研究科・法学部准教授。日本ケベック学会理事、日本カナダ学会理事。政治学。主な業績に『カナダ連邦政治とケベック政治闘争――憲法闘争を巡る政治過程』（法律文化社、2015年）。

梅川佳子（うめかわ・よしこ）[コラム7]
中部大学経営情報学部准教授。政治学。主な業績に『チャールズ・テイラーの思想』（翻訳、ルース・アビィ著、名古屋大学出版会、2019年）。

〈編者紹介〉

日本ケベック学会（L'Association japonaise des études québécoises）
ケベックを中心として、フランコフォニーに関する学術研究及び芸術文化交流の振興と推進を目的とする学術団体。2008年10月の発足以来、AIEQ（L'Association internationale des études québécoises, 国際ケベック学会）やケベック州政府在日事務所などとも連携しながら活動し、優れた研究プロジェクト等に対してAIEQと共催で小畑ケベック研究奨励賞を授与している。主要な活動として、全国大会（例年10月）や研究会の開催、機関誌『ケベック研究』発行、ニュースレター発行などがある。
学会ウェブサイト　http://www.ajeqsite.org/index.html
学会ブログ　http://ajeq2017.blog.fc2.com/

〈編集委員紹介〉（＊は編集委員代表、［　］内は担当箇所）

＊矢頭典枝（やず・のりえ）［11, 30–32］
関西学院大学国際教育・協力センター教授。日本カナダ学会副会長。元日本ケベック学会副会長。カナダ研究国際協会日本代表理事。社会言語学。主な業績に『カナダの公用語政策』（リーベル出版、2008年）、『あなたの知らない世界の英語』（アルク〈EJ新書〉、2020年）、『現代カナダを知るための60章【第2版】』（共編著、明石書店、2021年）、『フランコフォンの世界──コーパスが明かすフランス語の多様性』（共編訳、S. ドゥテほか編著、三省堂、2019年）。

＊大石太郎（おおいし・たろう）［1, コラム1, 2, コラム3, 24, コラム8, 25, コラム11］
関西学院大学国際学部教授。日本カナダ学会副会長。日本ケベック学会理事。人文地理学。主な業績に『現代カナダを知るための60章【第2版】』（共編著、明石書店、2021年）、「フランス語憲章下のケベック州モントリオールにおける英語話者の言語使用とアイデンティティ」（『学芸地理』第77号、2021年）、「カナダ、沿海諸州におけるアカディアンの文化遺産を活用した地域活性化」（『地理空間』第13巻第3号、2020年）。

飯笹佐代子（いいざさ・さよこ）［15–17, コラム19］
青山学院大学総合文化政策学部教授。日本カナダ学会理事、オーストラリア学会理事など。多文化社会論（カナダ・豪州を中心に）。主な業績に『シティズンシップと多文化国家──オーストラリアから読み解く』（日本経済評論社、2007年、大平正芳記念賞）、『現代カナダを知るための60章【第2版】』（分担執筆、明石書店、2021年）、『多文化社会ケベックの挑戦』（共訳、G. ブシャール、T. テイラー編、明石書店、2011年）。

古地順一郎（こぢ・じゅんいちろう）［13, 19, 27］
北海道教育大学教育学部函館校国際地域学科准教授。日本カナダ学会理事。政治学、カナダ研究。主な業績に『地方発　多文化共生のしくみづくり』（分担執筆、晃洋書房、2023年）、『ケベックの歴史』（共訳、ジャック・ラクルシエール著、水声社、2023年）、『現代カナダを知るための60章【第2版】』（分担執筆、明石書店、2021年）。

エリア・スタディーズ　72

ケベックを知るための 56 章【第 2 版】

2010 年 11 月 22 日　初　版第 1 刷発行
2023 年 12 月 25 日　第 2 版第 1 刷発行

編　者　日本ケベック学会
発行者　大　江　道　雅
発行所　株式会社 明 石 書 店
〒101-0021 東京都千代田区外神田 6-9-5
電　話　03-5818-1171
FAX　03-5818-1174
振　替　00100-7-24505
http://www.akashi.co.jp/

装　幀　明石書店デザイン室
印刷／製本　日経印刷株式会社

(定価はカバーに表示してあります)　ISBN978-4-7503-5661-7

エリア・スタディーズ

1 **現代アメリカ社会を知るための60章**
明石紀雄、川島浩平 編著

2 **イタリアを知るための62章**【第2版】
村上義和 編著

3 **イギリスを旅する35章**
辻野功 編著

4 **モンゴルを知るための65章**【第2版】
金岡秀郎 著

5 **パリ・フランスを知るための44章**
梅本洋一、大里俊晴、木下長宏 編著

6 **現代韓国を知るための61章**【第3版】
石坂浩一、福島みのり 編著

7 **オーストラリアを知るための58章**【第3版】
越智道雄 著

8 **現代中国を知るための52章**【第6版】
藤野彰 編著

9 **ネパールを知るための60章**
日本ネパール協会 編

10 **アメリカの歴史を知るための65章**【第4版】
富田虎男、鵜月裕典、佐藤円 編著

11 **現代フィリピンを知るための61章**【第2版】
大野拓司、寺田勇文 編著

12 **ポルトガルを知るための55章**【第2版】
村上義和、池俊介 編著

13 **北欧を知るための43章**
武田龍夫 著

14 **ブラジルを知るための56章**【第2版】
アンジェロ・イシ 著

15 **ドイツを知るための60章**
早川東三、工藤幹巳 編著

16 **ポーランドを知るための60章**
渡辺克義 編著

17 **シンガポールを知るための65章**【第5版】
田村慶子 編著

18 **現代ドイツを知るための67章**【第3版】
浜本隆志、髙橋憲 編著

19 **ウィーン・オーストリアを知るための57章**【第2版】
広瀬佳一、今井顕 編著

20 **ハンガリーを知るための60章**【第2版】 ドナウの宝石
羽場久美子 編著

21 **現代ロシアを知るための60章**【第2版】
下斗米伸夫、島田博 編著

22 **21世紀アメリカ社会を知るための67章**
明石紀雄 監修　赤尾千波、大類久恵、小塩和人、落合明子、川島浩平、高野泰 編

23 **スペインを知るための60章**
野々山真輝帆 著

24 **キューバを知るための52章**
後藤政子、樋口聡 編著

25 **カナダを知るための60章**
綾部恒雄、飯野正子 編著

26 **中央アジアを知るための60章**【第2版】
宇山智彦 編著

27 **チェコとスロヴァキアを知るための56章**【第2版】
薩摩秀登 編著

28 **現代ドイツの社会・文化を知るための48章**
田村光彰、村上和光、岩淵正明 編著

29 **インドを知るための50章**
重松伸司、三田昌彦 編著

30 **タイを知るための72章**【第2版】
綾部真雄 編著

31 **パキスタンを知るための60章**
広瀬崇子、山根聡、小田尚也 編著

32 **バングラデシュを知るための66章**【第3版】
大橋正明、村山真弓、日下部尚徳、安達淳哉 編著

33 **イギリスを知るための65章**【第2版】
近藤久雄、細川祐子、阿部美春 編著

34 **現代台湾を知るための60章**【第2版】
亜洲奈みづほ 著

35 **ペルーを知るための66章**【第2版】
細谷広美 編著

36 **マラウィを知るための45章**【第2版】
栗田和明 著

37 **コスタリカを知るための60章**【第2版】
国本伊代 編著

38 **チベットを知るための50章**
石濱裕美子 編著

39 **現代ベトナムを知るための63章**【第3版】
岩井美佐紀 編著

40 **インドネシアを知るための50章**
村井吉敬、佐伯奈津子 編著

41 **エルサルバドル、ホンジュラス、ニカラグアを知るための45章**
田中高 編著

エリア・スタディーズ

42 パナマを知るための70章【第2版】
国本伊代 編著

43 イランを知るための65章
岡田恵美子、北原圭一、鈴木珠里 編著

44 アイルランドを知るための70章【第3版】
海老島均、山下理恵子 編著

45 メキシコを知るための60章
吉田栄人 編著

46 中国の暮らしと文化を知るための40章
東洋文化研究会 編

47 現代ブータンを知るための60章【第2版】
平山修一 著

48 バルカンを知るための66章【第2版】
柴宜弘 編著

49 現代イタリアを知るための44章
村上義和 編著

50 アルゼンチンを知るための54章
アルベルト松本 著

51 ミクロネシアを知るための60章【第2版】
印東道子 編著

52 アメリカのヒスパニック＝ラティーノ社会を知るための55章
大泉光一、牛島万 編著

53 北朝鮮を知るための55章【第2版】
石坂浩一 編著

54 ボリビアを知るための73章【第2版】
真鍋周三 編著

55 コーカサスを知るための60章
北川誠一、前田弘毅、廣瀬陽子、吉村貴之 編著

56 カンボジアを知るための60章【第3版】
上田広美、岡田知子、福富友子 編著

57 エクアドルを知るための60章【第2版】
新木秀和 編著

58 タンザニアを知るための60章【第2版】
栗田和明、根本利通 編著

59 リビアを知るための60章【第2版】
塩尻和子 編著

60 東ティモールを知るための50章
山田満 編著

61 グアテマラを知るための67章【第2版】
桜井三枝子 編著

62 オランダを知るための60章
長坂寿久 著

63 モロッコを知るための65章
私市正年、佐藤健太郎 編著

64 サウジアラビアを知るための63章【第2版】
中村覚 編著

65 韓国の歴史を知るための66章
金両基 編著

66 ルーマニアを知るための60章
六鹿茂夫 編著

67 現代インドを知るための60章
広瀬崇子、近藤正規、井上恭子、南埜猛 編著

68 エチオピアを知るための50章
岡倉登志 編著

69 フィンランドを知るための44章
百瀬宏、石野裕子 編著

70 ニュージーランドを知るための63章
青柳まちこ 編著

71 ベルギーを知るための52章
小川秀樹 編著

72 ケベックを知るための56章【第2版】
日本ケベック学会 編

73 アルジェリアを知るための62章
私市正年 編著

74 アルメニアを知るための65章
中島偉晴、メラニア・バグダサリヤン 編著

75 スウェーデンを知るための60章
村井誠人 編著

76 デンマークを知るための70章【第2版】
村井誠人 編著

77 最新ドイツ事情を知るための50章
浜本隆志、柳原初樹 著

78 セネガルとカーボベルデを知るための60章
小川了 編著

79 南アフリカを知るための60章
峯陽一 編著

80 エルサルバドルを知るための55章
細野昭雄、田中高 編著

81 チュニジアを知るための60章
鷹木恵子 編著

82 南太平洋を知るための58章 メラネシア ポリネシア
吉岡政德、石森大知 編著

83 現代カナダを知るための60章【第2版】
飯野正子、竹中豊 総監修 日本カナダ学会 編

エリア・スタディーズ

84 **現代フランス社会を知るための62章**
三浦信孝、西山教行 編著

85 **ラオスを知るための60章**
菊池陽子、鈴木玲子、阿部健一 編著

86 **パラグアイを知るための50章**
田島久歳、武田和久 編著

87 **中国の歴史を知るための60章**
並木頼壽、杉山文彦 編著

88 **スペインのガリシアを知るための50章**
坂東省次、桑原真夫、浅香武和 編著

89 **アラブ首長国連邦（UAE）を知るための60章**
細井長 編著

90 **コロンビアを知るための60章**
二村久則 編著

91 **現代メキシコを知るための70章【第2版】**
国本伊代 編著

92 **ガーナを知るための47章**
高根務、山田肖子 編著

93 **ウガンダを知るための53章**
吉田昌夫、白石壮一郎 編著

94 **ケルトを旅する52章** イギリス・アイルランド
永田喜文 著

95 **トルコを知るための53章**
大村幸弘、永田雄三、内藤正典 編著

96 **イタリアを旅する24章**
内田俊秀 編著

97 **大統領選からアメリカを知るための57章**
越智道雄 著

98 **現代バスクを知るための60章【第2版】**
萩尾生、吉田浩美 編著

99 **ボツワナを知るための52章**
池谷和信 編著

100 **ロンドンを旅する60章**
川成洋、石原孝哉 編著

101 **ケニアを知るための55章**
松田素二、津田みわ 編著

102 **ニューヨークからアメリカを知るための76章**
越智道雄 著

103 **カリフォルニアからアメリカを知るための54章**
越智道雄 著

104 **イスラエルを知るための62章【第2版】**
立山良司 編著

105 **グアム・サイパン・マリアナ諸島を知るための54章**
中山京子 編著

106 **中国のムスリムを知るための60章**
中国ムスリム研究会 編

107 **現代エジプトを知るための60章**
鈴木恵美 編著

108 **カーストから現代インドを知るための30章**
金基淑 編著

109 **カナダを旅する37章**
飯野正子、竹中豊 編著

110 **アンダルシアを知るための53章**
立石博高、塩見千加子 編著

111 **エストニアを知るための59章**
小森宏美 編著

112 **韓国の暮らしと文化を知るための70章**
舘野晳 編著

113 **現代インドネシアを知るための60章**
村井吉敬、佐伯奈津子、間瀬朋子 編著

114 **ハワイを知るための60章**
山本真鳥、山田亨 編著

115 **現代イラクを知るための60章**
酒井啓子、吉岡明子、山尾大 編著

116 **現代スペインを知るための60章**
坂東省次 編著

117 **スリランカを知るための58章**
杉本良男、高桑史子、鈴木晋介 編著

118 **マダガスカルを知るための62章**
飯田卓、深澤秀夫、森山工 編著

119 **新時代アメリカ社会を知るための60章**
明石紀雄 監修 大類久恵、落合明子、赤尾千波 編著

120 **現代アラブを知るための56章**
松本弘 編著

121 **クロアチアを知るための60章**
柴宜弘、石田信一 編著

122 **ドミニカ共和国を知るための60章**
国本伊代 編著

123 **シリア・レバノンを知るための64章**
黒木英充 編著

124 **EU（欧州連合）を知るための63章**
羽場久美子 編著

125 **ミャンマーを知るための60章**
田村克己、松田正彦 編著

エリア・スタディーズ

126 カタルーニャを知るための50章
立石博高、奥野良知 編著

127 ホンジュラスを知るための60章
桜井三枝子、中原篤史 編著

128 スイスを知るための60章
スイス文学研究会 編

129 東南アジアを知るための50章
今井昭夫 編集代表 東京外国語大学東南アジア課程 編

130 メソアメリカを知るための58章
井上幸孝 編著

131 マドリードとカスティーリャを知るための60章
川成洋、下山静香 編著

132 ノルウェーを知るための60章
大島美穂、岡本健志 編著

133 現代モンゴルを知るための50章
小長谷有紀、前川愛 編著

134 カザフスタンを知るための60章
宇山智彦、藤本透子 編著

135 内モンゴルを知るための60章
ボルジギン・ブレンサイン 編著 赤坂恒明 編集協力

136 スコットランドを知るための65章
木村正俊 編著

137 セルビアを知るための60章
柴宜弘、山崎信一 編著

138 マリを知るための58章
竹沢尚一郎 編著

139 ASEANを知るための50章
黒柳米司、金子芳樹、吉野文雄 編著

140 アイスランド・グリーンランド・北極を知るための65章
小澤実、中丸禎子、高橋美野梨 編著

141 ナミビアを知るための53章
水野一晴、永原陽子 編著

142 香港を知るための60章
吉川雅之、倉田徹 編著

143 タスマニアを旅する60章
宮本忠 著

144 パレスチナを知るための60章
臼杵陽、鈴木啓之 編著

145 ラトヴィアを知るための47章
志摩園子 編著

146 ニカラグアを知るための55章
田中高 編著

147 台湾を知るための72章【第2版】
赤松美和子、若松大祐 編著

148 テュルクを知るための61章
小松久男 編著

149 アメリカ先住民を知るための62章
阿部珠理 編著

150 イギリスの歴史を知るための50章
川成洋 編著

151 ドイツの歴史を知るための50章
森井裕一 編著

152 ロシアの歴史を知るための50章
下斗米伸夫 編著

153 スペインの歴史を知るための50章
立石博高、内村俊太 編著

154 フィリピンを知るための64章
大野拓司、鈴木伸隆、日下渉 編著

155 バルト海を旅する40章 7つの島の物語
小柏葉子 著

156 カナダの歴史を知るための50章
細川道久 編著

157 カリブ海世界を知るための70章
国本伊代 編著

158 ベラルーシを知るための50章
服部倫卓、越野剛 編著

159 スロヴェニアを知るための60章
柴宜弘、アンドレイ・ベケシュ、山崎信一 編著

160 北京を知るための52章
櫻井澄夫、人見豊、森田憲司 編著

161 イタリアの歴史を知るための50章
高橋進、村上義和 編著

162 ケルトを知るための65章
木村正俊 編著

163 オマーンを知るための55章
松尾昌樹 編著

164 ウズベキスタンを知るための60章
帯谷知可 編著

165 アゼルバイジャンを知るための67章
廣瀬陽子 編著

166 済州島を知るための55章
梁聖宗、金良淑、伊地知紀子 編著

167 イギリス文学を旅する60章
石原孝哉、市川仁 編著